护理心理学

双色版

主　编　张登科　陆春波　王　玥

主　审　程继侠

副主编　陈慧群　周福君　李源晖

周　丽　杨建华　唐占霞

牛梦珍　吴小碧　杨甜甜

金　鑫

HULI
XINLIXUE

·长　沙·

图书在版编目(CIP)数据

护理心理学／张登科，陆春波，王玥主编．—长沙：
中南大学出版社，2020.9
ISBN 978-7-5487-4128-2

Ⅰ.①护… Ⅱ.①张… ②陆… ③王… Ⅲ.①护理学—
医学心理学—高等学校—教材 Ⅳ.①R471

中国版本图书馆 CIP 数据核字(2020)第 153254 号

护理心理学
HULI XINLIXUE

主编 张登科 陆春波 王 玥

□责任编辑 李 娴
□责任印制 易红卫
□出版发行 中南大学出版社
社址：长沙市麓山南路 邮编：410083
发行科电话：0731-88876770 传真：0731-88710482
□印 装 北京俊林印刷有限公司

□开 本 787 mm×1092 mm 1/16 □印张 14.5 □字数 323 千字
□版 次 2020 年 9 月第 1 版 □ 2020 年 9 月第 1 次印刷
□书 号 ISBN 978-7-5487-4128-2
□定 价 45.00 元

图书出现印装问题，请与经销商调换

精品课程配套教材 “双创”型人才培养优秀教材 编审委员会

主　任：王汝志

副主任：张俊竹　鲁春燕　倪元相　黄　电　姜　庆　郝德鸿　徐顺志　黄群瑛　刘仁芬
杜海玲　黄　芸　崔　芸　刘　晖　胡　建　张敏杰　陈柏明　宋国顺　唐　靖
孙新国　李奇志　宠朝辉　李　奇　陈　娟　李晓青　田　莉　毕春晖　隋　兵
杜春雷　田富阳　田　华　魏晓娅　钱晓芳　舒　安　唐克岩　曾华林　何春梅

委　员：（名次不分先后顺序）
马超平　胡延华　唐志刚　伍建海　冯光明　曾庆良　吴倍贝　杨　希　曾昭江
兰长明　赵蓓蕾　姜炳春　杨云兰　邱州鹏　谭洪溢　刘平胜　王金良　刘妙玲
周　冲　王德礼　陈　明　朱超才　汪洪斌　钱黎春　陈起风　张　璐　汪　丽
张治俊　张春来　李琚陈　王国体　夏　松　王　强　张　娜　杨世河　丁　辰
周　宇　杨智良　高立峰　凌烈锋　申永刚　汪作琳　邓光明　阳玉秀　杨勇军
黎利辉　文　竹　曾利明　黄汝广　梁满朝　蒙　敏　温任平　秦　艳　李　杰
庞江峰　孙永震　高启明　王建立　吴剑锋　王久霞　王志新　赵　静　潘　军
林秀芝　王永芳　殷永生　江　毅　陈　芳　陈金山　周金羊　孔　丽　黄爱科
郑小平　姜　楠　高明华　宛　燕　陈淑萍　刘德华　郭明德　萨其尔　方　煜
刘　军　程宝鑫　王艳丽　运乃通　朱卫娟　李占仓　格　桑　苏迅帆　吴丽娜
杨丽君　田荣燕　秦国华　刘　云　王子国　魏洪超　刘兆军　魏玉芝　达娃次仁
李　阳　杨　亮　李　伟　李丽艳　于善波　付广敏　常　虹　吴彦文　徐　军
郑　玲　姜　健　王　钧　毛用春　马　毅　席俊生　陈　微　王志强　蔡玉云
曹其英　林金澜　杨　迪　毛爱云　彭佑元　宁晓青　孙润霞　高文伟　梁双升
苏少虹　张艳英　李建清　林俊卿　陈俊峰　贾　檀　汪　琴　王玉林　马妙娟
何阳英　陈晓川　马春晓　吕镇洋　司丽娟　张惠芳　江　彬　张建春　陈　科
吴章土　熊　林　吉玲峰　王红记　何　伟　谢晓杰　王　军　李元杰　任　丽
魏　宁　熊晓亮　范学谦　毛洪涛　许立强　黄孝斌　罗　勇　胡郑重　高双喜
徐斌华　徐晓晗　周　军　董　惠　刘婷婷　蔡改成　汪　峰　汪中华　徐兰兰
余红珍　梁月飞　李春侠　田正佳　吴小伟　张　薇　仲崇高　包耀东　高国生
王湘蓉　蒋秀莲　徐明川　郑道东　张元越　朱　力　芦书荣　袁　鸿　包佃清
陈存英　赵彩虹　胡海婧　王金国　张　晶　周　蓓　徐　艟　李　宁　顾海华
谢鑫建　陈丽佳　罗　杰　涂春莲　欧蔓丽　刘蔚倩　谭德喜　王继良　唐启涛
邓　杰　刘怡然　刘坤城　于肖飞　康永平　郑明望　彭　杰　李凯贤　石梅兰
刘　慧　薛亚卓　李金伟　杨春旺　刘卫东　张　涛　王艳芹　靖麦玲　岳士凯
王　玲　刘玉国　张秀芳　耿禧则　王永照　王长青　付坤伟　孙宁宁　常　苏
刘　峰　黎维红　田海生　李付忠　宋珊珊　丛　颖　封　岚　安永红　杜　垚
张　华　李　奇　潘宏斌　王　磊　袁　新　陈劲松　林秋实　万　福　蔡昭君
杨　决　李　巨　李　芳　张　曼　姜百瑞　余龙江　郑　峰　韩　勇　卫玉成
千　彦　郑　涛　牛荣建　颜　伟　周　洁　刘建国　向洪玲　张红波　田航周
何朝良　刘　洋　卜长明　吴建荣　蒲　冰　成志平　谭　波　谢晓明　黎付兵

前　言

护理心理学是心理学和护理学相结合的一门交叉学科，是将心理学的理论和技术应用于护理领域，研究在护理情境下医疗服务对象和护理人员心理现象的发生、发展及其变化规律，解决护理实践中的心理问题，以实施最佳护理的一门应用性学科。

本教材紧紧围绕我国“十三五”期间护理学专业生的培养目标进行编写。内容上紧跟最新的研究成果，将新理论、新技术融入教材。形式上，每模块设置内容导读、理论学习、任务小结、知识点自测和实训项目。前后呼应，便于学生理解和掌握主要知识点。部分模块设置有知识链接，介绍相关研究成果、理论假说等，拓展学生的知识，增强教材的可读性和趣味性。同时每一个任务点均配有案例引导，加深学生对所学知识点的理解与思考，培养学生的实践能力。

全书共分十个章节，可分为四个部分。第一部分是护理心理学概述（章节一），主要介绍护理心理学的概念、研究内容和任务、研究方法、历史等；第二部分是与护理心理学密切相关的经典心理学知识，包括心理学基础（章节二）、心理发展与心理健康（章节三）、心理应激与心身疾病（章节四）、心理评估（章节五）、心理咨询与心理治疗（章节六）；第三部分是与患者心理护理相关的知识，包括患者心理（章节七）、临床心理护理（章节八）、临床心理护理应用（章节九）；第四部分是护士职业心理的形成与维护（章节十）。

本教材由张登科、陆春波、王玥担任主编，程继侠担任主审，陈慧群、周福君、李源晖、周丽、杨建华、唐占霞、牛梦珍、吴小碧、杨甜甜、金鑫担任副主编。具体编写分工如下：第一章、第二章、第十章由张登科编写，第三章、第四章、第五章由陆春、王玥波编写，第六章、第七章由陈慧群、周福君、李源晖、周丽、杨建华、刘蕾、吴相竹编写，第八章、第九章由唐占霞、牛梦珍、吴小碧、杨甜甜、金鑫、张紫薇、梁淑霞编写。

为了保证教材的编写质量，本教材的编写团队成员均为来自全国高等医学院校教学和临床一线的专家、教师，他们在教学、临床和科研方面具有丰富的理论知识和实践经验，为本教材的编写付出了不懈的努力。但是由于时间关系以及水平有限，书中难免有错误和不足之处，恳请广大师生批评指正。

编　者

目　录

第一章 绪论

内容导读

1. 掌握　护理心理学的概念；护理心理学的研究对象和研究任务。
2. 熟悉　护理心理学研究的基本原则和常用的研究方法。
3. 了解　护理心理学的发展历史及发展趋势。

护理工作是整个医疗活动的重要组成部分，对患者的康复起着重要的作用。俗话说的“三分治疗，七分护理”，至少包含以下两方面的意思：一是护理工作贯穿从患者的入院接待、执行医嘱、监测病情变化、评估医疗效果直至办理出院手续的整个医疗过程；二是护理工作是整个医疗活动当中医-患之间接触时间最多、关系最紧密、作用最重要的一个环节。随着生物-心理-社会医学模式的转变，护理理念也发生了重要变化，以患者为中心的整体护理理念要求护理人员在医疗活动中不仅要做好基础护理工作，更需要把握好患者的各种心理变化和心理需求，处理好患者的各种心理问题和心理危机，以促进患者的临床康复。学习和掌握护理心理学的相关理论知识和实践技能，应作为临床护理人员提升整体护理工作能力，尤其是提升心理护理工作能力的有效途径。

第一节　护理心理学概述

案例引导 1-1

案例：2019 年 12 月以来，湖北省武汉市陆续发现新型冠状病毒肺炎病例，随后发现该病毒通过呼吸道传播扩散。为遏制新型冠状病毒感染引起的肺炎疫情扩散，从 2020 年 1 月 23 日 10 时起，武汉市和周边的城市相继宣布暂停运营城市公交、地铁、轮渡、长途客运，暂时关闭机场、火车站、高速公路等离开通道。疫情和管控消息发布后，群众反应不一。有人相信政府发布的消息，遵循官方的疫情防控指引；有人传播小道消息，过度恐慌，过度防护；有人漠不关心，我行我素，不愿遵守管制措施，仍然走亲访友，四处活动，认为政府是在小题大做。

问题：您如何看待疾病面前，不同人的不同心态与反应？在重大疫情面前，您如何看待生物、心理、社会因素在疾病的发生、发展、转归方面的作用。

一、护理心理学的概念

（一）心理学和护理心理学的定义

心理学（psychology）是研究心理现象发生、发展和活动规律的一门科学。随着现代医学模式的发展，心理学与医学、护理学等学科的联系也越来越密切，形成了医学心理学和护理心理学等交叉学科。护理心理学（nursing psychology）是心理学和护理学相结合的一门交叉学科，是将心理学的理论和技术应用于护理领域，研究在护理情境下医疗服务对象和护理人员心理现象的发生、发展及其变化规律，解决护理实践中的心理问题，以实施最佳护理的一门应用性学科。

在护理心理学定义中表述的“交叉学科”是指运用心理学的理论、方法和技术解决临床护理中的心理护理问题，两门学科的内容相互结合、相互交叉。“护理情境”则是指所有护理活动涉及的环境与条件，包括医院、医疗诊所、体检中心、社区卫生服务中心等医疗服务机构。而医疗服务对象和护理人员是整个护理活动中的主体，这一主体中两类人员的心理活动常常互相影响，护理心理学就是要研究这些心理活动的发生、发展变化规律，并将心理学原理应用于护理实践，以实施最佳的临床护理。

（二）护理心理学定义的特征

1. 注重护理情境与护理活动主体之间的相互作用

护理情境与护理活动主体之间存在相互作用，比如案例引导 1-1 的患者入住的是医院心血管内科，病房环境是否宽松、清静、舒适，医疗条件是否尖端、齐全，直接影响到患者能否安心、放心地接受医疗服务。医护人员的服务水平，对患者的服务态度，也会影响到患者的治疗依从性，进而影响患者恢复的进程。同时，患者对医护人员的评价良性与否、信任程度的高低，又会反过来影响到医护人员的服务态度和服务水平，影响医疗业务的顺利开展，最终影响到良好医疗环境的构建。

知识链接 1-1

整体护理

1994 年，美国乔治梅森大学护理与健康科学学院吴袁剑云博士根据中国护理临床和教育实际，设计了系统化的整体护理模式。随后，整体护理在我国逐步普及，不断完善。整体护理是一种以人为中心，以现代护理观为指导，以护理程序为基础框架，并且把护理程序系统化地运用到临床护理和护理管理中去的护理行为的指导思想或护理观念。整体护理的目标是根据人的生理、心理、社会、文化、精神等多方面的需要，提供适合患者的最佳护理，是一种新型的护理模式。

2. 强调护理活动主体的内在心理因素

当个体从日常角色转变为患者角色时，其内心活动会发生很多变化。患病作为一个应激性的生活事件可以引起患者忧虑、紧张、恐惧等心理变化，进而影响疾病的演变。反过来，护理人员适时、恰当的心理护理能够促进病情更快地朝康复方面发展。

3. 强调护理心理学的学科性质是交叉应用性学科

护理心理学研究的是临床护理中的心理现象，是用心理学的理论和技术解决临床护理工作当中的心理问题，既需要运用心理学和护理学中的知识和内容，但又区别于其他心理学和护理学，是心理学和护理学相结合的一门交叉学科。作为整体护理的重要组成部分，护理心理学吸取心理学的理论和方法，解决临床护理当中的心理问题，因而是一门交叉应用性的学科。

二、护理心理学的研究对象和内容

（一）护理心理学的研究对象

1. 护理服务对象

（1）患者　患者指患有各种躯体疾病、心身疾病和心理疾病的个体。护理心理学要研究患者生理和心理之间的相互作用、心理问题产生的原因及心理护理的方法，研究患者普遍的心理特点及不同年龄阶段、不同疾病患者的心理特点。

（2）亚健康状态的人　亚健康状态指人体处于健康和疾病之间的一种状态。处于亚健康状态者，不能达到健康的标准，表现为一定时间内的活力降低、功能和适应能力减退的症状，但未达到疾病的临床诊断标准。护理心理学要研究亚健康个体心理活动的规律，研究其心理因素与亚健康状态之间的关系，促进亚健康个体恢复到健康状态。

（3）健康人　护理心理学要研究健康个体的心理活动规律，研究正常人健康行为方式的促进方法，致病行为方式的发生规律和矫正的方法，研究应激对健康的影响。

2. 护理工作者

护理工作者是护理活动的执行主体，他们的职业素养、心理特征、心理活动都会对护理服务产生重要影响。护理心理学研究护理工作者心理健康的促进，研究工作压力、职业倦怠的发生发展规律和预防消解方法，研究护理管理中的心理学原理和优化办法。

（二）护理心理学的研究内容

护理心理学的研究内容是研究在护理情境下护理活动主体间的各种心理现象。主要包括以下几个方面。

1. 研究心身交互作用对健康的影响

护理心理学不仅要研究人们的心理活动对躯体生理活动的影响，还要探讨人在患病之后生理变化所引起的各种心理反应，以及心理生理之间复杂的交互作用，从而揭示疾病与心理因素之间的内在联系。护理人员只有认识并掌握了这其中的规律，才能自觉地采取恰当措施进行心理护理。

2. 研究患者心理活动特点

深入研究患者的一般心理活动规律和特殊的心理表现，并依据其特点，采取恰当措施实施最佳心理护理。

3. 研究心理评估和干预患者心理活动的理论与技术

系统化整体护理要求护理人员更多地懂得患者的心理。目前，国内外已发展了许多新的心理评估和干预技术，并应用于临床工作，取得了不错的效果。因此，掌握新的的心理学理论与技术，综合评估患者心理方面的问题并采取相应的干预措施，是护理心理学的重要研究内容。

4. 研究与增强护理人员的心理素质

护理人员通过护理服务为患者减轻痛苦，并使之安全与舒适，这是一项崇高的职业。要做好这项工作，就要求护理人员必须具备一系列良好的心理品质。比如，对患者要有同情心，尊重和体贴他们；对患者的需要认真对待，尽量给予满足，在工作中表现出高度的责任心和娴熟精湛的护理技术，以增强患者的安全感。甚至护理人员的言谈举止、仪表修饰都应十分注意，以给患者带来良好的印象，使患者在心理上增强对护理人员的信任感。因此，护理人员的心理素质及培养也是护理心理学要研究的一项内容。

三、护理心理学与相关学科的关系

（一）护理心理学与护理学的关系

护理心理学是护理学与心理学相互作用形成的交叉学科，从学科属性来看，护理心理学是现代护理学的分支。护理学包含对服务对象心理的照护，即包含了护理心理学，可以形象地将两者关系形容为“母子”学科。其次，护理心理学反映了南丁格尔在创立护理学之初所确定的学科目标——使千差万别的人达到治疗或康复所需的最佳心身状态。护理心理学的发展不仅丰富了现代护理学的理论体系，增加了临床护理手段，还加速了现代护理学学科的发展步伐。

（二）护理心理学与医学心理学

医学心理学是综合多种与医学有关的心理行为的科学理论、知识和技术发展起来的交叉学科，主要研究心理因素与健康和疾病之间的关系，解决医学领域中的心理行为问题。

护理心理学则是将心理学的理论和技术应用于护理领域，研究在护理情境下的心理问题，以实施最佳护理的一门应用性学科。医学心理学的迅猛发展对护理心理学的形成起到了极其重要的理论引导和技术支撑作用，但随着护理心理学的发展成熟，两者虽然具有共同的研究领域，但各有其独立的研究范围与侧重。

近年来，医学心理学更注重研究心理因素的致病机制，并借以指导疾病的诊治和预防。深入开展神经症、人格障碍等疾病的心理治疗研究，运用心理学的理论和技术协同治疗精神障碍患者等。护理心理学则更多地围绕精神正常的患者和其他人群，结合非精神病医院临床诊疗的患者特点，探求患者心理的共性规律和个性特征，并以相对客观的评价标准，研制一系列临床普遍适用、操作性强及规范化的心理护理模式，逐渐实现帮助服务对象保持和增进身心健康。因此，护理心理学并不隶属于医学心理学，两者呈相关而不是从属的关系。

（三）护理心理学与精神科护理学

精神科护理学是研究对精神障碍患者实施护理及帮助健康人保持精神健康和防止精神疾病的一门科学。护理心理学与精神科护理学两者均包含了对患者的心理护理内容，有共同的研究对象，但两者的概念有所差别，研究内容也各有侧重。精神科护理学主要是对精神障碍患者的护理研究，而护理心理学的研究范围更为广泛，其中包含了精神科护理学的内容。

第二节　护理心理学研究方法

案例引导 1-2

案例：王芳是一名护理学专业学生。她平时学习认真刻苦，学习成绩优异。在课程学习之余，她也想在老师指导下参与科学研究，于是她和几位同学一起申报了学生科研项目。在老师的指导下，她们选择失眠症的护理作为研究课题。失眠症是一种常见的心理卫生问题，在老年人中更为常见，失眠的护理有药物护理和心理护理，心理护理包括放松训练、运动锻炼、音乐治疗等。

问题：如果您是王芳同学，针对失眠症患者的护理，您将申报什么样的科学研究题目？采用什么研究方法？在研究过程中，需要注意哪些研究原则？

一、研究的基本原则

（一）客观性原则

客观性原则指研究各种心理现象时应遵循客观事实，既不能主观臆断，也不能歪曲事实，这是任何科学研究都必须遵循的原则。在护理心理学的研究中，从研究设计到资料的收集整理、数据的统计分析乃至结果的解释等研究过程始终秉持实事求是的态度，不能以个人的价值倾向影响对研究结果的判断，尤其是许多心理现象的定量难度大，常常带有一定程度的主观成分，这就需要在实际工作中采取科学的研究方法和手段，以使研究成果真实可靠。

（二）系统性原则

系统性原则指事物不能孤立存在，而是处在一个互相联系的组织系统之中，各事物之间相互联系、相互影响、相互作用，进行研究时应遵循事物发生的本质规律加以系统性的分析。在临床护理工作中，任何一种护理心理现象的产生和变化都有一定的原因。进行护理心理学研究时，必须将个体的人格特征、认知方式、生活事件、社会文化、病情变化及护理情境等因素系统地加以考虑，才能解释其中的本质发展规律。

（三）伦理学原则

伦理学原则指进行护理心理学研究时应严格遵循医德的基本原则和基本规范，在充分尊重和保护患者权利的基础上科学有效地开展护理心理学研究。在护理心理学研究中，由于经常要采用一些控制情景或被试的研究手段和方法，此时切忌违背医学伦理学原则。在科学性与伦理性相冲突时，应首先保证伦理性。

二、常用的研究方法

（一）研究分类

研究分类一般根据研究目的、研究性质的不同而呈现出多样性。根据研究目的可分为基础研究和应用研究，根据研究的时间性质可分为横向研究和纵向研究，根据研究数据的性质可分为量性研究和质性研究。

1. 横向研究（cross sectional study）

指对相匹配的实验组、对照组被试者选择同一时间内就相同变量进行的比较分析研究，或对背景相同的几组被试者分别设置不同的刺激条件、刺激强度等，并就所呈现的差异进行分析，推导其主要影响因素的研究。如实施“失眠患者的家庭环境色调特点研究”，在随机抽取一定数量的家庭环境为明色调的失眠患者进入试验组的同时，还需要随机抽取相对应的家庭环境为暗色调的失眠患者进入对照组，并尽可能控制两组被试的其他家庭环境因素差异，才可能获得“失眠患者的家庭环境色调特点研究”的研究结果。该方式常用于临床护理研究，其中最关键的前提是被比较的被试者必须具备可比性。

2. 纵向研究（longitudinal study）

也称追踪研究，是指对同一批研究对象在一连续时段内的一个或多个变量作追踪性的研究方法。纵向研究又可依据研究的启动时间分为前瞻性研究和回顾性研究两种。

（1）前瞻性研究（prospective study） 指以当前为起点，综合采用多种研究方法追访未来的研究方式，其目的是预见。如针对当前列入研究的一批脑卒中偏瘫患者实施一系列后遗症康复指导，并在随后相当长时间（十多年甚至数十年）内追访接受康复指导的被试者行为特征改变状况、某疾病发生情况等，以求证康复指导对脑卒中偏瘫患者后遗症的实际效用。前瞻性研究虽然具有很高的科学价值，但因其难度较大，对研究组织实施的要求较高，目前在护理心理学研究中的应用尚不普遍。

（2）回顾性研究（retrospective study） 指以当前为终点，综合采用多种方法追溯既往的研究方式。此方式较多采用交谈、访问、查阅记录等方法收集资料和数据，分析和评价既往诸多因素对当前事件的影响。如研究 2 型糖尿病的发生与生活事件之间的相关性，可通过调查 2 型糖尿病患者所经历的各种生活事件获得相关的研究结论。临床心理学领域使用该研究方式较为普遍，但其科学价值远不如前瞻性研究，且存在较大缺陷，所得研究成果易受被试者所报告资料的真实性、准确性等制约，如患者自认为当前病况与既往经历有关而过分夸大生活事件及其影响程度，则可能会误导研究者报道的结果。

3. 量性研究（quantitative research）

又称定量研究，是按照预先设计的研究方案进行研究，通过观察指标获得数据资料，用科学方法来验证模式或理论，用数据资料来描述结果，量性研究一般只能解释研究变量之间的因果关系，验证理论或进一步发展某一理论和模式，在各学科中运用普遍，具有一定客观性和代表性，是护理心理学研究中常用的一种研究方法。如“针灸干预 100 例产后缺乳症患者的心理状态对其泌乳素分泌量的影响”，即是典型的量性研究。

4. 质性研究（qualitative research）

又称定性研究，是一种以研究者本人为研究工具，在自然环境下，对个人的生活世界及社会组织的日常运作进行观察、交流、体验、理解与解释的研究。质性研究结果能够比较充分的显示研究对象的生活经历、价值观、情境体验和感受等，而这些恰是量性研究难以展现的。因此，质性研究在护理心理学领域的运用日益受到关注。如“中国传统女性‘裹脚’现象的历史研究”，这类研究多采用案例研究法和调查法完成。

（二）主要研究方法

护理心理学最常用的研究方法括观察法、调查法、测验法、实验法。

1. 观察法（observational method）

指在自然情境或预先设置的情境中，对个体或者团体的行为活动进行观察和记录，从而探究二个或多个变量之间相互关系的一种研究方法。人的身体姿势和行为、面部表情、言语活动等外显行为，可以直接观察。思维观念、应对方式、内心体验、意愿等内隐行为，通过自我报告等方法，也可以作为观察的内容。

（1）观察法的分类 根据是否预先设置情境，观察法可以分为自然观察法和控制观察法。自然观察法（natural cbservation）是指在自然情境中对研究对象的行为进行直接观察、记录和分析，从而探寻心理行为发生、发展变化规律的研究方法。如护士对抑郁症患者住院期间的言语速度、言语数量、仪表仪态、情绪状态及行为方式等进行观察就属于自然观察法。控制观察法（controlled observation）是指在预先控制观察情境和条件的情况下，对观察对象的行为进行直接或间接观察、记录和分析，从而探寻心理行为发生、发展变化规律的研究方法。如感觉剥夺试验。感觉剥夺是指将志愿者和外界环境刺激高度隔绝的特殊状态，在这种状态下，各种感觉器官接收不到外界的任何刺激信号，经过一段时间之后，就会产生这样或那样的病理心理现象。

在医疗护理工作的许多情境下患者的心理行为变化的观察，既可用自然观察法也可用控制观察法，还可是两者的融合。比如，在患者进入病房后对疾病的态度、情绪状态和应对方式等心理活动的观察就是自然观察法，而在手术、输液等医疗情境中患者被控制在手术室、输液室这样的特定医疗情境中，对其心理反应的观察就采用控制观察法。

（2）观察法的优点　①不需要其他中间环节直接获得第一手资料，因此，观察的资料更加客观、真实；②在自然状态下的观察，能获得生动、丰富的资料；③观察能及时收集到正在发生的现象；④观察能收集到一些无法自行报告的资料。

（3）观察法的缺点　①只能观察外显行为，对内心思维活动和感受很难直接观察，因此观察结果具有一定的局限性，如性病患者的内心痛苦不经本人表达就难以被观察者察觉。②常易受时间的限制而无法观察到随时变化的心理活动，如患者入睡困难时表现出明显的辗转反侧、焦躁不安，次日医护人员查房时却无法观察到。③观察结果容易受观察者水平和主观意识等因素的影响，如临床经验丰富的高资历护师比新入职的年轻护士更能获得客观、真实的观察结果。另外，如观察者已经对被观察者产生了成见，则更易观察到预想中的结果，比如“邻人偷斧”。④观察法适合于小样本研究，大样本研究时效率低，不适合采用。

2. 调查法（survey method）

指通过会谈、访问、座谈或问卷等方式获得资料，并加以分析研究的一种研究方法。调查法既适用于个体，也适用于群体，因其简便、易行，调查结果可提供一定参考价值而被广泛采用。

（1）访谈法（interview method）　按照一定程序与会谈者进行有目的、有计划的会谈，用以收集其他方法难以获得的资料信息的一种调查法。访谈法通常采用一对一的访谈方式，其效果取决于问题的性质、研究者本身的知识水平和方法技巧，是临床心理护理最常用的方法之一。

（2）问卷法（questionnaire）　利用预先设计好的调查表或问卷，由被调查者在问卷上回答问题，然后对问卷内容进行分析研究的一种调查法。

调查法的优点是能够同时收集到大量的资料，使用方便、效率高，故被广泛应用于护理心理学研究。问卷法的缺点是研究结果难以排除主客观因素的干扰，特别是被研究者回答问题时的态度影响，研究者仅仅通过问卷资料难以准确把握资料的真实性。

3. 测验法（test method）

指通过运用标准化的心理测量工具，对研究对象的某些心理特点、行为表现进行测量，以研究其心理活动的方法。护理心理学研究中常常采用心理测验的方法来揭示研究对象的心理活动规律，使用频率较高。关于心理测验的相关内容，将在第五章心理评估中详细介绍。

4. 实验设计法（experimental design method）

指按照特定的研究目的和理论假设，人为地控制或创设一定的条件，从而验证假设、探讨现象之间因果关系的一种研究方法。根据实验方式的不同，可分为实验室实验和现场实验。

（1）实验室实验（laboratory experimental）　指在实验室条件下，严格控制各种无关变量，借助一定实验仪器所进行的实验。此方法可以精确地观察和记录自变量与因变量之间的数量关系，以分析和研究其中的规律。实验室实验最大的优点是对于无关变量的严格控制，对自变量和因变量可进行精确的测定，借此可以研究特殊环境中的生理机制、心理现象和健康状况。主要缺点则是心理现象的发生发展变化往往受生物、心理和社会等众多因素影响，而人为设定的实验情境与现实情境存在一定差异，因此研究结果的应用性也受到局限。

（2）现场实验（field experiment）　指在日常社会生活情境下，对实验条件适当控制所进行的实验。与实验室实验不同之处在于，现场实验是在现实社会生活的情境下观察和记录处理因素与心理现象的关系，而对非处理因素尽可能地加以控制。因现场实验具有更接近真实生活、研究范围更加广泛、实验结果易于推广等优点，因此在社会心理学、管理心理学等领域的科学研究中被广泛采用。护理心理学兼具自然科学和社会科学的双重学科属性，使得现场实验成为护理心理学研究的常用方法之一。如研究“声音、光线、颜色对抑郁症患者的心理影响”“住院护理对象心理状态与疾病的发展及转归的相关性”等。

第三节　护理心理学发展简史

一、护理心理学的发展简史

护理心理学是在现代护理学科发展中逐渐孕育而形成的分支学科，护理学的学科基础是护理心理学成长的沃土。随着护理心理学的不断成熟与发展，同时又丰富和促进了护理学学科的发展。

（一）护理心理学思想的起源

现代护理学的发展只有百余年历史，而护理心理学则不足百年，但与医护有关的心理学思想则有数千年历史。

1. 东方古代心理学思想

中国被认为是世界上心理学最早的发源地之一。许多古代思想家有关哲学、伦理、教育、医学、文明等问题的论述中，都包含有丰富的心理学思想。成书于2000多年前的《黄帝内经》就包含了大量的心理学思想，如“天覆地载，万物悉备，莫贵于人”，就提出了在诊治疾病时应首先将对人的关心和照顾放在重要位置的观点；“阴平阳秘精神乃治”是将健康看作一种“合和”状态，强调从人自身包容的各个部分、各种关系及其与外部环境的联系中保持整体和谐的健康观；提出“形神合一”“形与神俱”的身心统一思想，还提出“凡治病必察其下，适其脉。观其志意，与其病也”，强调治病时要详细掌握和了解患者的心理活动和情绪状况及对疾病的影响。强调建立良好医患关系是医治疾病的重要前提，提出“病不许治者，病必不治，治之无功也”“病为本，工为标，标本不得，邪气不服”。另外，印度著名医学家阇罗迦（Charaka，约公元1世纪）在《阇罗迦集》中也明确提出“必须心灵手巧，有纯洁心身”“应该注意患者的需要，给患者以关心”、应具有“良好的行为，忠于职务，仁慈和善，对患者有感情”等心理学思想。这些心理学思想对指导人类的早期医疗护理活动产生重要影响，对促进人类心身健康发挥了重要作用。

2. 西方古代心理学思想

西方的心理学思想要追溯到公元5世纪，被誉为“西医之父”的古希腊名医希波克拉底（公元前430—前370年）在他的《论人的本性》等书中就提出了“脑是心理的器官”“人体含四液”的观点。他创建的“体液学说”把人的气质划分为四种不同类型，并认为医治疾病时应考虑患者的个性特征等因素。17—19世纪，现代心理学在西方逐渐得到发展。

（二）新护理观中的护理心理学思想

英国的弗洛伦斯·南丁格尔（Florence Nightingale，1820—1910年）是现代护理教育的奠基人，开创了现代护理事业。自1886年起，她针对传统护理观念的弊端，创立了全新的护理理念，提出了许多心理护理的理念。比如，她认为“各种各样的人，由于社会职业、地位、民族、信仰、生活习惯、文化程度等不同，所患疾病与病情也不同，要使千差万别的人都达到治疗和康复所需的最佳身心状态，是一项最精细的艺术”。她提出护士必须“区分护理患者与护理疾病之间的差别，着眼于整体的人”。这种理念使得护理工作者逐渐认识到加强患者的健康教育及让患者保持生理和心理平衡的重要意义。此后，逐渐形成了护理工作包括“加强健康教育，对患者及其环境、家庭、社会的保健”“提供解除压力的技术，使其恢复原有的自我平衡”“护理就是帮助”等新型护理观念，从而改变了护理学领域只重视技术操作的状况。这些对护理内涵和价值的深入表述，明确了照护患者心理是护理工作的重要内容，为护理心理学的学科发展和实践过程发挥了有力的推动作用。

（三）护理心理学的现代发展

20 世纪 50—60 年代，美国的护理学家率先提出了“护理程序”的概念，提出“应重视人是一个整体，除生理因素以外，心理、社会、经济等方面的因素都会影响人的健康状况和康复程度”的新观点，进一步提出了“在疾病护理的同时，重视人的整体护理”的专业发展新目标，心理护理被提升到了重要的地位。20 世纪 70 年代以来，世界卫生组织（WHO）提出“2000 年人人享有卫生保健”的全球战略目标，护理学也进入了新的发展阶段。在新的健康定义“健康不仅仅是没有疾病或异常，而且生理、心理及社会适应各方面都要保持最高、最佳的状态”的背景下，1988 年美国护理学会将护理概念更新为“护理是诊断和处理人类对现存的和潜在的健康问题的反应”，并更加明确地提出，护理对象应包括已患病的人、尚未患病但可能会患病的人、未患病但有“健康问题”的人。心理护理的范围也从医院扩展到社区、家庭。护理心理学的理论不断得到完善，心理护理的诊断方法和干预技术也不断增多。许多国家相继把心理学作为护理专业的必修课程，“整体护理”的理念已经在临床护理中被广泛接受和应用。

二、护理心理学的发展现状

（一）国外护理心理学发展现状

虽然护理心理学作为一个独立学科的历史很短，但护理学科的迅猛发展使得护理心理学也得到了前所未有的快速发展。目前，国外的护理心理学发展呈现以下特点。

1. 护理模式向整体护理转变

20 世纪 80 年代以来，“以患者为中心”的理念引发医疗和护理工作重心的重大变化。如 1977 年，美国曼彻斯特大学恩格尔（G. L. Engel）教授提出生物-心理-社会医学模式，强化了护理界将“以人为中心的护理方式”作为工作重点的宗旨。提出通过全面搜集患者的生理、心理、社会等方面的资料进行评估，提出护理诊断，进而为患者制订并实施身心整体护理计划。又如 2005 年北美护理协会通过的 172 种护理诊断中，有一半以上的护理诊断与心理社会功能有关，可以看出整体护理理念在临床护理实践中得到充分体现。这种新的整体护理理念强调：把疾病与患者视为一个整体，把“生物学的患者”与“社会心理学的患者”视为一个整体，把患者与社会及其生存的整个外环境视为一个整体，把患者从入院到出院视为一个连续的整体。这种整体护理思想带来了临床护理的一系列变化，使得护理实践中融入了大量心理学内容，表现为：①护理工作的主动性增加，从被动的疾病护理转变为护士围绕患者的需求，运用护理程序系统地从生理、心理、社会及文化等方面对患者实施整体护理；②护理工作除了执行医嘱和各项护理技术操作之外，还要注重心理、社会因素对患者疾病转归的影响，从而帮助患者最大限度地达到生理与心理的新平衡和新适应；③护理人员不仅仅是患者的照顾者，更多的是担当患者的教育者、咨询者和患者健康的管理者，患者有机会参与对其治疗和护理方案的决策等。

2. 护理人才培养更加注重心理学教育

为了提高护理专业人才适应人类健康事业蓬勃发展的需要，一些发达国家和地区在逐步普及高等护理教育的同时，根据现代护理人才的培养目标对专业教育的课程设置及人才的知识结构也进行了大幅度调整，显著增加了心理学课程的比重，特别强调护理人员应具有丰富的包括心理学在内的人文社会科学知识。如英国的三年制护理教育，根据Project2000新体系的要求，无论是公共基础课还是专业理论课学习阶段，都十分重视心理学、交谈与安慰艺术学等课程的学习。法国的护校课程中，除专业知识外，心理学、社会医学等人文科学占有相当大的比重。美国四年制本科护理教育的课程计划中，平均每年有近百学时的心理学课程内容，包括普通心理学、发展心理学、生理心理学、变态心理学、社会心理学、临床心理治疗学等，课程中特别强调护患关系及治疗性沟通对患者身心康复的重要性及护理人员的沟通技能训练。

3. 应用心理疗法开展临床心理护理

国外护理心理学研究的一个重要特点是将心理疗法应用于临床心理护理实践。音乐疗法、放松疗法、认知行为疗法等心理治疗方法被广泛应用于护理措施当中，同时采用心理量表评估心理护理措施的效果，取得了非常好的反响。

4. 开展量性研究和质性研究

目前，国外护理心理学主要采用量化研究来揭示患者、家属和护理人员的心理变化，以及心理干预策略和心理护理效果评价。同时，以参与观察、无结构访谈或深度访谈为主的质性研究也广泛应用于心理护理的理论与临床研究。质性研究的分析方式以归纳法为主，强调研究过程中护理人员的自身体验，主要以文字描述为主。这些研究的开展促进了护理心理学的学科建设与发展，提高了护理心理学的科学性和实践价值。

（二）我国护理心理学发展现状

我国护理心理学的发展也紧跟国外的步伐，近几十年来取得了长足的进步。随着20世纪80年代初期责任制护理的引入，对我国的护理教育与护理实践产生了深刻影响，各个层次的护理教育中逐步增加了护理心理学内容，护理心理学由最初的知识讲座很快过渡为必修课程。同时，国内开始举办护理心理学的各种研讨会、学习班，护理期刊开设心理护理栏目，《护理心理学》教材及学术专著陆续出版，为护理心理学的普及和专业教学提供了理论支持。在护理类高等院校和医学院校中形成了一支护理心理学教学、临床实践和学术水平较高的专业人才队伍，我国护理心理学的发展已呈现蓬勃之势。

综上所述，国内外护理心理学取得了迅猛的发展，一方面因为实际生活的需要，在高速发展的现代化社会环境下，心理因素越来越受到人们的重视，心理社会因素带来的威胁逐渐为人们熟知，必须采取相应的医疗和护理措施。另一方面，护理心理学是一门新兴的学科，具有蓬勃的朝气。相关的学科飞速发展，也起到了带动和推动作用。但就目前来说，护理心理学仍然存在诸多不足之处，有待逐步改善。

三、护理心理学的发展趋势

（一）成为维护人类健康的重要支撑学科

在高速发展的现代化社会环境下。人类的健康受到更多心理压力的困扰。心理社会因素在许多疾病的发生、发展与防治中的重要作用已得到医学界的高度重视。“健康的一半是心理健康”的观念深入人心。护理心理学正与临床心理学、咨询心理学等学科一起，成为人类健康工程的最重要支撑。

现代社会的高速发展，凸显了心理社会因素对人们健康的威胁。如精神疾病、心理压力等所致社会事件增多，与社会心理因素密切相关的心脑血管疾病、肿瘤等发病率大大增高且发病年龄呈现年轻化。社会发展和生活节奏的快速变化，对个体身心健康造成直接威胁，需要卫生保健事业的针对性干预。护理心理学的理论研究与实践探索，无疑可以为维护人类身心健康提供更多更好的服务。

（二）护理心理学的发展紧随现代护理学整体方向

1. 维护人类健康的作用更重要

首先，护理心理学的研究对象包括护理人员的心理和服务对象的心理。护理心理学修养不但能够维持护理人员心理的健康，凝聚护理团队的核心力量，更能够促进医患关系，使患者积极配合各项医护工作，提高临床治疗效率。其次，护理心理学还被广泛应用于除医疗以外的各个方面，促进了人类心理的健康，促进了社会和谐。因此，护理心理学对维护人类健康的重要性越来越显著。

2. 学科地位更巩固

护理心理学成为现代护理学体系中一门综合自然科学和社会科学知识的、独立的、服务于人类健康的应用科学。

3. 实践范围更扩展

护理心理学的实践领域不断扩大，根据人群的健康需要从医院逐渐进入到社会和家庭。

4. 工作对象更广泛

护理心理学的发展使护理范畴从患者扩展到健康人群、从疾病过程扩展到疾病预防、从个体健康扩展到群体健康维护。

5. 工作方法更规范化

以护理程序为核心的整体护理模式，将使心理护理工作的基本方法更加科学化，系统化和规范化。此外，人的心理活动是复杂的，心理护理方式也将会在规范化下不断创新，呈现多样化。

6. 职业职能更突出

为增加护理人员心理学知识和提高心理护理技能，临床护理人员参加各种形式的继续教育，在校护理学生将心理护理课程密切结合临床，护理心理学越来越发挥着更独特、更重要的社会职能，使每位护理人员展现出健康守护神的职业魅力，使全社会认同护理是与医疗共同服务于人类健康的重要专业。

任务小结

护理心理学是心理学和护理学相结合的一门交叉学科，是从护理情境和个体相互作用的观点出发，研究在护理情境下医疗服务对象和护理人员心理现象的发生、发展及其变化规律的应用心理分支学科。具有注重护理情境与护理活动的主体之间的相互作用、强调护理活动主体的内在心理因素和强调护理心理学的学科性质是交叉的应用性学科三个特征。其研究的对象为护理服务对象和护理人员。研究的内容主要为心身交互作用对健康的影响、患者心理活动特点、评估和干预患者心理活动的理论与技术，以及研究护理人员的心理素质与培养。同时遵循客观性、系统性、医学伦理学原则。常用的研究方法有调查法、观察法、测验法、实验法等。

知识点自测

一、选择题

1. 护理心理学的主要研究任务包括（　　）

A. 研究心理与行为的物理学基础　　B. 研究心理与行为的化学基础

C. 研究心理与行为的物理化学基础　　D. 研究心理与行为的人类学基础

E. 研究心理与行为的生物学和社会学基础

2. 整体护理的概念不包括（　　）

A. 护理的对象是具有一定精神、躯体或行为问题的人

B. 护理的对象可以是正常的人

C. 整体护理在我国已经完善

D. 护理者必须具备一定的心理学知识和技能，以现代护理观为指导

E. 整体护理包含躯体的护理

3. 护理学与护理心理学的关系是（　　）

A. “母子”关系　　B. 平等关系

C. “姐妹”关系　　D. 重复关系

E. 以上都是

4. 以下属于量性研究的是（　　）

A. 西方媒体上的中国形象 30 年变迁
B. 中国传统女性“裹脚”现象的历史研究
C. 傣族的传统自然观研究
D. 针灸干预 100 例产后缺乳症患者的心理状态对其泌乳素分泌量的影响
E. 以上都是

5. 有关护理心理学研究的基本原则，以下论述不正确的是（　　）
A. 客观性原则　　B. 系统性原则
C. 经验性原则　　D. 伦理学原则
E. 实事求是原则

6. 护理心理学的发展趋势不包括（　　）
A. 维护人类健康的作用日益突出　　B. 护理心理学学科地位更加巩固
C. 学科队伍人才早已形成　　D. 服务对象更加广泛
E. 职业职能更加突出

7. 心理护理与整体护理的关系错误的是（　　）
A. 心理护理是整体护理的重要组成部分　B. 整体护理的特色是通过心理护理体现的
C. 心理护理应贯穿于整体护理全过程　　D. 心理护理比躯体护理更为重要
E. 整体护理包含心理护理

8. 关于护理心理学方法学问题，以下不正确的描述是（　　）
A. 内省法又称主观观察法　　B. 调查法又称心理测验法
C. 实验法可在生活情景中进行　　D. 研究结果可用描述法报告
E. 可以采用质性研究的方法

9. 以下不符合护理心理学观点的是（　　）
A. 强调心理因素在临床的主导作用
B. 强调个体内外环境因素相互作用在临床的意义
C. 强调疾病过程中心身相互作用的意义
D. 强调医学模式改变的迫切性
E. 强调护理模式向整体护理的转变

10. 事先将各种需调查的内容列成调查表，以当面或邮寄等方式供被调查者填写，收集后对结果逐条进行分析，在护理心理学中这种研究方法称为（　　）
A. 测验法　　B. 问卷法　　C. 座谈法　　D. 调查法
E. 以上都对

二、思考题

1. 护理心理学定义的特征是什么？
2. 护理心理学的研究内容包括哪几个方面？

3. 护理心理学常用的研究方法有哪些？

4. 观察法有哪些优点和缺点？

实训项目

在临床上，由于工作繁重或其他原因，我们能看到有的护士工作时表情冷漠，说话语气生硬，面对患者的咨询时态度冷淡、不耐烦或不予理会。

请说出您的体验：

1. 如果您在就诊的过程中遇到了态度冷漠的护士，你会有怎样的心理、生理以及行为反应？

2. 您能感受到护士工作繁忙时的内心感受吗？如果换做您，您会怎么处理工作压力与工作态度的关系？

第二章

心理学基础

内容导读

1. 掌握　感觉、知觉、记忆、遗忘、思维、注意、情绪情感、人格、气质与性格等基本概念；感觉、知觉的特性；记忆遗忘的规律；影响问题解决的因素；情绪和情感的关系；需要层次理论；动机冲突；气质与性格的关系。

2. 熟悉　记忆的分类及过程；思维的分类及基本过程；情绪情感的分类；意志的概念及特征；人格结构、人格的特性及发展。

3. 了解　心理现象及心理的实质；心理的发生发展过程；感觉、知觉的分类；提高记忆的方法；能力发展与能力的差异；气质类型；性格类型。

心理护理是将心理学的理论应用于护理工作中，借助心理学的基本原理和技术为护理服务对象实施护理的一项技术。要想实施心理护理，提高护理工作质量，应掌握基本的心理学概念和知识，为实施心理护理奠定理论和方法基础。

第一节　心理学概述

案例引导 2-1

案例： 美国哲学家希拉里·普特南（Hilary Putnam）1981 年在他的《理性，真理与历史》一书中，提出了著名的“缸中之脑”假想。假设一个人（可以假设是您自己）被邪恶科学家施行了手术，她的脑被从身体上切了下来，放进一个盛有营养液的缸中，以维持脑存活。脑的神经末梢连接在计算机上，这台计算机按照程序向脑传送信息，以使她保持一切完全正常的感觉。对于她来说，似乎自己的身体、周围人、物体、世界还都存在，自身的运动、感觉信息正常运转。例如现在，她“感觉”到自己正在阅读这一段有趣而荒唐的文字。

问题： 您对这个假想是什么样的看法？您如何确认您是生活在现实世界中？而不是生

活在上述的困境中？您认为心理的实质是什么？

心理学（psychology）早期一直从属于哲学范畴。直到 1879 年德国著名生理学家威廉·冯特（Wilhelm Wundt）在莱比锡大学建立世界上第一个心理学实验室，最终使心理学从哲学中脱离出来，成为一门独立的科学。由此心理学从创立至今仅有一百多年的历史，它是一门既古老而又年轻的科学。正如德国著名心理学家赫尔曼·艾宾浩斯（Hermann Ebbinghaus）所总结的："心理学有一个漫长的过去，却只有一个短暂的历史。"

一、心理学的概念

心理学是研究心理现象的发生、发展及变化规律的一门科学。心理现象是心理活动的基本表现形式。心理活动不仅人类具有，动物也具有；而人的心理活动却是最为丰富多彩、复杂多变的。因此，心理学的研究对象主要是人的心理现象。

心理现象（mental phenomenon）也称心理活动，是人类社会生活中时刻所发生的十分美妙、丰富，极其复杂的一种现象。更是宇宙中最复杂的现象之一，被恩格斯誉之为"地球上最美丽的花朵"。心理现象人皆有之，它包括心理过程和人格两大方面（图 2-1）。

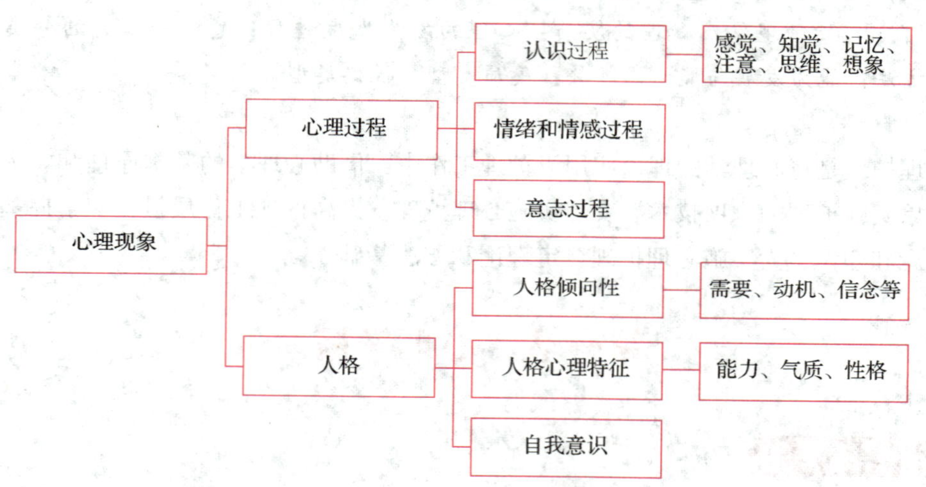

图 2-1 心理现象结构示意图

心理过程（mental process）是指人心理活动发生、发展的过程。亦即人脑与客观事物相互作用的过程，它主要反映正常个体共同性的心理活动。心理过程包括认知过程（cognitive process）、情绪情感过程（feeling process）和意志过程（will process）。

认知过程是指人脑对外界输入的信息，进行加工处理的过程，即人脑对客观事物的现象和本质的反映过程，是人最基本的心理过程。它主要包括感觉、知觉、记忆、思维等心理活动。情绪情感过程是指人在认知输入信息的基础上所产生的满意、不满意、喜爱、厌恶等主观体验的过程，即个体对客观事物的一种态度体验。意志过程是指人们自觉地确定目标，并根据目标去支配和调节自身的行为，克服困难，去坚持实现预定目标的心理过程。这三个过程又被称为知、情、意过程。它们之间不是彼此孤立的，而是相互联系、相互制约，构成一个统一的整体。认知过程是情绪情感过程和意志过程产生和发展的基础；情绪情感过程是认知过程和意志过程的动力；意志过程对认知过程和情绪情感过程具有调控作用。

人格（personality）也称个性，是一个人独特的、具有一定倾向性的、比较稳定的心理特征的总和，可以决定一个人适应环境的思维方式和行为模式。也是一个人区别于他人的特征之一。人格包括人格倾向性、人格心理特征和自我意识三个方面。人格倾向性是指人对客观世界的态度和行为的内部动力，包括需要、动机、理想、兴趣等。人格心理特征是指一个人稳定的、本质的内在特征，包括能力、气质和性格。自我意识是指一个人对自己的认识和评价，是衡量人格成熟水平的标志。自我意识的产生和发展过程是一个人逐步社会化的过程，也是个体人格形成的过程。

心理现象的两大方面密不可分，两者相互联系、相互影响、相互制约。一方面，人格是在心理过程中形成和表现出来的；另一方面，已形成的人格又会制约和影响个体的心理过程。

二、心理的发生发展过程

（一）心理的发生发展

世界是物质的，物质都具有一定反应的特性。这种反应性是一切物质所共有的普遍属性。地球上最早只有无生命的物质，在经历了漫长时间后，才产生了有生命的物质，而随着生命物质的出现，物质的一般反应特性发展到生命物质所特有的反应形式，即产生刺激感应性。刺激感应性是有生命的标志，它的出现是物质反应形式的一个质的飞跃，因为它为心理现象的产生提供了前提条件。也就是说，心理的产生是长期进化的结果，心理出现的标志是随着生物的不断进化，神经系统的形成发展，动物在本能的行为基础上逐渐产生了条件反射。条件反射越复杂，心理活动也变得更为复杂和高级，意即心理是动物发展到一定水平上才有的。因此，神经系统的形成和发展是一切心理现象产生和发展的物质基础。

（二）动物心理的发生发展

在动物的不断进化过程中，心理的发展具有一定的连续性，动物心理的发展也已经逐渐摆脱了遗传、本能的局限性。动物心理从低级到高级的发展过程主要经历了以下三个阶段。

1. 感觉阶段

感觉阶段是心理发生的最初始阶段，也是心理发生发展的最低级阶段。无脊椎动物的心理发展基本处于这个阶段，此时的动物只能对单一的刺激形成条件反射，即只能对刺激的个别属性方式产生稳定的反应，并以感觉来控制行为，应付外界环境。如蚂蚁、蜜蜂只是依据物体的气味来分辨敌友，蜘蛛也只是凭借物体的震动作为信号来捕捉食物等。

2. 知觉阶段

这是脊椎动物的心理阶段。此时的动物神经系统由节状进化到管状神经系统。有了中枢神经系统，并逐渐形成了脑。具有较高发展水平的哺乳动物出现了知觉，能够把复合刺激当作信号，建立条件反射，如鸽子、狗等动物，有了一定的综合能力，能够感知事物的整体信息。

3. 思维的萌芽阶段

脊椎动物演化到了高级哺乳动物阶段，就产生了思维活动的萌芽——动作思维。此时动物的神经系统高度发展，能够接受并分析内外环境的各种刺激信息，并尝试对信息进行加工和存储，形成条件反射和复杂行为。到了类人猿阶段，动物心理已经发展到最高水平。类人猿的大脑结构、外形和重量等方面已与人类非常接近，大脑皮质在心理活动发生过程中起到了主导作用：类人猿已经能够借助事物的表象和简单的概括能力，进行高级分析综合，在一定程度上反映事物间的因果关系，解决一些相对复杂的问题。如大猩猩可以去掉树枝的枝杈和叶子制成木棍插入白蚁洞中粘出白蚁吃，可以搬动木箱并站上去获取挂在高处的香蕉；海豚经过训练可以用于导航和海里救人。高级动物虽然具备了一定的思维和解决问题的能力，但与人类相比，其思维能力仍是比较低级和幼稚的，还不能认识到事物的本质和事物之间的内部联系。

（三）人的心理的发生发展

人的心理是心理发展的最高级阶段，因为人的大脑是最复杂的物质，是神经系统发展的最高级产物。人的心理与动物心理有着本质的区别，而这种区别的根本点就在于人的心理活动中有了意识（consciousness）。意识的产生是动物心理长期进化的结果，是心理活动发生发展的最高级形式，它是人对自身和周围环境的觉知，并以此来调控自己的行为，从而能动地认识和改造世界的心理活动。人的心理发生发展与社会环境和社会实践活动密切相关。语言、直立行走和劳动的产生对人类意识的产生、形成和发展起到了决定性的作用，而意识的产生使人成了万物之灵，成了地球的主人。

三、心理的实质

心理现象是每个人时刻都在体验的、无处不在的、非常熟悉的现象，但是，心理现象究竟是怎样产生的？心理与物质是怎样的关系？即心理的实质是什么？这是人类思想史的重大问题，也是唯物论和唯心论长期激烈斗争的核心问题。辩证唯物主义心理观认为：心理是脑的功能，脑是产生心理活动的器官，心理是人脑对客观现实主观能动的反映，这是关于心理实质最基本的正确观点。

（一）心理是脑的功能，脑是心理的器官

在相当长的一个历史时期内，人们曾经有许多不同的观点，比如认为人的心理来源于人的心脏，心脏才是产生心理的器官，但随着近代科学的发展，人们才逐渐认识到心理是脑的功能，脑才是产生心理活动的器官，没有脑就没有人的心理。也就是说。没有脑的思维是不存在的。正常发育的大脑为个体心理的发生发展提供了物质基础，是最为复杂的物质，是物质发展的最高产物。

1. 从物种的发展史来看

动物心理的发展是以脑的进化为物质基础的。心理是物质发展到高级阶段才有的属性，它是物质发展到一定阶段才产生的。随着生物的不断进化，当生物有了神经系统就出现了相应的心理活动。而且，在进化的不同阶段，发生相应的心理现象的水平也是不同的。也就是说，从无脊椎动物只有感觉，到脊椎动物产生知觉，哺乳动物的类人猿开始有思维的萌芽，到人类有了意识，心理现象是随着神经系统的产生而出现，又是随着神经系统的不断发展和不断完善，才由初级不断发展到高级的。因此，从心理的发生发展的过程来看，也说明了大脑是从事心理活动的器官，心理是神经系统，特别是大脑活动的结果。

2. 从个体发育史看

个体心理的发展也是以脑的发展为物质基础的。人的心理的发生、发展是与脑的发育完善紧密联系的。脑科学研究表明，随着个体脑重量的增加和脑皮质细胞功能的成熟，人的心理活动水平也从感知觉阶段发展到表象阶段，从形象阶段发展到抽象阶段。如婴幼儿的大脑虽然在形态、结构上与成人的差不多，但由于重量轻、细胞分支少，其心理活动与成人相比要简单得多。也就是说，人类高度发达的心理活动是以高度发达的大脑为物质基础的。

3. 从医学和生理学研究的成果看

心理功能同生理功能一样，每一种心理功能都与脑的某一特定的部位相关，如已经被研究所证实的语言运动中枢位于左脑额叶前中央回下方，书写中枢位于左脑额叶额中回后部，听觉语言中枢位于左脑颞上回后部，阅读中枢位于左脑顶叶下部角回等。医学家通过临床观察也发现，大脑左、右两半球的心理功能也有所不同，一定部位的脑损伤在导致生理功能发生改变的同时，也会引起相应的心理功能的丧失。

心理是脑的功能，脑是产生心理活动的器官，这一正确的认识是人们经历了几千年一代又一代人不断地探索才最终获得的。并且，现在已被人们的生活经验、心理发生发展过程、临床事实及脑生理解剖研究的大量研究资料所证实。这说明心理活动与人脑的活动是紧密相连且不可分割的。没有脑或脑停止发育，心理则不可能产生。

（二）心理是客观现实的反映

心理是脑的功能，但也并非有了大脑就一定会有心理。人类的心理活动并不是脑凭空

产生的，健全的大脑给心理现象的产生提供了物质基础，但是，大脑只是从事心理活动的器官，反映外界事物产生心理的功能，心理并不是它本身所固有的。周围客观事物刺激人的各个感觉器官，经由神经传入人脑，才能产生心理现象。心理是客观现实在人脑中的主观、能动的反映。

1. 客观现实是心理活动的源泉

客观现实是指人们赖以生存的自然环境和从事实践活动并进行人际交往的社会环境。自然环境对大脑的刺激是心理现象产生的最根本的来源，而社会环境，尤其是人际交往，对人的心理发生、发展起着决定性的作用。正如列宁所指出的："没有被反映者，就不能有反映，被反映者是不依赖于反映者而存在的。"

人的心理活动不论是简单还是复杂，其内容都可以从客观事物中找到它的源泉。只有当客观现实作用于人脑时，人脑才会形成对外界的印象，产生心理现象。心理现象是即时发生的和过往经历的客观现实在头脑中的映像。如雨后彩虹是光波作用于视觉而引起的美丽的色彩感觉，美妙的音乐是声波作用于听觉的结果。所有心理活动的内容都是由客观现实决定的，并不是大脑独自产生的。有人把人的大脑比作一座加工厂，客观现实就是加工厂所需的原材料。如果只有加工厂，而没有原材料，再好的加工厂也无法生产出产品来。由此我们知道，心理的内容来自于客观现实，大脑若离开了客观现实的刺激，就无法产生心理现象，心理就变成了无源之水、无本之木。由此可见，没有客观现实就不会有人类的心理活动，客观现实才是大脑产生心理活动的源泉和内容。心理活动的复杂多样性是由客观现实的复杂多样性决定的。

2. 心理是对客观现实主观能动的反映

现实生活中，同一客观事物，不同的人也会产生不同的反映。这是源于个体在反映客观现实时，总是受他所积累的个人经验和人格特质的影响和制约，带有个人独特的色彩和明显的主观烙印。事实证明，人对客观现实的反映并不是机械的、被动的，而是积极主动的、有选择性的。心理的反映不是镜子似的消极被动的反映，而是一种积极能动的反映。人们可以根据自己的需要和兴趣，有选择性地进行反映。人脑通过心理活动不仅能认识客观事物的外在表象，还能揭示事物的本质和发现事物之间内在规律性的联系，还能通过意志的作用，随时纠正错误的反映，支配指导人的实践活动，改造客观世界。

3. 社会实践活动是心理产生的基础

人类在认识世界、改造世界方面所取得的一切成就，都是和人心理的存在和发展分不开的。对于人类而言，如果没有人类社会的生活实践，也就没有人的心理的产生，社会生活实践是人心理产生的重要基础。例如 20 世纪 30 年代以来在世界各地所发现的狼孩、熊孩、羊孩、猪孩等，他们的一个共同特点就是出生后由于种种原因，脱离了社会生活，远离人群与动物为伍，分别养成了许多动物的习性。尽管他们都具有健全的大脑，但却没有正常人的心理活动。他们所表现出的行为和心理特征表明，人的心理是由人类的社会实践活动所决定的，与世隔绝的生存环境是造成他们独特的心理和习惯的根本原因。环境可以促使人的头脑发育，也可以阻碍人的头脑发展，而人脑的正常发育才使人的正常心理的产生成为可能。因此，人脑是人的心理的自然物质基础，而人类社会生活实践则是影响人心理产生的决定因素。

知识链接 2-1

狼 孩

1920 年，在印度加尔各答的深山里发现了两个由狼哺育长大的女孩，人们便把她们解救了出来。小的约 2 岁，叫阿马拉，1 年后因病死亡；大的七八岁，叫卡马拉，活到 17 岁。她们有人类健全的大脑，但因从小就生活在狼窝里，没有与外界接触，只具有狼性，而不具有人性。据记载，卡马拉被发现时仅相当于六个月婴儿的心理水平，10 岁学会站立，12 岁学会 6 个单词，14 岁学会走路，15 岁学会四五个词组，17 岁临死时只相当于 5 岁儿童的心理发展水平。事实说明，心理是社会的产物，脱离人类的社会实践活动，就不会产生人的心理。

每一个体都生活在特定的社会环境中，在个体社会化的过程中每个个体的心理无不打上了社会的烙印。从社会实践的角度来说，影响个体心理发展的社会因素有很多，如社会经济、政治、文化，以及家庭、学校、媒体等等，这些社会因素的存在，随时影响着个体心理的产生，并决定着个体心理发展的性质和方向。研究表明，家庭环境尤其是亲子关系状况对儿童心理的健康发展起着至关重要的作用。学校教育环境在学生的成长、心理发展中发挥着主导作用。通过生动活泼的教育活动，不仅可以使学生学到知识，获得大量的间接经验，增长知识和才干，促进成才，而且还可以丰富学生健康的情感，培养优良的意志品质，树立积极向上的生活态度。社会文化环境则在个体的成长过程中潜移默化地影响着心理的发展，在塑造健全人格，促进个体社会化方面起着重要作用。总之，社会实践活动是人的心理产生和发展的基础。

综上所述，心理的实质即心理是脑的功能，是人脑对客观现实主观能动的反映。

第二节 认 知 过 程

案例引导 2-2

案例：日本少年东田直树患有重度的孤独症，他不善言辞，常常带着一个小键盘以“笔谈”的方式来表达自己的心意。他的书《为何我会跳起来》热销 28 个国家。这本书以一问一答的形式，让读者深切了解到一个孤独症患者的内心世界。问：“为什么我们不能正常的交流呢?”答:“因为我想说的话总是说不出来，只能任由无关的词语接二连三地脱口而出，我们连自己的身体都控制不了，不能安静地待着，也不能按照指示去行动，就像在操纵一台劣质的机器人一样。”问:“为什么我们一直会问同样的问题呢?”答:“刚才听到的事情和很久以前听到的事情，在我记忆中，没有什么区别。大家的记忆也许是像线一样连续不断，而我的记忆是点状的，我总要拾起这些点状的片段，才能寻回回忆。”

问题：您了解孤独症吗？从以上问答中，您认为东田直树有哪些认知过程的障碍？

认知过程（cognitive process）也称认识过程，是人的最基本的心理过程，是指人们认识客观事物的过程，即人脑对各种信息进行加工处理的过程。认知过程包括感觉、知觉、记忆、思维、想象和注意等心理现象。

一、感觉

（一）感觉的概念

感觉（sensation）是人脑对当前直接作用于感觉器官的客观事物的个别属性的反映。感觉是人认识客观世界的开端，是知识的源泉，是一种最为简单的心理现象，更是各种复杂的心理过程的基础。在现实生活中，人们时时刻刻都在接触外界的各种事物，而每种事物都具有多种属性，这些属性直接作用于人的各种感觉器官，进而在人脑中产生各种各样的感觉。例如我们可以通过眼反映物体的颜色、大小、形状；通过耳可以反映事物的声音；通过鼻可以反映物体所发出的气味；通过皮肤可以反映物体的冷暖和软硬程度等。不同的感觉器官反映客观事物的不同属性，而且仅仅是单一的某种属性。也就是说，感觉只能反映作用于人体感觉器官的事物的个别属性，并不能反映事物的本质和联系。因此，仅凭感觉去认识客观事物是片面的，还无法确定所反映的事物是什么，如“瞎子摸象”。

（二）感觉的作用

1. 感觉为认识客观世界提供可能

感觉虽然是一种最简单的心理现象，但却是我们认识客观世界的开端，是我们与外界事物保持接触的关键。通过感觉，我们能够获取外界事物的各种信息，如阳光、空气、土壤、水、动物、植物等等；我们还能够获取机体自身的各种信息，如冷暖、饥渴、病痛、愉悦、损伤等等。正是借助于感觉所获得的各种信息，我们才能够有效地进行自我调节，才能够产生各种复杂的心理活动，拥有认识客观世界的能力。

2. 感觉是维持正常心理活动的必要条件

虽然感觉只是沟通、觉察外界事物的一种最初级的体验，但是它在人的心理活动中起着极其重要的作用。“没有感觉，我们就不能知道事物的任何形式，也不知道运动的任何形式。”已有的实验证实，在动物个体发育早期，对其进行感觉剥夺，会使动物的感觉功能产生严重缺陷。心理学经典的感觉剥夺实验也表明，当个体的各种感觉被同时剥夺的情况下，个体的脑电波会发生改变，其生理、心理功能均会形成不同程度的损害，并伴有难以忍受的痛苦，严重的甚至还会出现幻觉，诱发严重的心理障碍。由此可见，没有感觉人类就无法正常生存，是十分可怕的事情。因此，感觉是人们进行正常心理活动的必要条件。

3. 感觉是一切心理活动的基础

感觉是人的全部心理现象的基础，人的一切较高级、较复杂的心理现象都是通过感觉获得材料，并在感觉的基础上产生的。没有感觉，人就不会有知觉、记忆、思维等一系列复杂的心理活动。

（三）感觉的特性

1. 感觉适应

由于外界刺激对同一感受器的持续作用而使感受性发生变化的现象称为感觉适应。适应可使感受性提高或降低，不同的感觉适应在表现和速度方面各不相同。适应更是我们非常熟悉的一种感觉。视觉适应有暗适应和明适应之分。“入芝兰之室，久而不闻其香；入鲍鱼之肆，久而不闻其臭”说的就是嗅觉的适应。味觉和触觉适应比较明显，痛觉最难适应，因为痛觉是伤害性刺激的信号，具有生物学意义。

2. 感觉后象

外界刺激对感受器的作用停止以后，感觉并不立即消失，还能保留一个短暂时间的现象称感觉后象。后象是由神经兴奋所留下的痕迹所引发的，产生于各种感觉之中。如注视发光的灯泡数秒后将视线移到白墙上，你还会看到一颗发亮的灯泡。视觉、听觉这种现象比较常见，如余音绕梁、晕轮效应等。

3. 感觉对比

不同刺激作用于同一感觉器官，而使感受性发生变化的现象叫感觉对比。感觉对比分为同时对比和先后对比两类。同时对比是指两个刺激物同时作用于同一感受器时产生的感觉对比。如红花在绿叶的陪衬下显得更加的红了。“万绿丛中一点红”说的就是同时对比。又如图 2-2 中的灰色方块放在黑色背景上就比放在白色背景上亮些。而先后对比是指两个刺激物先后作用于同一感受器时产生的感觉对比。如吃完糖再吃苹果，觉得苹果更酸了；吃完苦药马上喝白开水，觉得水变甜了。

图 2-2　感觉对比

4. 联觉

一种感觉引起另一种感觉的现象叫联觉。如红、橙、黄看起来觉得温暖，被称为暖色；蓝、青、绿看起来觉得凉爽，被称为冷色。不同的颜色可以引起不同的心理效应，所以，在建筑设计或环境布置时需要考虑联觉的存在。研究表明，黄色可以刺激食欲，绿色可以缓解心理紧张等。

5. 感觉的相互作用

感觉的相互作用是指一种感觉在其他感觉的影响下感受性发生变化。如食物的温度会影响它的味道，强烈的红光下听觉感受性会下降，强烈的噪音刺激会使牙痛更加严重。研究表明，视觉、嗅觉和平衡觉都会受到其他感觉的影响而经常发生某种变化。

6. 感觉补偿

感觉补偿是指某感觉系统功能丧失后，可以由其他感觉系统的功能来弥补。如盲人视觉缺失，但听觉和触觉比常人更发达，而失去听觉的人则可以凭着振动感觉来欣赏音乐等。

（四）感觉的种类

根据刺激的性质和来源，可以将感觉分为外部感觉和内部感觉两大类。

外部感觉即人的感官对外部刺激物的觉察，反映外部客观事物的个别属性，其感受器位于身体表面或者接近于身体表面。外部感觉可分为远距离感觉和近距离感觉。远距离感觉接受远距离的刺激，包括视觉、听觉和嗅觉；近距离感觉接受近距离的刺激，包括味觉、皮肤感觉等。

内部感觉即人的感官对内部信息的觉察，反映机体运动的信息和内部器官所处的状态。其感受器位于身体的内部器官和组织内。包括运动觉、平衡觉、内脏感觉等。

二、知觉

（一）知觉的概念

知觉（perception）是人脑对当前直接作用于感觉器官的客观事物整体属性的反映。日常生活中，当客观事物作用于人的感受器时，人不仅能够反映客观事物的个别属性，还能通过各种感受器的协同活动，在头脑中将事物的各种属性整合为一个整体，形成完整的印象。感觉能告诉我们这里有什么，但不知道是什么，而知觉不但会告诉我们这里有什么，而且也知道是什么。所以说，我们通常是在感觉的基础上，以知觉的形式来反映事物，认识客观世界的。

（二）知觉和感觉的关系

知觉与感觉关系非常密切，它们既相互区别，又相互联系。

1. 知觉与感觉的区别

①概念和反映内容不同：感觉仅反映客观事物的个别属性；知觉反映客观事物的整体属性。②反应机制不同：感觉是机体单一感受器活动的结果；知觉是机体多感受器协同活动的结果。③依赖主体因素的程度不同：感觉所反映的内容很简单，对主体因素依赖很少，它主要依赖于外界刺激的特性和机体感受器的状况。知觉所反映的内容更复杂，更多地依赖于主体因素，尤其是人的主观态度和过去的知识经验。

2. 知觉与感觉的联系

①两者同属于认知过程的初级阶段。感觉和知觉都是人脑对当前直接作用于感受器的客观事物的反映，很多时候被合称为感知觉。②两者是一个连续的认识过程。感觉和知觉是既有区别又紧密联系的心理过程。感觉是知觉的基础，只是作为知觉的一部分存在于知觉中；知觉则是感觉的深入，但并不是感觉的简单相加。没有感觉就没有知觉，没有知觉，就无法认识外界事物。

（三）知觉的基本特性

1. 知觉的选择性

在现实生活中，人每时每刻都在与外界环境发生接触，也每时每刻都在感受机体自身的变化。人的感觉器官每时每刻都在接受机体内外环境各种各样的刺激，但人并不能同时感知所有刺激物的存在，也不可能同时对所有刺激做出反应。人只能根据自己的需要，把一部分事物当作知觉的对象，知觉就显得格外清晰，而把其他对象当作背景，知觉就显得比较模糊，这种有选择地知觉外界事物的特性就是知觉的选择性。当然，知觉的对象和背景并不是固定不变的，当条件发生变化时，两者可以发生转换（图 2-3）。正是因为有了知觉的选择性，人们在感知客观事物时，才能够积极排除各种不利干扰，集中精力关注知觉对象，从而更有效地认识外界事物，适应外界环境。

图 2-3　两可图：少女与老妇人

2. 知觉的整体性

人的知觉对象有不同的属性，并由不同的部分组成，但人们并不是将其作为孤立的、个别的部分，而是在过去经验的基础上，把事物的各种属性或者各个部分有机地结合起来，作为一个整体，形成事物完整的映像，这种特性就是知觉的整体性。

日常生活中，当人们感知事物的个别部分时，往往仍能在心中把缺少的部分补足，完成一个整体的形象，这是一个关闭的过程，这也是知觉的整体性的一个具体体现（图 2-4）。当然，在这个过程中，个体过去的知识经验发挥了重要作用。

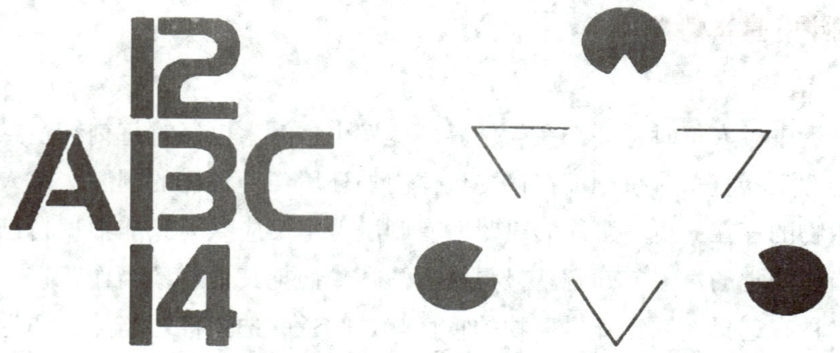

图 2-4　知觉的整体性

知觉的整体性提高了人们知觉事物的能力，使人们对客观现实的反映更趋于完善，进而保证活动的有效进行。

3. 知觉的理解性

在知觉过程中，人们总是根据过去已有的知识经验对当前知觉的对象加以解释，并用语词把它揭示出来，使它具有一定的意义，知觉的这种特性就是知觉的理解性（图 2-5）。人的成长经历不同，知识经验不同，知觉的理解性也会有所不同。

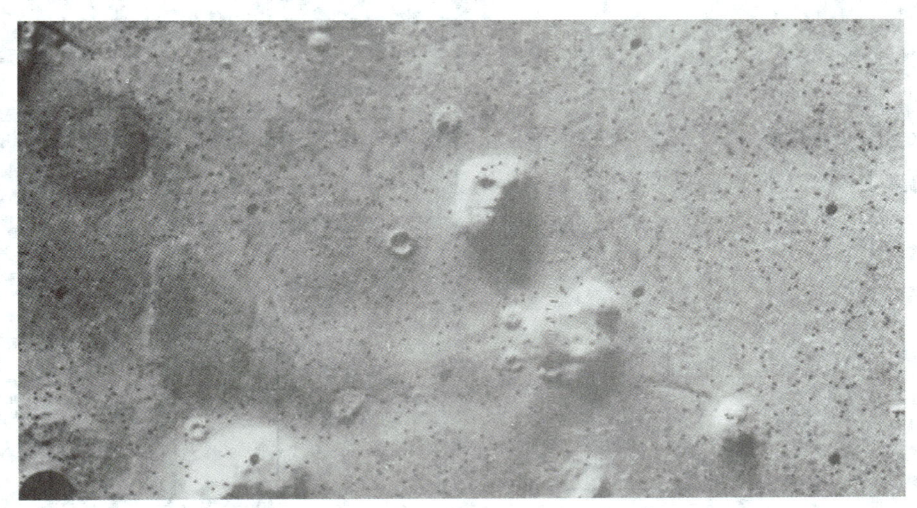

图 2-5　知觉的理解性

1976 年，海盗 1 号宇宙飞船在火星上拍摄的照片局部看起来就像一个人的脸。照片发表后，甚至有人认为那是火星智能生命的证据，其实那不过是布满岩石的高山而已。

4. 知觉的恒常性

在知觉过程中。当知觉的条件在一定范围内发生了变化时，其知觉对象的印象却保持相对稳定不变，这种知觉特性就是知觉的恒常性（图 2-6）。知觉的恒常性主要是过去经验的作用，是一种非常普遍的现象。知觉恒常性包括大小恒常性、颜色恒常性、明度恒常性、形状恒常性等，在人们的生活实践中具有重要的现实意义。

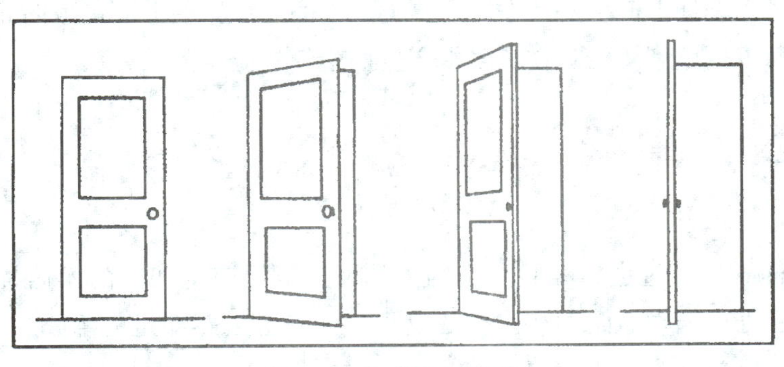

图 2-6　知觉的恒常性

（四）知觉的种类

根据知觉的对象，可分为空间知觉、时间知觉和运动知觉。

空间知觉指对物体空间特性的反映。包括对物体大小、形状、深度、方位等的知觉。

时间知觉指对事物的延续性、顺序性的反映。例如对昼夜交替、四季变换、时间流逝等的知觉。

运动知觉指对物体的空间位置移动的反映。参与运动知觉的有视觉、运动觉、平衡觉等。

（五）错觉

就是歪曲的知觉，即人在知觉时不能正确反映外界事物的特性，而出现的种种歪曲现象。错觉现象十分普遍，只要条件具备，错觉就一定会发生。其中视错觉表现最为明显。常见的有图形错觉、形状错觉、大小错觉和方位错觉等（图 2–7）。

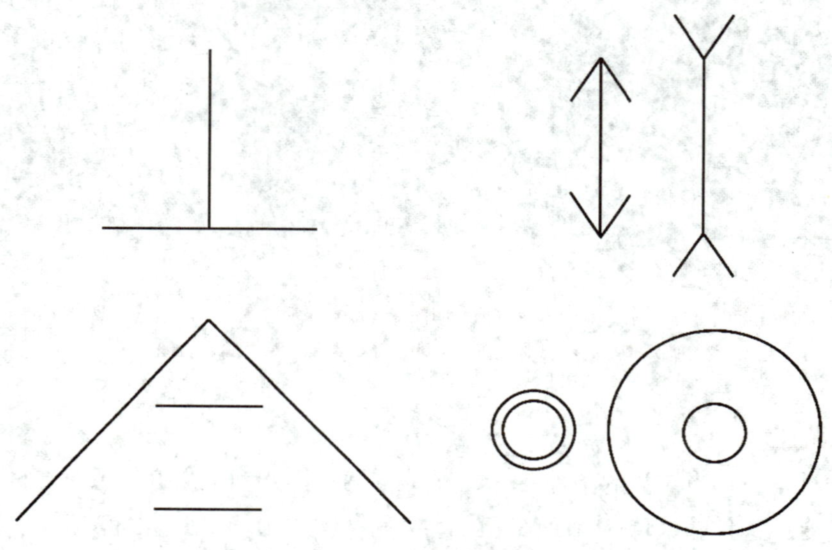

图 2–7　常见的错觉

错觉是在一定条件下产生的。掌握了错觉产生的规律，一方面可以防止因错觉造成的差错，另一方面也可以利用错觉在实践中产生期望的效应。

三、记忆

（一）记忆的概念

记忆（memory）是过去的经验在头脑中的反映，用信息加工的术语描述，就是人脑对所输入的信息进行编码、储存和提取的过程。凡是过去感知过的事物、思考过的问题、体验过的情感、练习过的动作、学习过的知识都可以在大脑中留下痕迹，在一定条件下，这种映象又可以从大脑中闪现出来，这个过程就是记忆。

记忆贯穿在人的各种心理活动中，在现实生活中人们感知过的事物可以通过记忆有取舍地保存下来，为我们所用。记忆是一种重要的心理过程，它对保证人的正常生活起着重要的作用。记忆是人类智慧的源泉，是人的心理发展的奠基石。

（二）记忆的分类

1. 根据记忆的内容分为

（1）形象记忆（imaginal memory） 即以已感知过的事物具体形象为内容的记忆，具有明显的直观性。

（2）情绪记忆（emotional memory） 即以自己体验过的情绪和情感为内容的记忆，具有持久性特点。

（3）逻辑记忆（logic memory） 即以抽象概念为内容的记忆，具有概括性、理解性、逻辑性特点。

（4）动作记忆（motor memory） 即以操作过的动作为内容的记忆，是形成运动熟练技巧的基础。

2. 根据是否受意识控制分为

（1）内隐记忆（implicit memory） 即在个体没有意识到的情况下，个体过去的经验对当前行为所产生的无意识的影响。内隐记忆概念的提出，是当今记忆研究的一个重要突破。

（2）外显记忆（explicit memory） 即在意识的控制下，个体过去的经验对当前行为所产生的有意识的影响。这种记忆对行为的影响是个体可以意识到的，所以也称受意识控制的记忆。

3. 根据记忆内容保持时间长短分为

（1）瞬时记忆（immediate memory） 瞬时记忆也称为感觉记忆，是指外界刺激停止作用以后，它的映像在头脑中仍会保持极短时间才消失的记忆。瞬时记忆是记忆系统的开始阶段，它是以信息的物理特性为编码形式。其特点是储存时间极短，一般为0.25~2秒；容量较大，凡是进入感觉通道的信息都可以被登记。瞬时记忆是无意识的，对刺激信息进一步保持的基础。如果对瞬时记忆中的信息稍加注意，信息就将转入短时记忆，否则便会消失。

（2）短时记忆（short-term memory） 短时记忆也称操作记忆或工作记忆，是在感觉记忆的基础上，信息保持时间在1分钟以内的记忆，是瞬时记忆和长时记忆的中间阶段。其特点是信息保存时间短，容量有限，短时记忆的容量一般为（7±2）个组块，即5~9个项目。短时记忆是可以被意识到的，容易受到干扰而发生遗忘，但保存的信息若经过复述即可转入长时记忆。

（3）长时记忆（long-term memory） 长时记忆也称永久记忆，是指信息存储在1分钟以上直至终身的记忆。长时记忆的容量是无限的，长时记忆中储存的刺激信息如果不是有意回忆的话，往往是意识不到的。只有当人们需要应用已有的知识和经验时，长时记忆储存的刺激信息再次被提取到短时记忆中，才能被人们意识到。

瞬时记忆是记忆的最初阶段，瞬时记忆稍加注意即可进入短时记忆，在经过复述和编码后可转入长时记忆。瞬时记忆、短时记忆和长时记忆的区分是相对的，三者之间相互联系、相互影响，共同构成了完整的记忆系统。

（三）记忆的基本过程

记忆是一个复杂的心理过程，记忆的基本过程包括识记、保持、再认或再现三个基本环节。信息加工论认为，记忆就是人脑对外界输入的信息进行编码、储存和提取的过程。

1. 识记（memorization）

识记是通过反复感知、识别和记住客观事物的过程，是对信息进行编码的过程。它是记忆的初始环节，是保持和再认或回忆的前提。

（1）人们对被识记的事物具有选择性。根据识记时是否有目的性，可以分为无意识记（unintentional memorization）和有意识记（intentional memorization）。

①无意识记：也称不随意识记，是无明确目的，不需要意志努力、自然而然就可以形成的识记。无意识记所获得的知识经验都是片面的，很难成为系统的知识经验，所以，仅靠无意识记来获得科学知识是不行的。

②有意识记：也称随意识记，是有明确目的，按一定的方法、步骤进行，需要意志努力而形成的识记。有意识记要求识记者具有高度的积极性和自觉性，掌握知识和技能必须靠有意识记。

（2）根据对识记的内容是否理解，可以分为机械识记（mechanical memorization）和意义识记（meaningful memorization）。

①机械识记：是指单纯地依靠机械重复进行的识记。这种识记的基本条件就是重复，识记者并不理解材料的意义。

②意义识记：是指在理解的基础上进行的识记。机械识记有助于识记材料精确化，意义识记有助于识记材料系统化。在记忆过程中，两种识记方式是相辅相成的，不可或缺的。

2. 保持（retention）

保持是指识记过的事物在大脑中储存和巩固的过程。保持是识记和再认或回忆的中间环节，也是记忆的中心环节。在记忆过程中保持具有重要作用。保持不是固定不变的，而是一个动态变化的过程，保持的最大变化就是遗忘。

3. 再认（recognition）或再现（reproduction）

再认或再现是记忆过程的最后阶段，是信息的提取和输出的过程。再认是指识记过的事物再度出现时能够辨认的过程；再现是指识记过的事物不在眼前时仍能在头脑中重现的过程。再认是一种比较简单的、比再现水平低的心理过程。

记忆是一个完整的过程，记忆的三个基本环节之间是密不可分的，缺少任何一个环节，记忆都难以实现。

（四）遗忘

1. 遗忘（forgetting）的概念

遗忘是指识记过的事物不能再认或再现，或者是错误的再认或再现。遗忘是与保持相反的过程。遗忘可分为暂时性遗忘和永久性遗忘。暂时性遗忘即一时不能再认或再现，但在适当条件下记忆还可能恢复；永久性遗忘即不重新学习，永远也不能再认或再现。

2. 遗忘的规律

1885 年德国心理学家赫尔曼·艾宾浩斯（Hermann Ebbinghaus）最早对记忆进行了实验研究，是对记忆进行实验研究的创始人。他用无意义音节作为记忆材料，采用自然科学的研究方法，得出了保持和遗忘是时间的函数的研究结论，并提出了著名的艾宾浩斯曲线（图 2-8）。该曲线是按遗忘和时间的关系绘制的，揭示了记忆的保存量随时间而变化的规律，即遗忘的进程是不均衡的，呈现出先快后慢的规律。识记后最初一段时间遗忘速度较快，以后遗忘速度逐渐减慢，并稳定在一定的水平上。只要掌握了遗忘的规律，就可以合理利用它，来提升我们的记忆能力。

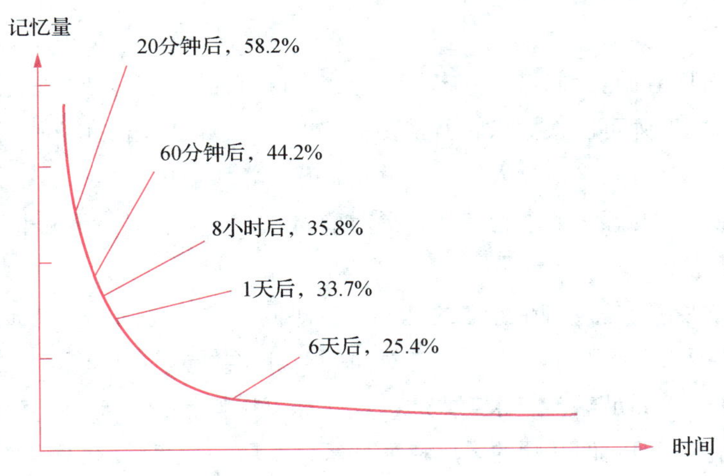

图 2-8　艾宾浩斯遗忘曲线

3. 影响遗忘进程的因素

遗忘的进程不仅受时间因素的影响，还会受其他因素的影响，主要有以下因素。

（1）识记材料对遗忘进程的影响　①材料的性质：一般而言，人们对以形象、动作和情绪为内容的记忆遗忘较慢，而对以语词、逻辑为内容的记忆遗忘较快。②材料的数量：在学习程度相同的情况下，需要识记的材料越多遗忘越快，材料越少则遗忘较慢。③材料的类似性：几种需要识记的材料之间类似性越高，互相干扰越严重，遗忘越快；类似性越低，互相干扰越小。遗忘越慢。④材料的系列位置：遗忘的干扰学说认为，中间识记的材料容易遗忘，而开头和结尾识记的内容记忆效果最好，这是受前摄抑制和倒摄抑制影响的结果。

（2）识记者自身因素对遗忘进程的影响　①学习的程度：一般说来，在学习内容基本相同的情况下，学习的程度越高，遗忘越少。当学习的程度达到150%时，保持的效果最好。②心理状态：识记者的学习动机、情绪、兴趣及对材料的需要程度等对遗忘的快慢也有一定影响。

四、思维

（一）思维的概念

思维是人脑对客观事物间接、概括的反映。它揭示了事物的本质特征和事物之间的内在联系，是一种高级的心理活动，是认识的高级形式。在实际生活中，人们对所获得的材料，在大量的感性认识的基础上，进行分析和综合，作出判断，进行推理，从而用于解决现实问题，这一心理过程就是思维。

思维具有间接性和概括性两大特征。

1. 思维的间接性

思维的间接性指的是人们借助一定的媒介，在已有知识经验的基础上，对客观事物进行间接的反映。如医师可以根据患者所拍摄的 CT 片来进行疾病的诊断，就是对事物的间接反映。正是思维具有间接性，人们才能够超越感知觉所提供的信息，去认识那些没有或者不能直接作用于人的感官的事物特性，揭示事物的本质和规律，预见事物的发展。

2. 思维的概括性

思维的概括性指的是人们在感知的基础上，对同一类事物的本质特征及规律的认识。思维的概括性主要表现在两个方面：一是对同一类事物共同属性的概括，二是对事物的本质及规律的概括。例如足球、篮球、排球、乒乓球可以概括为“球”。各种类型的球都有各自的外形和特点，但它们共同的本质特征是运动器具。一切科学的概念、定理、原理都是思维概括的结果。

（二）思维的分类

1. 根据思维的凭借物分为

（1）动作思维　又称实践思维，是指通过实际操作来解决具体问题的思维。如运动员边运动边考虑动作要领。

（2）形象思维　是指通过事物的具体形象和已有表象来进行的思维。如幼儿、学龄前儿童等的思维就是具体形象思维。

(3) 抽象思维 又称理性思维，是指通过运用抽象概念进行判断、推理来解决问题的思维。如科研工作者根据实验结果完成科学推断的过程，就属于抽象思维。

2. 根据探索答案的方向分为

(1) 聚合思维 又称求同思维，是指通过把问题提供的各种信息集中起来得出一个综合答案的思维。如医师可以通过查体问诊、理化检查等的结果来诊断疾病，就属于聚合思维。

(2) 发散思维 又称逆向思维、求异思维，是指通过把已有信息向不同方向扩散，去探求多种合乎条件的答案的思维。如同一种类型的疾病可能会有多种不同的临床治疗方法。

3. 根据解决问题的态度分为

(1) 习惯性思维 又称常规思维，是指通过运用已有知识经验来解决问题的一种程序化思维。如患者发热，考虑用酒精、凉毛巾等进行物理降温。

(2) 创造性思维 是指通过运用已有的知识经验，用新颖、独特、有创见的方式来解决问题的思维。如科学家的发明创造大多数属于创造性思维。

(三) 思维的基本过程

思维的过程就是指人们通过运用头脑中已有的知识经验，对外界输入的各种信息进行分析与综合、比较与分类、抽象与概括、系统化和具体化的过程。

1. 分析与综合

分析是把客观事物分解为各个部分或各个属性的过程；综合是把客观事物的各个部分、各种属性结合起来，形成一个整体的过程。分析和综合是思维的基本环节，是同一思维过程的两个不可分割、相互联系的方面。

2. 比较与分类

比较是对不同事物和现象进行对比，确定其异同，明确其关系的过程；分类则是把事物按不同属性进行区别归类的过程。比较与分类是两种基本的逻辑思维方法，分类是比较的前提，比较是分类的依据。

3. 抽象与概括

抽象是把事物的共同属性和本质特征抽取出来，而舍弃其非本质的属性和特征的过程；概括就是把事物抽取出来的共同属性和特征结合在一起，并推广到其他同类事物上的过程。抽象与概括的过程就是一个加工裁剪的过程，两者密切联系，其结果形成了概念和理论，实现了认知过程的飞跃。

4. 具体化与系统化

具体化是把抽象出来的事物的一般性特点应用到具体事物上的过程；系统化是在概括的基础上，把同类事物进行归类的过程。通过具体化和系统化的思维过程，人们在头脑中对事物才逐步形成了一个完整的认识体系。

任何的思维活动都是分析与综合、比较与分类、抽象与概括、具体化与系统化这些过程协同作用的过程。

(四)问题解决的思维

问题解决是思维活动的方式之一。问题解决(problem solving)是指由一定情境引起的,按照一定的目标,应用各种认知活动和技能等解决问题的过程。

1. 问题解决的思维过程

问题解决是一种有目的、复杂的思维活动。问题解决的思维过程一般包括发现问题、分析问题、提出假设和检验假设四个阶段。

(1)发现和提出问题　问题解决从发现问题开始,只有善于发现问题并抓住问题的核心,问题解决才会有正确的方向。发现问题是分析问题和解决问题的前提条件。

(2)分析问题　分析问题就是要对问题进行研究,找出问题的症结所在,即找出问题的核心与关键,以便更好地把握问题的实质,明确解决问题的方向。分析问题的能力取决于个体的知识积累和思维品质。

(3)提出假设　就是提出问题解决的思路,确定问题解决的假设途径和方法。提出假设是解决问题的关键。

(4)检验假设　检验所提出的假设是否正确。如果假设被证明是错误的,还需要修改和提出新的假设。检验假设的方法有直接的实践检验和间接的智力活动检验两种。

2. 影响问题解决的因素

(1)知觉特点的影响　不同的人知觉特点不同,解决问题的方式也会有所不同。也就是说,知觉的特点会影响问题的解决。

(2)心理定势(mental set)的影响　心理定势是心理活动的一种准备状态,是指在过去知识经验的影响下,在解决新问题时的一种习惯化的心理倾向性,是过去的思维影响现在的思维。定势表现为问题解决过程中的思维倾向性,有时有助于问题的解决,有时会妨碍问题的解决。解决现实生活中的很多问题需要突破思维的定势。

(3)功能固着的影响　在问题解决时,人们往往习惯于把某种功能赋予某一物体,即称为功能固着(functional fixedness)。功能固着是思维活动刻板化的一种现象,能否改变这一固有的观念,常常是问题解决的关键。

(4)迁移的影响　是指已获得的知识经验、技能和方法对解决新问题的影响。迁移有正迁移和负迁移之分。

(5)动机水平的影响　动机水平是指问题解决的迫切程度。动机是问题解决的内部动力。心理学研究表明,动机强度与问题解决的效率有一定关系。在解决问题时,动机水平过高或过低都是不利的,而中等动机水平是最有利于问题解决的。

(6)人格特征的影响　社会实践证明,问题解决的效率也受人格特征的影响。性格外向、情绪稳定、思维灵活、有意志力的人往往更有利于问题的解决。

五、想象

（一）想象的概念

想象（imagination）是人对头脑中已有的表象进行加工改造，形成事物新形象的思维过程。想象不是凭空产生出来的，它来源于头脑中的表象，来源于客观现实。表象（image）属于记忆的范畴，是人脑对过去感知过的事物的形象的反映，是对过去感知过的事物痕迹的再现。想象是思维的一种特殊形式，是人类所具有的高级的认知活动。

（二）想象的种类

根据想象有无目的，可把想象分为无意想象和有意想象两种类型。

1. 无意想象

无意想象（involuntary imagination）又称不随意想象，是指无预定的目的，在某种刺激作用下不由自主地产生的想象。是一种自发的、简单的、几乎不受自我调控的心理现象。人们看到天空的浮云，会把云朵想象成骆驼、老虎、羊群等。梦是无意想象中很重要的一部分，是无意想象最典型、最极端的例证。梦是人在睡眠状态发生的、不受人的高级意识支配的想象活动。

2. 有意想象

有意想象（voluntary imagination）又称随意想象，是指有预定目的的，自觉有意识进行的想象。这种想象在人的想象中占主导地位，往往具有一定的预见性和方向性。有意想象根据其新颖性、创造性和独立性的不同，又可分为再造想象、创造想象和幻想。

（1）再造想象（reproductive imagination）　是指根据语言文字的描述或图样、模型、符号的示意，在头脑中形成相应新形象的过程。有效的再造想象需要满足两个条件：一是正确理解语词及各种图像标志的示意，二是有足够的表象储备。

（2）创造想象（creative imagination）　是指不依据现成的描述或图示等，独立地创造出事物新形象的过程。创造想象所产生的事物新形象具有新颖性、奇特性，并往往具有一定的社会意义。文学创作、科学发明等大多属于创造想象。

（3）幻想（fantasy）　是指与个体的主观愿望相联系并指向未来的想象。它是创造想象的一种特殊形式，是创造想象的准备阶段，具体表现为理想和空想两种形式。

理想是指那种以现实为依据，符合事物发展规律的、有实现可能的幻想。

空想是指那种完全脱离现实，不符合事物发展规律且不可能实现的幻想。

（三）想象的作用

爱因斯坦说："想象力比知识更重要，因为知识有限，而想象力概括着世界上的一切，推动着知识的进步，是知识的源泉。"人的一切心理活动，尤其是创造性的活动都离不开想象。想象是人们认识客观世界和改造客观世界的有力武器。想象的作用主要体现在以下几个方面。

1. 想象有补充知识经验的作用

在现实生活中，由于时空的限制，人们总是有很多无法直接接触或者无法感知的事物，而要想认识和理解它们，只有凭想象的补充知识经验的作用。例如，我们可以通过考古资料想象和模拟原始社会人类生活的情境。

2. 想象有满足需要的替代作用

生活中人的需要多种多样，有的是可以实现的，有的是无法实现的。那些无法实现的需要有时也可以借助于想象来获得一定的满足。如幼儿没有玩具火车可以把小板凳当作小火车来开等。

3. 想象有预见性的作用

人类的各种活动往往都有一定的预见性和计划性，这是想象的重要作用。

六、注意

（一）注意的概念

注意（attention）是人的心理活动对一定对象的指向和集中。注意不是一个独立的心理过程，而是一种伴随着心理活动的状态，是在感知、记忆、思维、想象、情绪情感、意志等心理过程中产生，贯穿于人的整个心理过程。注意与心理过程的关系是相互联系，密不可分的。离开心理过程的注意不能独立存在，没有了注意，一切心理过程也就无法产生。

注意有两大特性即指向性和集中性。指向性是指人的心理活动不能同时指向所有的对象，而只能选择其中的某些对象，舍弃另一些对象。集中性是指心理活动全部聚焦在所选择的对象上，这表现在心理活动的紧张度和强度上。两者是紧密相连的，是注意特性的两个不同方面。

（二）注意的种类

根据注意的目的性和意志努力程度不同，可把注意分为以下三种类型。

1. 无意注意

无意注意也称不随意注意，是指没有预定目的，不需要意志努力的注意。现实生活当中，能够引起无意注意的刺激物是无处不在的。也就是说，无意注意是可以随时发生的。一般来说，当刺激物突然出现或者对象与背景间对比强度很大，或者对象很新异、很奇特等等都容易引起无意注意。

2. 有意注意

有意注意也称随意注意，是指有预定目的，需要付出一定意志努力的注意。它是在无意注意的基础上发展起来的。有意注意往往服从于预定的任务和目的，它受人的意识的调节和支配。

3. 有意后注意

是指一种既有目的，又无须意志努力的注意。它是在有意注意的基础上发展起来的，兼有无意注意和有意注意两方面的一些特点。

在现实生活中，无意注意、有意注意与有意后注意三者之间是密切相连的。无意注意和有意注意可以相互转换，有意注意也可以发展成为有意后注意。

（三）注意的品质

1. 注意的广度

也称注意的范围，是指在单位时间内所能清楚地把握对象的数量。知觉的特点、个体的知识经验、任务的难易程度等都会影响到注意的广度。

2. 注意的稳定性

是指注意在一定时间内相对稳定地保持在注意对象上。注意所维持的时间越长，注意越稳定。注意的稳定性是保证顺利完成某项活动所必需的。与注意的稳定性相反的注意品质是注意的分散。注意的分散是指注意离开了所要指向的对象，而转移到无关的对象上的现象。

3. 注意的转移

注意的转移是指由于环境或任务的变化，注意从一个对象转移到另一个对象上的现象。

注意转移的速度和质量，取决于活动的性质和个体对活动的态度。注意的转移与注意的分散不同，注意的转移是有目的的、主动的，而注意的分散是无目的的、被动的。

4. 注意的分配

注意的分配是指在同一时间内，把注意指向于两种或几种不同的对象或活动上。如学生上课时边听讲边做笔记，歌唱家边歌边舞等。当然，注意的分配是有条件的，即同时进行的不同活动中有些必须是特别熟练，而且所从事的几种活动之间往往有一定的内在联系。

第三节 情绪情感过程

案例引导 2-3

案例：《头脑特工队》是由迪士尼电影工作室、皮克斯动画工作室联合出品的动画电影。该片讲述了小女孩莱莉因为父亲工作的原因举家搬迁至旧金山，要准备适应新环境，但就在此时，莱莉脑中控制欢乐与忧伤的两位脑内大臣乐乐与忧忧迷失在茫茫脑海中，大脑总部只剩下掌管愤怒、害怕与厌恶的三位干部负责，导致本来乐观的莱莉变成愤世嫉俗少女。乐乐与忧忧必须要尽快在复杂的脑中世界回到大脑总部，让莱莉重拾原本快乐正常的情绪。

问题：您关注过自己的情绪情感吗？当您不快乐时，您会怎么做？忧伤对我们有用吗？

一、情绪和情感概述

（一）情绪和情感的概念

情绪和情感（emotion and affection）是指人对客观事物是否符合自身的需要而产生的态度的体验，是人脑对客观事物与人的需要之间关系的反映。

人类在认识外界客观事物时，必定会产生乐与苦、喜与悲、爱与恨等主观性体验，这种人对客观事物的态度体验及相应的行为反应即称为情绪和情感。这种情绪和情感与人的认识过程一样，也是对客观世界的一种反映形式，但它又不同于人的认识过程。它们不是对客观事物本身的反映，而是对客观事物与人的需要之间所存在的关系的反映，即主体和客体之间关系的反映。我们可以从下面几个角度来理解情绪和情感。

首先，需要是情绪和情感产生的基础。在现实生活中，人的需要是特别丰富和多样化的。需要是人的生理和社会客观需求在人脑中的反映。情绪和情感与人的需要有着直接的关系，没有需要，人也就不会产生情绪和情感，需要是情绪和情感产生的基础。

其次，情绪和情感的产生是以客观事物是否满足需要为中介的。任何情绪和情感都不是自发的，而是由客观事物引起的，客观事物是产生情绪和情感的来源。但是，并不是任何客观事物都能引起人的情绪和情感。只有那些与人的需要相联系的客观事物，才能使人产生情绪和情感。也就是说，情绪和情感是以人的需要为中介的一种心理过程，它反映了客观事物与主体需要之间的关系。当客观事物符合主体需要时，就会产生积极的情绪体验，否则便会引起消极的情绪体验，这种体验就构成了情绪和情感的心理内容。

最后，情绪和情感是人的一种主观感受状态。情绪和情感是人的一种主观感受，或者说是人的一种体验状态。体验是情绪和情感的基本特色，没有体验，也就没有了情绪和情感。每个人都会有许多主观感受，如喜、怒、哀、乐、爱、恨等。人们对不同的客观事物也会产生不同的感受状态。人对自己、对他人、对各种事物也都会产生一定的态度体验。

（二）情绪和情感的关系

情绪和情感就如一对孪生姐妹，反映心理过程中同一现象的不同方面，很难把它们完全分开。现实生活中，情绪与情感之间既相互区别，又相互联系。

1. 情绪与情感的区别

（1）赖以产生的需要不同　情绪是与人的生理需要（包括衣、食、住、行、性等）

是否得到满足相联系的，是一种本能的、低级的态度体验；情感是与人的社会需要（包括亲情、友情、爱情、文学艺术、道德等）是否得到满足相联系的，是一种高级的态度体验。

（2）层次不同　情绪是动物和人所共有的，是源于本能的、较低级的；情感则是源于社会性需要的、高级的。

（3）产生时间不同　从人类进化和个体发展的角度来看，情绪产生较早，人出生时就会有一定的情绪反应，但没有情感；情感则产生较晚，它是人在社会实践过程中逐渐产生的，随着人的年龄增长而逐渐发展起来的，如道德感、成就感和美感等。

（4）反映特点不同　情绪往往具有情境性、激动性、短暂性等特点，而情感具有稳定性、持久性、深刻性等特点。情绪往往随着情境的变化而发生改变，情感一般不会受情境的影响，表现稳定而持久。

（5）表达程度不同　情绪往往是外显的，通过言语表情或行为，一般他人是可以直接能感知到的；而情感是内敛的，深藏于人的内心，很多时候是不会轻易显露出来被他人感知的。

2. 情绪与情感的联系

（1）情感依赖于情绪　情绪是情感的外在表现，稳定的情感是在情绪体验的基础上形成并通过具体的情绪反应表达出来的。所以说，离开情绪的情感是不存在的。

（2）情绪依赖于情感　情感是情绪的本质内容，情绪的各种变化也常常饱含着一定的情感。而且反映不同情感的深度。情感是内在的态度体验，对情绪也往往有一定的调节和制约作用。

（3）两者相互依存，密不可分　情绪和情感合称为感情，是同一心理活动的两个方面，两者既有区别又有联系，它们总是彼此依存、相互交融、密不可分。

（三）情绪的维度及两极性

情绪的维度（dimension）即指情绪所固有的某些特征，主要包括情绪的动力性、激动度、强度和紧张度等几个方面。这些特征的变化幅度又都具有两极对立的特性，即情绪的两极性。

1. 从动力性上看

情绪有增力和减力两极。一般而言，满足需要的肯定情绪都是积极的、增力的，能提高人的活动能力，对活动有促进作用；不能满足需要的否定情绪都是消极的、减力的，能降低人的活动能力，对活动有阻碍的作用。

2. 从激动度上看

情绪有激动和平静两极。激动往往是由一些重要的、突然发生的事件引起的强烈的、有明显外部表现的情绪状态，如狂喜、极度恐惧等，而对应的平静是一种在正常生活、学习、工作时的平稳、安静的情绪状态。

3. 从强度上看

情绪有强和弱两极。一般人的情绪都会有从弱到强的等级变化。如从讨厌到厌烦，再到憎恨；从愠怒到愤怒，再到狂怒等。最强和最弱构成情绪的两极。

4. 从紧张度上看

情绪有紧张和轻松两极。情境的紧迫程度、个体的心理准备状态和应变能力等因素都会对人的情绪紧张度产生影响。

二、情绪和情感的种类

情绪本身是作为对客观事物的一种反应形式而存在的，是非常丰富和复杂的一类心理现象。从不同的角度、方面可以分成不同的类型。根据情绪的性质、情绪状态的变化程度和情感的社会性等内容，可以有如下三种分类方式。

（一）根据情绪的性质分类

此种分类方式确定人类具有四种最基本、最原始的情绪：快乐、悲哀、愤怒和恐惧。这也是与本能需要相联系的、人类与动物所共有的。快乐是个体在需要得到满足或者追求的目的达到时所产生的满足体验。悲哀是在愿望破灭、所追求的目标无法实现时所产生的体验。愤怒是在因受到干扰而不能达到预期目标，紧张状态积累到一定程度时所产生的体验。恐惧是在遭遇某种危险情境，企图摆脱、逃避时所产生的体验。

（二）根据情绪的状态分类

情绪状态指的是在某段时间内因受某些事件或情境的影响所产生的内心体验。根据情绪发生的强度、持续的时间和影响力大小，可分为心境、激情和应激三种状态。

1. 心境（mood）

心境是一种具有感染性的，比较微弱而持久的情绪体验状态，通常也叫心情。心境可以影响人的整个精神活动，具有弥散性的特点，如“人逢喜事精神爽”“感时花溅泪，恨别鸟惊心”等。它不是对于某一事物或情境的特定的体验，而是以同样的态度对待所有的事物或情境。心境的变化受多种因素的影响，其所持续的时间可以有几小时、几周、几个月，甚至有的可以达到1年以上。

心境在现实生活中因人而异，对人的生活、工作、学习以及身心健康都会发生重要的影响。积极向上、乐观的心境可以提高人的活动效率，增强自信心，憧憬未来，有益于健康；而消极悲观的心境，会降低人的活动效率，使人丧失信心和希望，过于悲观，有损健康。

2. 激情（intensive emotion）

激情是一种短暂而强烈、爆发快的情绪体验，通常也称为激动。激情往往是由生活中的重大事件、突如其来的情境或激烈的对立意向冲突所引起。激情有积极和消极之分。激情状态下一般都伴随着明显的生理反应和外部行为，如北京纪念抗战胜利 70 周年大阅兵时人们那激动万分的情绪状态，就是积极的爱国主义激情的表现；而消极的如咬牙切齿，捶胸顿足，甚至发生痉挛、晕厥等，此时人的意识范围狭窄，分析能力和自我调控能力减弱。往往不能正确评价自己的行动的意义和后果，因而容易发生鲁莽不计后果的行为。

3. 应激（stress）

是指人们在面临意外的紧急情况或环境刺激时所产生的适应性反应，是一种身心处于高度紧张的、特殊的情绪状态。应激状态下会引发一系列生理反应，如肌肉紧张、心率加快、呼吸急促、血压升高、血糖增高等。当人们遇到某种危险或面临某种突然事变时，如高速行驶中的汽车，突然刹车失灵等，所产生的一种特殊的、紧张的情绪体验，即为应激状态。应激状态很消耗人的体力和心理能量，如果应激状态长期持续，机体的适应能力将会受到损害，可能会导致疾病的产生。因此，个体长期处于应激状态，对健康是很不利的。

（三）情感的分类

情感是人类所特有的，与人的社会性需要相联系的高级的主观体验。人类高级的社会性情感按其性质和内容可分为道德感、理智感和美感。

1. 道德感（moral feeling）

是指按照一定的道德标准来评价人的思想、意图、观念和行为时所产生的情感体验。道德感主要包括爱国主义感、集体荣誉感、责任感、同情感和正义感等。道德感是现实生活中一类同道德评价相联系的情感，是人在社会实践过程中发生和发展起来的，它直接体现了社会客观事物与行为主体的道德需要之间的关系。

2. 理智感（rational feeling）

是指人在智力活动中认识和评价客观事物时所产生的情感体验。它与人的认识活动、求知欲及对真理的探求是否得到满足相联系。理智感产生于人的智力活动过程中，对推动人学习科学知识，探索科学奥秘，认识和掌握事物发展规律有重要作用。

3. 美感（aesthetic feeling）

是按照一定的审美标准来评价外界事物时所产生的情感体验。人们的审美标准既是对事物的客观属性的反映，又受个体自身的思想观念和价值观念的影响。美感具有明显的现实性和社会性，不同的人、不同文化背景、不同历史时期，人们对美的评价也存在较大的差异。如对女性体形美的评价，当今社会以突出线条为美，而在中国历史上的隋唐时期却以肥胖为美。对美感体验强度的大小受人的审美能力和知识经验的制约。对美感的追求和进行美的教育也是精神文明建设的一个重要组成部分。

三、情绪和情感的表达

情绪和情感是一种内部的主观体验，但当情绪和情感发生时，又总是伴随着相应的外部行为表现。这些来自外部的行为表现都是可以观察得到的，更是与情绪和情感有关的，我们称之为表情或情绪表达。相同的情绪可以有不同的表达方式，不同的情绪也可能以同样的方式表达出来。情绪表达主要有面部表情、身段表情和言语表情三种基本方式。

（一）面部表情

面部表情（facial expression）是指通过面部肌肉、眼部肌肉和口部肌肉的变化来表现各种情绪状态的一种情绪情感表达方式。达尔文早在 1872 年在他的《人类和动物的表情》一书中就认为，表情是动物和人类进化过程中适应性动作的遗迹。这说明人的表情是具有原始的生物根源的，也就是说，原始情绪的面部表情是天生的、固有的，人的许多基本情绪，如喜、怒、惧、悲等是能为全人类所理解的。

面部表情是人类最基本的沟通方式，也是情绪表达的一种基本方式。有研究表明。面部表情具有泛文化性特点，不同文化背景下的人也可能产生相同的面部表情，以表达相同的情绪体验，同时也会被他人共同承认、接受和使用。心理学家们经过大量的研究发现，有下列七种表情是世界上各民族的人都能够辨认出来的，即快乐、生气、害怕、惊讶、厌恶、悲伤和轻视。在面部表情识别方面的研究还发现，最难辨认的表情是怜悯、怀疑；较难辨认的表情是悲哀、恐惧；最容易辨认的表情是快乐、痛苦。综合而言，情绪的成分越复杂，表情辨认的难度越大。此外，一些心理学家研究也证实人面部的不同部位具有不同的表情作用。

（二）身段表情

身段表情（body expression）通常也称“体语”，是指通过身体各部位呈现的姿态来表现所发生的情绪状态的一种情绪情感表达方式。身段表情可分为身体表情和手势表情两种类型。身体表情反映人在不同的情绪状态下，身体姿态所发生的不同变化。如高兴时“捧腹大笑”，得意时“手舞足蹈”，失意时“垂头丧气”，紧张时“坐立不安”等。人的一颦一笑，一举手一投足都会反映不同的身体表情。

手势（gesture）也是一种重要的身段表情。手势通常和语言一起使用，来表达人的某种思想感情，如反映赞成还是反对、接纳还是拒绝、喜欢还是讨厌等内心态度。同时，手势也可以单独用来与他人交流，表达个人情感，传递个人信息。尤其是在无法用语言沟通的特殊环境中，手势更会起到至关重要的表达作用。

心理学研究表明，身段表情是后天通过学习所获得的，由于受不同的社会文化背景、风俗习惯等的影响，身段表情的具体含义不仅存在个别差异，而且也存在团体、民族或地域的差异。如同样是竖大拇指，在中国其含义是赞赏、夸奖的意思，而在有些国家则恰恰相反，是表达侮辱的意思。

（三）言语表情

言语表情（language expression）是指通过语言的声调、节奏和速度等方面的变化来表现所发生的情绪状态的一种情绪情感表达方式。言语表情也是人类所特有的表达情绪的手段。语言是沟通交流的工具，沟通中说话音调的高低、强弱，节奏的快慢等都会影响到交流的效果，都属于言语表情。如人们惊恐时的尖叫，悲哀时的呜咽，气愤时的呐喊，痛苦时的呻吟等等。

总之，面部表情、身段姿态和言语表情构成了人类非言语交往形式，是人们表达情绪、情感的重要外部方式。作为情绪的有效表达方式，它们在人际沟通中经常相互配合，更加准确或复杂地表达着不同的情绪。

四、情绪和情感的作用

情绪情感是人的心理过程中最重要的内容之一，而情绪情感更是人的精神活动的重要组成部分。情绪情感在人类的心理活动和社会实践中，有着极为重要的作用。

（一）情绪情感对适应社会的影响

情绪和情感是人类进化发展的产物，并随着大脑的发展而不断得到分化，在人类与环境接触当中，情绪体现了适应的价值。可以说，情绪和情感是人类生存、发展和适应环境的重要手段。一方面，有机体可以通过情绪和情感所引起的生理反应来激发其身体的潜能。使有机体正常运转并始终处于一个适宜的活动状态，便于有机体适应环境的各种变化；另一方面，情绪和情感还可以通过各种表情表现出来，以便得到别人更好的同情和帮助。

（二）情绪情感对工作效率的影响

情绪情感与工作效率的关系是一个复杂的问题。从情绪情感的两极性，我们知道，情绪既有积极的一面，也有消极的一面。一般说来，积极的情绪情感能够提高人的活动能力，能够不断充实人的精力和体力，有助于提高工作效率，而消极的情绪情感能够抑制人的活动能力，消耗人的体力和活力，从而减低和影响工作效率。心理学研究也表明，消极情绪也并不是完全不好，也不是在所有时候都会降低工作效率。例如焦虑情绪，焦虑与学习效率的研究结果证实，适度的焦虑能发挥人的最高学习效率。

知识链接 2-2

EQ、IQ 和 MQ

智商（IQ，intelligence quotient）是代表人的智力高低的数量指标。反映一个人的观察力、记忆力、思维力、想象力、创造力、分析问题和解决问题的能力。情商（EQ，emotional intelligence quotient）是指管理自己的情绪、处理人际关系的能力。德商（MQ，moral intelligence quotient）是指一个人的德性水平、道德人格品质。德商的内容包括体贴、尊重、容忍、宽恕、诚实、负责、平和、忠心、礼貌、幽默等各种美德。三者之间的比例是 MQ 占 20%、IQ 占 35%、EQ 占 45%。无论一个人的智商和情商有多高，没有德商的眷顾，在短时间内会得到社会的认可，可是经不起历史的考验，在大风大浪中，就会没入风尘、销声匿迹。

（三）情绪情感对人际关系的影响

人是社会人，必然要与形形色色的人进行交往，且交往中每个人又总是出于自身的某种愿望或需要，不管交往的形式如何，每个人都会因愿望是否得到满足而产生各种情绪体验。情绪情感是人与人之间交往联系的纽带，是评价和判断人际关系的重要指标。根据情绪情感的两极性，肯定的情绪情感对人的活动有积极的增力作用，往往有利于人际关系的和谐；否定的情绪情感对人的活动则起到了消极的减力作用，往往会影响到人际沟通和对信息的理解，甚至会产生扭曲，有损于人际关系的和谐。

（四）情绪情感对心身健康的影响

人生不如意十有八九，在现实生活中，情绪的发生是在所难免的，而且情绪对心身健康的影响作用更是显而易见的。我国古代医学研究早就肯定了情绪与健康的关系，积极的情绪能治病，消极的情绪能致病。现代医学、心理学的研究也表明，人的所有心理活动都是在一定的情绪基础上进行的，情绪对人的心身健康具有直接的作用。乐观、开朗、心情舒畅等正性情绪能够激发人的主动性和创造性，有利于提高工作效率，有益于人的生理和心理健康；而焦虑、抑郁、悲伤和愤怒等负性情绪能够使人意志消沉，不利于人的主观能动性的发挥，更容易导致心理障碍，有损于心身健康。

第四节　意志过程

案例引导 2-4

案例：高某，男，16 岁，中学生。高某是家中三代单传，因而从小就备受爷爷奶奶的宠爱，常常以“小皇帝”自居，父母都忙于工作，疏于管教。小时候虽然任性、贪玩，学习成绩还可以。但自高中开始喜欢上网，沉迷网络不能自拔，交朋结友，学习是三天打鱼两天晒网，成绩直线下降。自己没有自我约束力，家长管他根本不听。现在发展到整日上网，拒绝去上学，家长很是苦恼，不知该怎么办。

问题：高某出现了怎样的心理问题？您会给他怎样的帮助？

通过前面的学习，我们知道，人对客观世界的反映并不完全是消极的、被动的，很多时候更是积极的、主动的。可以这么说，人是通过认知过程认识世界，通过情绪情感过程体验世界，又通过意志过程来改造世界的。

一、意志的概念

意志（will）是指人们有意识地支配、调节行为，通过克服困难以实现预定目的的心理过程。

意志，作为一种极其复杂的心理现象，是在人认识世界和改造世界的需要中产生，也是在随着人类不断的追求进步的过程中得到发展的，是人类意识的能动性、积极性的集中体现。也是人类与低等动物的重要区别之一。研究表明，一些在事业上有突出成就的人，他们不仅仅智力水平相对较好，做事情有明确的目的性，在拼搏进取的道路上，他们更是意志力坚强的人。也就是说，任何一个人，想要成就一番事业，顽强的意志和不畏艰险的精神是必须具备的。

意志是高级心理活动过程。它和认知过程、情绪情感过程共同构成了人的心理过程，三者之间相互联系、相互影响，从不同侧面反映了人的整个心理活动的不同特征。认知过程是意志活动的前提和基础，意志过程受情绪情感过程的影响，情绪情感过程对意志具有动力作用。同时，意志对情绪情感也具有调节和控制作用。个体所发生的同一心理活动，通常既是认知的，又是情绪情感的，也是意志的。任何的意志过程都必然包含有认知的和情绪情感的成分，任何的认知过程和情绪情感过程的发生也必然都包含有意志的过程。

二、意志行动的基本特征

意志是自觉的、有意识、有目的的行动，是通过自身努力克服困难和挫折的行为表现出来的。我们常常把这种受意志支配的行动称为意志行动。人的意志主要体现在意志行动上，意志行动具有以下三个最基本的特征。

（一）意志行动的前提是行动有明确的目的

行动具有明确的目的性是意志的首要特征，也是意志活动的前提。人类是现实的主人，人类与动物不同的是，动物的行为是消极的、盲目的，无意识的，一切无意识的行动都不是意志行动。人类并不是消极被动地适应环境，而是积极能动地认识和改造世界。也就是说，人类行动的本质就是有目的、有计划、有步骤和有意识的行动。人在从事某一活动之前。其活动的结果已经作为行动的目的并以观念的形式存在于人脑之中，随后并以这个观念来指导自己的行动。同时，对于人的自觉行动是否符合目的性，意志本身也具有一定的调节作用，这也是意志的能动性体现。由此可见，意志行动的目的性特征是人类与动物的本质区别。

（二）意志行动的核心是行动与克服困难相联系

意志行动的第二个特征是行动与克服困难相联系，这是意识行动的核心。在现实生活中，人的所有自觉的、有目的性的行动也并不都是意志的表现，如聊天、娱乐、喝水、散步等等并没有与克服困难相联系，故不属于意志行动。意志行动是在人们克服困难中集中表现出来的。

（三）意志行动的基础是随意性运动

意志行动的第三个特征是以随意性运动为基础。人的行动一般可分随意运动和不随意运动两种。随意运动指的是可以受主观意识控制和调节的运动，是那些主要由神经控制的躯干四肢的运动，如打球、学习、上网等，具有一定的方向性和目的性。不随意运动指的是那些不以人的意志为转移的、不受意识控制和调节的运动，如打喷嚏、咳嗽、眨眼等，主要是由自主神经支配的内脏运动和反射运动。意志行动的目的性，就决定了意志行动必须是在人的主观意识调节和控制下的随意运动。所以说，随意运动是意志行动的基础。

综上所述，意志行动的三个基本特征并不是割裂开的，而是相互联系的。明确的目的性是意志行动的前提，与克服困难相联系是意志行动的核心，随意运动是意志行动的基础。

三、意志行动的基本过程

意志行动的基本过程是指意志对行动的积极能动的调节过程。它一般要经历发生、发展和完成的过程。这个过程主要分为两个阶段：采取决定阶段和执行决定阶段。

（一）采取决定阶段

采取决定阶段是意志行动的初始和准备阶段。这一阶段执行者一般要经过深思熟虑，慎重地作出抉择，是保证行动正确执行的前提。同时，也往往会影响到行动执行的最终结果。此阶段主要有以下三个基本环节。

1. 确定行动的目标

预先确定行动目标，是意志行动产生的重要环节。它决定着意志行动的方向和方法的选择及计划的制定。一般来说，目标越明确，行动越自觉，意志行动的成功率也会越高。对社会的意义也越大。

2. 选择行动的方法

行动目标一旦确定，行动方法的选择就显得尤为重要。因为，我们知道，同一工作任务可能会有多种完成方法，哪一种方法更简洁、更有效，这也需要执行者作出必要的选择。一般情况下，有经验的执行者会通过调查研究，从全局出发，权衡利弊，根据客观实际，选择切实可行的行动方法。

3. 制定行动计划

确定了目标，选择了有效的方法，下一步就是要制订明确的行动计划。计划的制订，就是为了行动有章可循，使意志行动表现为一个连续、完整、统一的过程。而随着计划的制订，意志行动就进入了执行决定阶段。

（二）执行决定阶段

执行阶段是意志行动的完成阶段，是准备阶段的方法和计划全部付诸实施，直至达到预期目的的过程。即便采取决定阶段的各项工作做得再好，若不付诸实施，一切都只能是镜花水月。所以，执行决定阶段才是意志行动最重要的阶段，也是人的意志水平的高度表现。在意志行动的执行阶段，执行者还需注意以下两个问题：一是要求执行者必须坚持采用所选择的方法，执行预定的目标和计划好的行为程序；二是要求执行者要及时修正或制止计划执行过程中出现的那些不利于达到预定目标的行动。

只有通过上述两个阶段，人的主观目的才能转化为客观结果，主观决定才能转化为实际行动，意志行动才能得以最终实现。

四、意志品质

意志品质指的是一个人意志比较稳定的方面，也是一个人采取积极行动的内部动力。意志品质构成人的性格的意志特征，从而表现出明显的个体差异。是人类心理过程的重要组成部分。意志品质反映了一个人的意志的优劣、强弱和发展水平，贯穿于人的意志行动的始终。

1. 意志的自觉性

意志的自觉性指的是个体在行动中对行动的目的及其社会意义有明确的认识，并主动采取符合社会要求的行动，直至达到目标的意志品质。具有自觉性意志品质的人，生活中有主见，不随波逐流，更不愿屈服于外界施加的压力，能独立地进行判断，独立地采取决定并执行决定。这种自觉性贯穿于意志行动的全部过程，具体表现在确定行动目的的自觉性、执行行动目的的自觉性、行动中克服困难的自觉性、对行动结果评价的自觉性。

与自觉性相反的是盲从性和独断性。盲从性即受暗示性，是指做事情没有明确的行动方向，缺乏坚定的信心和决心，容易受他人影响，人云亦云，缺乏主见。独断性是指做事情固执己见，一意孤行，刚愎自用，不接受别人的意见或建议。两者都是意志品质不良的表现。

2. 意志的果断性

意志的果断性指的是人在行动中善于明辨是非，迅速而有效地采取决定和执行决定的意志品质。果断性以正确的认识为前提，以深思熟虑和坚决果敢为基础，是一个人智慧、胆识、学识的有机结合。特别是在动机冲突非常强烈时，能够当机立断，在紧张行动时，能够敢于担当，在行动不需要立即执行或因意外情况发生变化时，又能适时作出决定，立即停止行动。这种意志品质在当今社会中显得尤为重要。

与果断性相反的是优柔寡断和武断。优柔寡断是指已有事实依据需要作出决定时，却瞻前顾后、犹豫不决，或者是执行决定时常怀疑行动的正确性，动摇不定，拖延时间等。

武断是指没有事实依据时就匆忙作出不符合实际的甚至是错误的决定。武断是鲁莽草率的行为，往往不顾及后果，是一种极为不理智的行为表现。两者都是遇事不果断的表现。

3. 意志的坚韧性

意志的坚韧性指的是在执行决定时，能够以充沛的精力和百折不挠的精神顽强克服各种困难，坚持到底，实现预定目的的意志品质。正如拉蒂默所言“水滴石穿，不是因其力量，而是因其坚韧不拔、锲而不舍”。具有坚韧性意志品质的人，表现为目标明确，勇往直前，坚韧不拔，始终如一。坚韧性是人们取得事业成功必不可少的良好的意志品质。

知识链接 2-3

AQ

20 世纪 90 年代，美国著名学者保罗·斯托兹在综合数十位著名科学家研究成果的基础上，提出“顺境要 EQ，逆境需 AQ”。逆商 AQ（adversity quotient）即挫折商，是指我们在面对逆境时的处理能力。挫折商一般考察以下四个关键因素：控制（Control）、归属（Ownership）、延伸（Reach）、忍耐（Endurance），简称为 CORE。心理学家们把 IQ、EQ、AQ 并称 3Q，并断言，100%的成功 = 20%的 IQ+80%的 EQ 和 AQ。他们认为，一个人事业成功必须具备高智商、高情商和高挫折商这三个因素。在智商和情商都跟别人相差不大的情况下，挫折商对一个人的事业成功起着决定性的作用。

与坚韧性相反的是动摇和执拗。动摇是指在执行决定时，常因遇到挫折和困难而动摇自己的决心，甚至放弃所追求的目标。这种人常常表现为朝秦暮楚、知难而退、做事虎头蛇尾、见异思迁、半途而废。执拗是指不能正确地估计自己，拒绝别人的意见，明知有错，却还要一意孤行、固执己见，执迷不悟，是一种意志薄弱的表现。两者都属于消极的意志品质。

4. 意志的自制性

又称自制力，指的是在意志行动中善于管理和控制自己的情绪，能够很好约束自己的言行的意志品质。意志的自制性主要表现为对自己的情绪、愿望、兴趣、爱好、动机、注意力等心理过程进行有意识的控制和约束，以期顺利实现自己的目标。自制性表现在意志行动的全部过程中，是一个人具有坚强意志的重要标志。

与自制性相反的是任性和怯懦。任性是指不能很好控制自己的情绪，表现为放纵自己，我行我素，好感情用事，有随意而为的倾向，并易受外界的引诱和刺激干扰，甚至产生违纪行为。怯懦是指行动时仓皇失措、畏缩不前，易受外界的诱惑及干扰，害怕作决定，也无法将决定贯彻到底。

自觉性、果断性、坚韧性和自制性，是人的四种良好的意志品质。这些意志品质之间是相互联系，缺一不可的。

第五节 人 格

案例引导 2-5

案例： 某女性，平时工作积极，但喜欢高谈阔论，有意无意标榜自己。在爱情方面，吹嘘别人如何欣赏她，追求她，而她又是如何刁难别人，为了招人注意，甚至不顾个人尊严。平时喜怒无常，高兴时嘻嘻哈哈，稍不顺心，大吵大闹。弄得人际关系十分紧张。

问题： 该女性的人格有问题吗？她的问题是怎样产生的？又该怎么解决呢？

一、人格概述

（一）人格的定义

人格（personality）一词来源于拉丁文“persona”，原意是指“面具”，是古希腊戏剧中演员所戴的用具，类似于中国京剧中的脸谱，用以表现演员们所扮演的角色和身份。面具不同，表现角色的特点和人物特征也有所不同。心理学把“面具”转译为“人格”，是想借用这个术语来说明人生大舞台上的每一个人，都会随时根据社会角色的不同来更换面具。

到目前为止，有关人格的定义，说法很多，尚无统一、明确的解释。据美国心理学家奥尔波特（Allport GW）的统计，各种有关人格的定义不下 50 种之多。我国心理学界多数学者现在普遍认可的人格定义是：人格，也称个性，是指一个人的整个精神面貌，即具有一定倾向性的、比较稳定的心理特征的总和。

（二）人格心理结构

人格是多层次、多维度、多侧面的复杂的有机心理结构。它的构成主要包括人格倾向性、人格心理特征和自我调控系统三个部分。

1. 人格倾向性（personality inclination）

人格倾向性是人从事各种活动的基本动力，是人格结构中最活跃的因素。它主要来自于后天的学习培养和个体的社会化进程，包括需要、动机、理想、兴趣和世界观等。人格倾向性以积极性和选择性为特征，制约着人的全部心理活动，决定着人对周围世界的认识和选择趋向，对人格的变化和发展起着定向与推动作用，是整个人格结构的核心。而且，人格倾向性中的各个成分之间是相互联系、相互影响和相互制约的。其中需要是人格倾向性的源泉，动机、兴趣和理想等都是需要的一种表现形式，世界观居于最高层次，它决定着一个人的总的思想意识倾向。

2. 人格心理特征（psychological characteristics of personality）

人格心理特征是指一个人在心理活动过程中经常表现出来的本质的、比较稳定的心理特点，反映个体处理问题的能力、方式和方向，它主要包括能力、气质和性格三个成分。人格心理特征是个体在进行心理活动过程中经常、稳定地表现出来的特征，集中反映每个人心理结构的独特性。能力是人格的水平特征，气质是人格的动力特征，而性格是人格心理特征中的核心成分。人格心理特征三个成分之间错综复杂但并非孤立存在的，它们既各有特点，又相互关联，同时还受到人格倾向性的制约。因此，人和人在人格心理特征方面也明显存在差异。

3. 自我意识（self-consciousness）

自我意识是指个体对属于自己的身心各个方面的意识，在人格结构中具有重要的调节作用。人格的自我调控系统包括自我认知、自我体验、自我调控三个密切相连的子系统。对人格中的各种成分进行调节和控制，以保证人格的和谐、完整和统一。

人格心理结构的上述三个组成部分构成了一个有机的整体，它们彼此之间互相渗透、互相联系、互相影响、互相制约，共同对人的各种心理活动起着积极的引导和推动作用。

（三）人格的特征

尽管人格的概念多有不同，但在人格的特征上众多学者的观点比较一致，即人格有稳定性、独特性、整体性和社会性四个特征。

1. 稳定性

人格的稳定性是指个体在较长的一段时间内所从事的各种活动中经常表现出来的心理特征。那些一时的、偶然表现出来的心理特征不代表一个人的人格。只有一贯的、在绝大多数情况下都得以表现的心理特征才是人格的反映。正是因为有了人格的稳定性的特点，我们才能真正把一个人与另一个人从心理面貌上区分开来。当然，人格的稳定性也并不是一成不变的。当社会环境及现实条件等影响因素发生变化时，人格也可能发生某种程度的改变。也就是说，人格既具有相对的稳定性，也具有一定的可塑性。

2. 独特性

人格的独特性也称个别性，是指每个人的心理和行为所存在的差异性。正所谓“人心不同，各如其面”，大千世界，人格的表现是千差万别的，具有明显的独特性。人格的独特性是人格最显著的特征。表现在人的需要、动机、能力、气质、性格等方面，都以自己独特的方式与环境相互作用。而人格的这种独特性并不排斥人与人之间在心理和行为上的共同性。人格共同性是指某一群体、某一阶级或某一民族在一定的群体环境、社会环境、自然环境中逐渐形成的共同的典型的人格特征。这种共同性具有一定的稳定性和一致性，对人的独特性有着一定的制约作用。人格是独特性与共同性的辩证统一。正是有了人格的独特性和共同性，才形成了人复杂的心理面貌。

3. 整体性

人格的整体性是指人格是一个统一的整体结构，是人的各种人格倾向性和人格心理特征的有机结合。人格的各个成分和特性并不是孤立地存在着，也不是机械地联合在一起，而是相互作用、相互影响、相互依存、相互制约的。如果其中一部分发生变化，其他部分也将随之发生变化。人格是一个有组织的整合体，诸多成分共同组成了一个多层次、多维度、多侧面、完整且复杂的人格系统。人格整体性具体表现为人格内在的和谐统一，否则就会出现人格分裂。

4. 社会性

人格的社会性是指在生物遗传的基础上个体自身所体现出的社会化程度和角色行为。

人格不是与生俱来的，人是社会性的动物，人格是社会人所特有的，人格既是社会化的对象，又是社会化的结果。每个人都既具有生物属性，又具有社会属性，人的生物属性是人格形成的基础，但人的本质是社会性。如果人只有生物属性，脱离人类社会的实践活动，人格就不可能形成。因此，我们说，人格是自然性与社会性的统一。

（四）影响人格形成和发展的因素

人格的形成和发展经历了一个复杂而漫长的过程，简单地说，它是由生物因素、环境因素、人的实践活动和自我教育等因素共同决定的。换言之，人格是在生物遗传的基础上，在一定社会环境的影响下。个体通过实践活动逐渐形成和发展起来的。

1. 生物遗传因素

生物遗传因素是人格形成和发展的自然基础。遗传决定一个人的生物特征。与构成人格内容的各个方面都有关系。心理学研究表明，遗传因素对人格的影响作用主要体现在以下几方面。

（1）遗传基因对人格的影响　所谓“子肖其父”（指相貌，更指人格），就是反映遗传因素的作用。心理学研究表明，人的智力和气质受遗传影响较大，而世界观、价值观等受其影响较小，这说明遗传因素对人格各个成分的影响作用并不完全相同。

（2）机体内在先天特质对人格的影响　心理学家经过大量的实验研究证实，由于每个人神经系统的特性不同，高级神经活动的类型不同，内分泌系统分泌激素的水平不同，因而在人格的形成和发展方面，其特点也显示出明显不同。

（3）机体外在先天特质对人格的影响　也有研究表明，人的一些外在特质如容貌、体质和体态等对其人格的养成也有间接的影响作用。如生活中有的人因身体矮小而自卑；有的人因体重超标而烦恼；有的人因长相平平而失落；有的人因容貌姣好而自负。

综上所述，生物遗传因素是一个人人格形成和发展的物质基础和自然前提，这已是不争的事实。但生物遗传因素也仅仅为人格的形成和发展提供了某种可能性，它并不能决定人格的发展。

2. 社会环境因素

生物遗传因素对人格的影响不容忽视，但后天社会环境因素的影响尤为重要。可以说，社会环境是个体人格形成和发展的决定性影响因素。我们所说的社会环境主要包括家庭、学校和社会文化环境等。

（1）家庭环境因素　家庭是社会环境的一个基本单位，是个体最早接触的环境，更是人格养成的重要启蒙地。来自于家庭环境的各种因素如家庭经济状况、家庭气氛、子女的出生排列顺序、长者的言行榜样、父母的教养方式等，对个体人格的形成和发展都会产生深远的影响，有的甚至会影响个体一生。其中父母对子女的教养方式就是最重要的家庭因素。父母是孩子的第一任老师，父母的言谈举止对儿童的性格形成有着潜移默化的作用。一般而言，父母民主型的教养方式有利于培养和塑造儿童良好、健全的人格，而放纵、溺爱或惩罚型的教养方式就可能妨碍儿童人格的正常发展，极易导致产生人格缺陷或人格障碍。

（2）学校环境因素　父母需要工作及家庭事务社会化服务，造成孩子自出生后，有相当长的时间是在教育机构度过的。因此，学校课堂教学的内容、班集体的气氛、师生之间的关系和教师的管理教育方式、教师的作风、态度及思想品质等，对个体人格的形成和发展有着深刻的影响。其中，管理教育方式的影响尤为深刻。例如，民主的管理教育方式，容易形成情绪稳定、积极、友好等人格特征。

（3）社会文化环境因素　人不是孤立的，而是社会中的一员。人与社会相互影响，社会文化环境也是影响人格形成和发展的一个重要环境因素。例如古代的“孟母三迁”讲述的就是孟子的母亲为了孟子成长，寻找良好环境的故事。现代的电视、电影和文艺读物等对人格潜移默化的影响也十分明显。

3. 早期童年经验

中国有句俗话“三岁看大，七岁看老”。这句话可以说很好地诠释了童年早期经验对个体人格形成和发展的影响。著名的心理学家弗洛伊德（Sigmund Freud）早期所提出的人格发展理论也特别强调了童年经历对人格形成的影响，尤其是重点指出了童年创伤性经历可能是导致个体成人期产生心理障碍的根源。事实上后来许多心理学家的研究也证实了早期经验对日后个体行为有重要的影响。也就是说，人格发展的确受到早期童年经验的影响，幸福的童年有利于儿童塑造健康人格，不幸的童年也会使儿童形成不良的人格。

知识链接 2-4

“大五人格”理论

近年来，主张人格特质理论的心理学家们经过大量研究，发现有五种特质可以涵盖个性描述的所有方面。在此基础上科斯塔（Costa）和麦克雷（McCrae）等提出了“大五人格”理论。认为人格五因素包括神经质（N，Neuroticism）、外倾性（E，Extraversion）、开放性（O，Openness to experience）、宜人性（A，Agreeableness）和认真性（C，Conscientiousness）。它们可以通过所编制的NEO人格因素调查表来进行评定。“大五人格”理论虽然还有许多需要进一步探讨的问题及更多的证据支持，但它的提出有力地推动了人格特质理论的研究。

二、人格倾向性

人格倾向性是人格的重要组成部分，它是个体行为的内在动力和基本原因。人格倾向性主要成分有需要、动机、信念、理想、兴趣、世界观和价值观等。这些成分之间有着相互联系、相互制约和相互影响的关系。这里重点介绍需要和动机。

（一）需要

1. 需要的概念

需要（need）是指有机体内部的一种不平衡状态，是个体心理活动与行为的基本动力，表现为对一定目标的渴求和欲望。没有需要，人的一切心理活动和行为都将失去目的和意义。原有的需要得到满足，新的需要必然会产生，也正是因为有了需要，人类社会才能够繁衍生息和不断地发展。一旦需要消失，人的生命亦将结束。当然，人的需要也是多种多样，非常复杂的。

2. 需要的种类

（1）根据需要的起源分为：①生理需要：也称自然需要或生物需要，是指由生理的不平衡引起的机体本能的需要，如对空气、水、食物、休息、睡眠和性等的需要。它是与生俱来的，是有机体生存和种族延续所必需的一类需要，体现了需要的自然属性。人与动物都具有生理需要，但需要的内容、对象和满足的方式有很大不同。②社会需要：也称获得性需要，是指后天习得的反映社会要求而产生的需要，如对劳动、交往、学习、求知、成就、道德等的需要。是人类个体在长期的社会化进程中逐步产生和形成的一种特有的高级需要，体现了需要的社会属性。社会需要受社会发展条件的制约，由于人们所处的经济、社会制度、生活习惯、教育程度等生存环境的不同，社会性需要也就存在着很大的差异。

（2）根据需要指向的对象不同分为：①物质需要：是指个体对社会物质产品的需要，如对衣、食、住、行等日常生活必需品的需要，对工作条件的需要，对住房待遇的需要等等。②精神需要：是指个体对社会精神产品的需要，如对文化知识的需要、对人际交往的需要、对道德规范的需要等。精神需要是人类所特有的，并且精神需要和物质需要之间有着密切的关系。

需要的分类是相对的，一般来说，物质需要虽然有的也包括社会需要的成分，但大多属于生理需要，而精神需要基本都是社会需要。

3. 需要层次理论

需要是个体活动的积极性的动力和源泉，心理学家们长期以来对需要的研究都非常重视。在众多的关于需要的理论中，目前比较有影响的需要理论，是美国人本主义心理学家马斯洛（Maslow A. H.）于 1968 年提出的需要层次理论（图 2-9）。

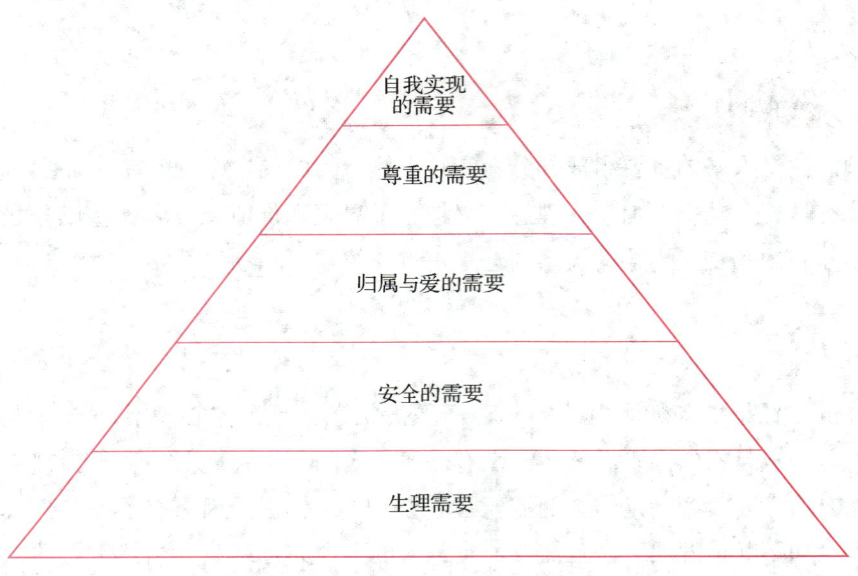

图 2-9　马斯洛的需要层次理论

（1）需要的层次　马斯洛认为个体的需要可以分为五个层次：生理的需要、安全的需要、归属与爱的需要、尊重的需要和自我实现的需要。

生理的需要（physiological need）：是指维持个体生存和种族延续的需要，如对衣、食、住、行、睡眠和性的需要等。是人的最基本、最原始的需要，同时也是人的最强烈、最具有优势的一种需要。生理的需要是个体生存必不可少的需要，具有自我和种族保存的意义。安全的需要（safety need）：是指个体对安全、秩序、稳定及免除恐惧和焦虑的需要。

安全的需要是在生理需要得到满足的基础上产生的，表现为人们对秩序、稳定、工作与生活保障的需要，如对和平稳定的环境、生命健康安全、财产安全、职业安全、劳动安全和心理安全的需要，以求获得安全感。

归属和爱的需要（affiliation and love need）：是指个体要求与他人建立情感联系及隶属于某一群体的需要。它是在生理的需要和安全的需要都获得满足之后才产生的。归属与爱的需要包括对社交的需要、群体归属的需要，还包括对友谊、情感、家庭和爱的需要等。它表明人类个体渴望亲密的感情关系，不愿意被孤立或疏离。

尊重的需要（esteem need）：是指个体希望得到认可和赞赏，受到他人尊重并尊重他人的需要。就个体而言，尊重的需要主要包括两个方面，即他人尊重和自我尊重，是一种较高层次的需要。尊重的需要是个体对自我价值的一种认同，其一旦得到满足，就会使人充满自信，否则容易产生自卑和无能感。

自我实现的需要（self-actualization need）：是指个体希望最大限度地发挥自己的潜能，实现自己理想的需要。这是在前四种需要都已经获得满足的基础上产生的，是人的最高层次的需要。在现实生活中．自我实现的需要，可以说是人们普遍追求奋斗的目标，但最终只有少数人才能达到真正的自我实现。

（2）需要各层次之间的关系　马斯洛认为，人类的各种需要不但有层次、高低之分，而且需要的各层次之间更是彼此关联。需要的五个层次是由低向高发展的，层次越低，力量越强。层次越高，潜力越大。需要的满足过程是逐级上升的，只有当较低层次的需要获得满足之后，较高一层次的需要才有可能出现。越是高级的需要，就越为人类所特有。而且，需要的层次越高，满足的困难也越大。人的行为是由优势需要决定的，较高层次的需要发展后，较低层次的需要仍然存在，只是对人的行为的影响很小。在人类进化过程中，低级需要是最早出现的，高级需要出现得较晚，而且高级需要比低级需要要复杂得多。所以说，一种高级需要的满足比低级需要的满足要求有更多的前提条件和外部条件。

（3）不足之处　一方面它把需要统统看作是先天的、与生俱来的，低估了环境和教育对需要发展的影响，忽视了社会因素对人的成长的决定性作用；另一方面，它的需要层次的划分带有机械主义的色彩，忽视了人的主观能动性，没有看到人的多种需要之间往往是同时存在的，忽视了高级需要对低级需要的调节作用。

知识链接 2-5

“自我实现人”假设

“自我实现人”的假设是 20 世纪 50 年代末由美国心理学家马斯洛等提出的。这种假设认为：人有好逸恶劳的天性，人的潜力要充分挖掘，才能得以发挥，人才能感受到最大的满足。美国管理学家麦格雷戈将科学管理理论和人际关系理论中对人性的认识概括为“经济人”假设，把基于经济人假设的管理理论统称为“X 理论”，同时以马斯洛的需要层次理论为基础，提出了自己的“自我实现人”假设，并将建立在此假设基础上的管理理论称为“Y 理论”。

（二）动机

1. 动机的概念

动机（motivation）是指驱使和维持个体朝着一定目标活动的内部心理动力。人的动机是不能够直接进行观察的，因为它是一种内部过程，但我们可以通过个体的外部行为表现来加以推断。

动机是在需要的基础上产生的。当人意识到自己的需要并希望获得满足时，它就会推动人去寻找满足需要的对象，这时活动的动机便产生了。也就是说，人的动机和需要联系密切，需要是产生动机的基础和根源，动机是需要获得满足的内部动力。动机是推动人们进行活动的直接原因。人的内驱力、情绪和诱因都可以激发活动的动机。积极的情绪会推动人们去设法获得某种需要的对象，而消极的情绪则会促使人们远离某种对象。

心理学研究表明，动机和行为之间关系十分复杂，人的同一种活动可以由不同的动机引起。而不同的活动也可以由相同的或相似的动机所引发。个体的活动动机多种多样，而且作用也各不相同，如有些活动动机处于从属的地位，作用较小，而有些活动动机则在活动中起着主导性的作用。一般而言，良好的动机会产生积极的活动效果，不良的动机则会产生消极的结果。

动机对活动具有四种功能：激发、指向、维持和调整。也就是说，动机能够激发个体为满足需要而进行某种活动。这种活动明确指向一定的对象或目标，并且能够随时调节活动的时间及强度，来维持活动的运行，最终满足需要达成目标。

2. 动机的种类

人类的动机非常复杂，在社会实践中，人们的行为常常都会受到各种动机的支配。根据不同的分类标准，动机可以分为以下几种不同类型。

（1）根据动机的起源分为 ①生理性动机：又称生物性动机、原发性动机，是由有机体自身的生物性需要所引发的动机，又称驱力或内驱力，如吃、穿、休息、性欲、睡眠等。②社会性动机：也叫心理性动机、习得性动机，是由有机体的社会文化需要所引发的动机，如交往动机、成就动机和权力动机等，人的兴趣、爱好等也都属于社会性动机。因为社会性动机是个体后天习得的，所以个体之间差异很大。

（2）根据动机的成因分为 ①外在动机：是指有机体因外界环境的影响所产生的动机，如儿童为获得奖励而学习的动机就是外在动机。②内在动机：则是指由有机体内在需要引起的动机，如大学生因懂得专业课的重要而自觉学习的动机就是内在动机。

（3）根据动机持续时间分为 ①短暂动机：是指由有机体对活动的直接兴趣所引发的、只与近期目标相联系的动机。其易受情绪的支配和影响，表现不够稳定。②长远动机：是指由有机体对活动意义的深刻认识所引发的、与较长远目标相联系的动机。其不易受到外界影响，表现比较稳定。

（4）根据动机的意识水平分为 ①有意识动机：是指有机体自己能够意识到的，并指向行为活动目的的动机。②无意识动机：即指有机体本身没有意识到或没有清楚地意识到的，没有明确指向的动机。无意识动机在自我意识尚未发展形成的婴幼儿身上存在着，在成人身上也有存在。如思维的定势作用的发生，人们就往往处于无意识之中。

（5）根据动机的作用分为　①主导动机：是指有机体在活动中处于主导和支配地位的动机，是所有动机中最强烈、最稳定的动机，个体的活动方向、强度等都是由主导动机所控制的。②辅助动机：则是指那些往往与个体的习惯和兴趣相联系的，对主导动机起补充作用的动机。

3. 动机冲突

在现实生活中，人们的各种活动都是由动机驱使的，但并非是一一对应的关系。一种活动的发生可能常常同时存在多种动机，而且这些动机的强度又是随时在变动的。虽然主导动机对活动起着决定性的作用，但当动机结构中同时存在性质和强度与主导动机非常相似或相互矛盾的动机时，个体就会难以作出抉择，表现为踯躅不前、犹豫不决，进而产生彷徨和困惑，这种现象就是动机冲突，也称动机斗争。动机冲突有四种基本表现形式。

（1）双趋冲突　是指个体同时面临两种具有同样吸引力的目标，并引起同样强度的动机，而个体只能选择其中一个目标，这时个体所表现出的难于取舍的心理状态。“鱼与熊掌不可兼得”就是典型的双趋冲突。

（2）双避冲突　是指个体同时面临两种事物的威胁，产生同等强度的逃避动机，而个体又必须接受其中一个，才能避开另一个，这时所表现出的左右为难的心理状态。“前怕狼，后怕虎”“前有悬崖，后有追兵”所描述的正是这种处境。

（3）趋避冲突　是指个体所面临的目标具有利与弊的双重性质，使个体同时产生两种不同的动机态度，既想接受，又想回避，这时所表现出的进退两难的心理状态。想吃鱼又怕鱼刺，想谈恋爱又怕影响学习等都是这种冲突的表现。趋避冲突在人们现实生活中是很常见的心理冲突。

（4）多重趋避冲突　是指个体同时面临两个或两个以上的目标，而每个目标又各有优缺点，个体必须进行多重的选择，这时所表现出左顾右盼，难以抉择的心理状态。比如大学生毕业时是选择考研还是工作，考研和工作都各有利弊，这时的心理冲突就属于双重趋避冲突。

动机冲突的存在，对个体心理影响很大，若不能及时解决，便会备感痛苦，产生心理应激，严重的则会导致心理障碍。

三、人格心理特征

人格心理特征是指在个体的人格结构中所表现出来的那些本质的、比较稳定的心理特征。其主要包括个体的能力、气质和性格。一般而言，能力反映个体的活动水平，气质反映个体活动的动力特点，性格反映并决定活动的内容与方向。

（一）能力

1. 能力的概念

能力（ability）是指个体所具备的能够直接影响活动效率，并保证成功完成该项活动的心理特征。能力是人格的重要组成部分，它包括两方面内容：一是个体已经表现出来的实际能力，如会交际、会幽默、会外语、会驾驶等；二是个体自身所具有的潜在能力，也就是还未表现出来的能力，它是个体通过不断地学习、实践后逐步形成并发展起来的能力。实际能力和潜在能力是相互联系、不可分割的。

能力与活动是紧密联系的。能力是在活动中逐步形成和发展，并在活动中表现出来的。一个人能力的高低会直接影响到活动的效率，而离开活动，人的能力不仅无法形成与发展，而且也会失去它存在的作用和意义。

一个人要想成功地完成某种复杂的活动，只凭单一的能力是远远不够的，一般都需要多种能力的结合，而这多种能力的有机结合被称为才能。一个人各方面的才能如果在活动中能够达到最完美的结合，并经常能够创造性的完成一种或多种活动，就可称之为天才。当然，天才也并不是天生的。所谓的天才，完全是在其自身良好素质的基础上，积极接受后天环境、教育的影响，凭借自己的主观努力逐步发展起来的。

能力、知识与技能都是我们保证顺利完成活动的重要条件，但能力并不等同于知识和技能，三者之间既相互区别，又相互联系。能力是一种个性心理特征，反映心理活动的可能性，知识是人类社会历史经验的高度概括和总结，技能则是通过练习而获得并巩固下来的动作方式和动作系统。能力是掌握知识技能的前提和内在条件，一个人的能力发展水平直接制约着掌握知识技能的方向、速度、巩固程度和所能达到的水平。同时，随着掌握知识技能水平的不断提高，人的能力也会不断地发展和进步。

2. 能力的分类

根据能力的范围分为：①一般能力：即智力是指个体完成各种活动都必须具备的能力，包括观察力、注意力、记忆力、想象力和思维能力五个方面，是保证活动成功必须具有的最基本的心理条件。②特殊能力：又称专门能力，是指个体从事某种专门活动所表现出的能力。它是顺利完成某种专业活动必备的心理条件，如音乐能力、数学能力、运动能力等。一般能力与特殊能力相互联系、相互影响。一般能力是特殊能力的重要组成部分，一般能力的发展为特殊能力的形成和发展提供了基础条件，而在各种活动中发展特殊能力，也有助于一般能力的发展。

3. 能力发展的个体差异

在人的一生中，能力发展总是与智力发展交织在一起的，且不同的年龄阶段智力发展的水平也各不相同。能力发展的基本规律是：个体在 12 岁以前智力发展与年龄增长基本同步；12~20 岁智力发展趋于缓慢；20 岁左右至 35 岁智力发展达到巅峰并保持在一个水平状态；35~60 岁智力水平开始缓慢下降；60 岁以后智力水平迅速衰退。

人的能力各有不同，人与人之间在能力发展上存在着明显的个别差异，主要表现在以下几个方面。

（1）能力发展水平的差异　能力发展水平的差异是指同种能力在不同个体之间在量的

方面上的差异。主要指的是智力发展水平的差异。心理学研究表明，能力在人群中总体来说是呈正态分布的，即中间大、两头小。能力很高或很低的人均为少数，绝大多数人的能力都处于中等平均水平。

（2）能力发展类型的差异　能力发展类型的差异是指同种能力在不同的个体之间在质的方面上的差异。即表现在知觉、记忆、言语、思维等方面表现出来的类型差异。表现在具体行为上如有的人擅长音乐，有的人擅长美术，有的人擅长舞蹈，各有所长，各有所短。

（3）能力发展年龄的差异　能力发展年龄的差异，即能力表现早晚的差异。有的人能力发展较早，童年时期就在某一方面表现出优异的能力，称之为人才早熟或早慧。这样的例子古今中外不胜枚举，如中国历史记载的王勃 6 岁善文辞，10 岁能赋诗；李白 5 岁通六甲，7 岁观百家；奥地利作曲家莫扎特 5 岁能作曲，11 岁创作歌剧。有的人能力的充分发展较晚，往往中年以后才表现出惊人的才智，即所谓“大器晚成”。如齐白石 40 岁才表现出卓越的绘画才能；达尔文 50 岁后才写出名著《物种起源》，一举成为进化论的创始人。可见，人的能力充分发挥有早晚之分，而就社会大众来说，多数人能力突出表现都是在中年，中年是成才和创造发明的最佳年龄。

（4）能力发展性别的差异　心理学研究表明，在智力方面，男女智力的总体水平差别不大，而在智力结构的各因素方面男女存在一定的差异，各自表现出不同的优势领域。男性在空间知觉能力、分析综合能力、抽象思维能力等方面明显优于女性，女性在听觉能力、语言表达能力、形象思维能力、短时记忆能力等方面明显优于男性。

4. 影响能力发展的因素

能力的形成和发展受多方面因素的影响。大量的研究表明，影响能力发展的因素主要涉及遗传因素、环境因素和个体自身因素三大方面。

（1）遗传因素　遗传因素是影响个体能力发展的重要影响因素。它是指个体先天就有的素质，也称天赋。它是能力发展的前提和基础，先天失明的人无法成为画家，先天失聪的人也无法成为音乐家。心理学家们通过同卵双生子和异卵双生子的比较研究，通过养子女与亲生父母和养父母能力关系的比较研究等发现，遗传对能力的发展确实是有一定的作用。但这只能说明遗传因素对能力的发展有影响，并不能说明遗传因素是能力发展的决定因素。

（2）环境因素　影响能力发展的环境因素包括家庭环境、学校环境和社会环境等几个方面。研究表明，在个体能力发展过程中，遗传确定了个体能力发展的可能性，奠定了能力发展差异的先天基础，而环境因素则决定了能力发展的具体程度，即个体能力发展的方向、过程及所将达到的水平等都更多地受到环境因素的制约，环境因素确定了能力发展的现实性。

心理学家利用养子女与亲生父母和养父母能力发展的关系，来研究环境因素对能力发展的影响，就有力地说明了家庭环境因素对能力发展的不同作用。

在家庭环境中，营养是儿童正常发育的基本条件。儿童的脑神经系统和身体的脏器都处在不断成长的过程中，如果缺乏营养，必将会影响其身体器官和脑的发育，进而影响智力的正常发展。同时，疾病和药物也会影响儿童的生长发育。来自家人及父母亲的爱、科学的哺育和爱抚、正常的接触和交往、丰富变化的环境等都会对儿童的智力发展产生重要的影响。那些早期脱离人类社会，由动物哺养长大的孩子，即使后来再次回到人类社会，其智力发展也不可能达到正常人的水平。

学校环境是儿童健康成长必不可少的重要因素。通过学校对儿童进行有计划、有组织的教育影响，不仅可让儿童掌握知识和技能，而且还能给儿童创造一个良好的、安全的交往、学习、生活的空间。这无疑有利于儿童能力的全面提高和发展，有利于培养他们健全的人格。

另外，社会环境对个体能力的发展也有很大的影响。和谐的社会环境，安全的社会氛围，发达的社会经济条件，丰富的社会文化生活等都是个体能力发展的肥沃土壤。

（3）个体自身因素　心理学研究表明，人的智力水平可能旗鼓相当，所处的环境也许相同或相似，但人的能力水平却会各有不同。这是因为，个体能力发展水平的高低，除了与遗传和环境有关之外，还与个体自身的实践活动和主观能动性有关。没有个体自身的实践活动，即使具备了优秀的遗传素质，拥有良好的家庭、学校和社会环境，其能力也难以形成和发展。同时，生活中很多实例生动地告诉我们，一个对学习和工作感兴趣、刻苦努力、持之以恒、积极向上的人，能力更可能得到提高和发展，也更可能取得更大的成就。可见，个体的主观能动性在能力发展中也是不可缺少的重要因素。

（二）气质

1. 气质的概念

气质（temperament）是指人先天具有的、典型的、稳定的心理活动动力特征，即人们通常所说的性情、脾气和秉性。这里所说的动力特征是指个体心理活动在强度、速度、灵活性和稳定性等方面的特征。气质具有先天性，稳定而不易改变，即所谓“江山易改，禀性难移”。同时，气质因与人的生物学素质有关，也使每个个体的人格染上了独特的色彩。

2. 气质的类型

气质类型是指在某一类人身上共有的动力特性的有机结合。构成气质类型的动力特性包括感受性、耐受性、敏捷性、可塑性等。最早提出气质类型学说的是古希腊著名学者希波克拉底。他提出体液说，认为人体内有血液、黏液、黄胆汁和黑胆汁四种体液，而且每一种体液都和一种气质类型相对应。因此，他根据这四种体液的不同配合比例，把人的气质划分为胆汁质（黄胆汁占优）、多血质（血液占优）、黏液质（黏液占优）、抑郁质（黑胆汁占优）四种不同类型。其心理特点如下。

（1）胆汁质　行为反应速度快，外向，直率热情，精力充沛，情绪兴奋性高，但心境变化激烈，不稳重，好挑衅，易激动，脾气暴躁而不能自制，其代表人物有张飞、李逵等。

（2）多血质 行为反应性高，行动敏捷，外向，活泼好动，善交际，容易适应外界环境变化，易于接受新事物，但情绪不稳定，注意易分散，兴趣易转移，其代表人物有和珅、王熙凤等。

（3）黏液质 行为反应性低，内向，安静，沉稳，情绪不易激动，也不易流露感情，交际适度，自制力强，能有条理、持久的工作，但可塑性差，表现为固定性有余而灵活性不足，易因循守旧、缺乏创新精神，其代表人物有薛宝钗、刘备。

（4）抑郁质 行为反应缓慢，动作迟钝，感受性高，敏捷性低，内向，胆小、忸怩、情绪体验深刻，但多愁善感，遇事常优柔寡断，不善与人交往，易孤僻。其代表人物有林黛玉。

希波克拉底用体液说来解释人的气质类型虽然缺乏科学依据．但上述四种气质类型的人在日常生活中我们确实能感受和观察到，只不过现实中单纯属于某一种气质类型的人并不多见，大多数人都是具有两种或两种以上的气质类型，即称之为混合型。希波克拉底所提出的这四种气质类型名称，千百年来为众多学者所采用，一直沿用至今。

3. 高级神经活动类型学说

高神经活动类型学说是俄国生理学家巴甫洛夫创立的。巴甫洛夫通过大量条件反射的实验研究对人的气质形成的生理机制作了较为科学的解释。他认为，人的高级神经活动过程是兴奋和抑制交替的过程，具有强度、平衡性和灵活性三个基本特性。根据神经过程的这三种基本特性的不同结合，他把人的高级神经活动划分为兴奋型、活泼型、安静型和抑制型四种基本类型。

巴甫洛夫认为，人的高级神经活动类型就是人的气质类型的生理基础。而且，这四种高级神经活动类型与希波克拉底提出的四种气质类型是一一对应的。人的四种气质类型的特点也正是高级神经活动类型的心理表现（表 2-1）。

表 2-1 高级神经活动类型与气质类型的关系

高级神经活动类型因子	气质类型	基本特性	典型特点
活泼型	多血质	强、平衡、灵活	外向、好动、善交际、不持久
兴奋型	胆汁质	强、不平衡	外向、热情、易激动、情绪不稳
安静型	黏液质	强、平衡、不灵活	内向、沉稳、持久、不灵活
抑制型	抑郁质	弱	内向、体验深刻、多愁善感

4. 气质类型的意义

气质是个体重要的心理特征，体现了人格的生物学内涵。气质作为一种人格的特征，为人的全部心理活动染上了一层浓厚的个人色彩。它不仅与个体的心理现象关系密切，而且其在个体的各种活动中还发挥着十分重要的作用。

（1）气质类型并无好坏之分　气质是人的天性，任何一种气质都有积极和消极两个方面。气质类型本身并无好坏之分，关键是生活中每一个人都应该了解自己，扬长避短，发挥自己的优势。如胆汁质的人既是热情、积极的人，也是冲动、任性的人；多血质的人处事灵活，适应力好，但注意易分散，做事缺乏持久性等。

（2）气质类型并不能决定个体成就的高低　气质是人格赖以形成的条件之一，它体现了人格的生物学内涵。气质本身不决定一个人的智力发展水平，也不能决定一个人活动的社会价值和成就的高低。具有任何一种气质的人都可培养和发展成为社会所需要的有用之才，任何气质的人只要经过自己不懈的努力都可能在不同社会领域中取得优异的成绩，也可能成为社会上的一个普普通通、平庸无为的人。

实践证明，气质不会决定一个人的品质的优劣，但它会影响活动效率。在现实生活中，不同的工作领域对个体的要求也是不同的，不同气质类型的人适合从事不同的工作。有时因为气质类型与工作性质不相匹配，也会影响到活动效率。

（3）气质具有稳定性，但也不是一成不变的　人的气质类型是由神经系统活动过程的特性决定的，所以具有明显的先天性。遗传素质相同或相近的人一般气质类型也比较接近。与性格、能力等其他人格心理特征相比，一个人的气质类型在他的一生中是比较稳定的，但也不是一成不变的。气质的可塑性虽小，但在生活环境和教育的影响下，在一定程度上也会发生某些变化，只不过这种变化过程是非常缓慢的。

（4）气质类型影响个体的身心健康　不同的气质类型有各自不同的心理特点，对人的身心健康也会产生不同的影响。不同气质类型的人情绪兴奋的强度不同，适应环境的能力不同，这些都会影响到人的身心健康。一般说来，积极、乐观的情绪能够增强人的大脑和神经系统的活动能力，提升个体对生活和工作的热情和自信，而消极不良的情绪易使人的心理活动失衡，以至于出现行为异常，甚至造成身体脏器的损伤，发生疾病。

（三）性格

1. 性格的概念

性格（character）是指个体在对现实稳定的态度和与之相适应的习惯化了的行为方式中所表现出来的人格心理特征。

性格是人格的核心，是一个人的人格结构中最具有核心意义的心理特征。个体之间人格的差异性并不是表现在气质、能力上的差异，而是表现在性格上的差异。性格是个体在社会生活中与特定的社会环境相互作用的产物，受社会历史文化的影响，所以有好坏之分，具有明显的社会道德评价意义。

性格是一种习惯化的稳定的心理特征，是个体在社会实践过程中逐渐形成的，一经形成就比较稳定，并且表现在他的各种日常行动之中。人的性格特征不是个体一时性的、偶然性的表现。而是经常性、习惯性的表现。性格的稳定性并不是说它就是一成不变的，而是具有一定的可塑性，在后天环境的不断发展变化过程中也在慢慢地变化着。

2. 性格的特征

性格是由许多成分组成的，其结构非常复杂。从组成性格的各个方面来分析，可以把性格结构分为以下四个方面。

（1）性格的态度特征　是指一个人在处理各种社会关系方面所表现出来的性格特征。主要表现在以下三个方面：一是对社会、集体和他人的态度，如热情真诚、冷淡虚伪；二是对工作、学习和生活的态度，如认真负责、敷衍了事；三是对自己的态度，如谦虚或骄傲。

（2）性格的理智特征　是指一个人在认知过程中所表现出来的性格特征。主要表现在以下三个方面：一是感知方面的性格特征，如主动观察型和被动观察型；二是记忆方面的性格特征，如有的人善于形象记忆，有的人善于逻辑记忆；三是思维想象方面的性格特征，如有的人想象力丰富，有的人想象力贫乏。

（3）性格的情绪特征　是指一个人在情绪活动过程中所表现出来的性格特征。主要表现在情绪的强度、情绪的稳定性、情绪的持续性及情绪的主导心境等方面。在现实生活中，有的人情绪表现强烈，不易于控制，因而受情绪影响较大；有的人情绪体验较弱，易于控制，因而受情绪影响较小。有的人热情开朗、积极乐观；有的人多愁善感、郁郁寡欢。

（4）性格的意志特征　是指一个人在意志过程方面的性格特征。主要表现在行动是否有明确的目的性，实现目标的行动是否被限制，行动是否有坚持性，在遭遇紧急情况时是否沉着镇定等。

性格的各种特征之间并不是分离的、孤立的，而是彼此关联、相互制约，有机地组成一个整体。同时，这些特征之间也不是一成不变的机械组合，在不同的场合，个体会表现出其性格的不同侧面。反映其不同于他人的独特性格特点。

3. 性格和气质的关系

（1）区别　气质是人与动物所共有的，由个体先天的遗传素质决定的，是生物进化的结果，具有生物特性。从社会评价的角度来看，气质只是人心理活动的动力特征，因此并没有好坏之分，每一种气质都有积极和消极的一面。气质虽具有可塑性，但可塑性较小，变化缓慢，不易改变。

性格是人类所特有的，是在一定的气质基础上，人在后天与社会环境相互作用下形成的，是社会环境的产物，更多的具有社会属性。从社会评价角度来看，性格受社会习俗和社会文化的影响，是对现实社会关系的反映，因此是有好坏之分的。好的性格如谦虚、诚实、勤劳、勇敢等总是为人所欣赏的。而不良的性格如懒惰、怯懦、阴险、狡诈等总是为人所唾弃的。性格的可塑性较大，虽也具有一定的稳定性，但较易改变。

（2）联系　性格和气质虽有区别，但两者之间又相互渗透、相互影响、相互制约。首先，气质是性格形成的基础，影响着性格的养成及表现方式，使人的性格涂上独特的色彩。如同样是勤劳朴实的性格特征，胆汁质的人往往表现出情绪高涨，激情似火，多血质的人往往表现出活泼好动、机智灵活，而黏液质的人往往表现出沉着稳重、安静平和。其次，在生活实践过程中．性格在一定程度上也可掩盖或改造气质，使它服从于社会生活实践的要求。不同气质类型的人可以形成同一种性格特征，而同一气质类型的人，性格也可能彼此互不相同。

四、自我意识

（一）自我意识的概念

自我意识（self-consciousness）指的是个体对自己以及自己与周围世界关系的认识。自我意识是一种多维度、多层次、结构复杂的心理现象，是衡量一个人人格成熟水平的重要标志。

（二）自我意识的特性

自我意识是人的意识活动的一种形式，它主要有如下三点特性。

1. 社会性

自我意识是在人类演变进化过程中，为了适应群体协作的生活方式以满足生存的需要而产生的。自我意识的形成和发展正是人类个体社会化的过程。是在一定的社会背景下，通过一定的社会生活实践活动才得以实现的。因此，自我意识是现实生活中个体对自身的评价，是个体对社会人际关系的反映，具有一定社会性。

2. 能动性

自我意识的能动性的发展是个体自我意识成熟的重要标志。自我意识的形成过程也正是个体自觉、主动的认识和调控自己的思想和行为，并完成社会化的过程，而这个过程的发生和实现离不开个体的主观能动性。

3. 同一性

自我意识的同一性是个体内部状态与外部环境协调一致的标志。虽然在现实生活中，具有自我意识的个体也总是在发展变化的，但个体对自身本质特点、信仰、各项活动等身心各方面的基本认识和基本态度都始终保持一致性。

（三）自我意识的结构

自我意识是一个多层次、多维度的心理系统，从内容、形式和存在方式上都表现为多层次的结构。

1. 自我意识的表现形式

（1）自我认识　属于认知范畴，在自我意识系统中具有基础地位。自我认识是指个体对自己的洞察和理解，包括自我观察和自我评价。自我观察是指个体对自己的感知、所思所想及意向等内部感觉的觉察，并且对所觉察的情况作初步的分析与归纳；自我评价是指个体对自己的想法、期望及品德、行为和个性特征等的判断与评估；自我评价是自我调节的重要条件。自我评价的标准多种多样，所以自我评价的角度各有不同。

（2）自我体验 属于情绪情感范畴，是指自我意识在情感上的表现，包括自尊、自信、自爱、自卑、自豪感和成就感等。其中最主要的是自尊和自卑，自尊不足就会产生自卑。自我体验可以促使个体的自我认识转化为信念，来进一步指导个体的言行。同时，还可以通过自我评价的结果，对良好的行为进行激励，对不恰当的行为给予抑制。

（3）自我调控 属于意志行为范畴，是自我意识的能动性的反映。自我调控是指个体自我意识在意志行动上的表现，包括自主、自立、自律、自我检查、自我监督、自我控制和自我教育等。其中自我控制和自我教育是最主要的方面。

自我意识就是自我认知、自我体验和自我控制三种心理成分共同构成一个复杂的自我调控系统。自我意识结构的这三种心理成分是相互联系、相互制约的，并统一于个体的自我意识之中。

2. 自我意识的内容

（1）生理自我 是指个体对自己生理状况方面的认识与评价，具体包括自己的身体、性别、年龄、容貌、仪表、健康状况等方面的内容。

（2）心理自我 是指个体对自己的个性心理特征方面的认识与评价，具体包括自己的能力、理想、信念、兴趣、世界观、气质和性格等方面的内容。

（3）社会自我 是指个体对自己的社会关系方面的认识与评价，具体包括自己在各种社会关系中的角色、地位、声誉、名望等方面的内容。

（四）自我意识的作用

自我意识在个体成长发展过程中有着十分重要的作用。第一，自我意识是个体认识外部世界的基本条件。人只有先了解自己，他才有可能认识外界事物，才能够真正具备认识和改造客观世界的能力。第二，自我意识有促进自我教育的作用。一个人只有意识到自己是谁，意识到自己有何长处和不足，才能够做到取长补短，虚心学习，积极发扬优点，克服缺点，努力实现自我教育。第三，自我意识是改造自身主观因素的基础。它能使人不断地提升自我修养，实现自我监督，努力达到自我完善。

任务小结

本章主要阐述了心理学的基本知识和基本原理，其实质是心理是脑的功能，是人脑对客观现实主观能动的反映。研究对象主要是人的心理现象。认知过程是人最基本的心理过程，主要包括感觉、知觉、记忆、思维等心理活动。情绪情感过程是指人在认知输入信息的基础上所产生的满意、不满意、喜爱、厌恶等主观体验的过程。即个体对客观事物的一种态度体验。意志过程是指人们自觉地确定目的，并根据目的的支配和调节自身的行为，克服困难，去坚持实现预定目标的心理过程。

人格也称个性，主要反映心理现象的个别性方面，包括人格倾向性、人格心理特征和自我意识系统三个方面。其中，性格是人格的核心。人格的形成和发展受人格倾向性的影响和制约。自我意识是指一个人对自己的认识和评价，是衡量人格成熟水平的标志。自我意识的产生和发展过程是一个人逐步社会化的过程，也是个体人格形成的过程。

知识点自测

一、名词解释

1. 心理过程 2. 感觉 3. 知觉 4. 遗忘 5. 思维 6. 情绪和情感
7. IQ 8. 意志 9. 人格 10. 气质 11. 性格 12. 自我意识

二、选择题

1. 对心理实质正确全面的理解是（ ）
A. 心理是人脑对客观现实的主观能动的反映
B. 心理是客观现实的反映
C. 心理是主观想象的反映
D. 心理是客观现实的主观反映
E. 以上都不是

2. 下列用来说明感觉有重要作用的实验是（ ）
A. 霍桑试验 B. 巴甫洛夫条件反射实验
C. 感觉剥夺实验 D. 双生子爬楼梯实验
E. 小阿尔伯特实验

3. “艾宾浩斯遗忘曲线”显示的遗忘规律表现为（ ）
A. 时快时慢 B. 先快后慢 C. 先慢后快 D. 均匀递减
E. 均匀递增

4. 激情具有什么特点（ ）
A. 短暂且爆发 B. 持久且微弱 c. 持久且强烈 D. 短暂且微弱
E. 积极且稳定

5. 有人遇事总是举棋不定、优柔寡断，说明其意志缺乏（ ）
A. 自觉性 B. 自制性 C. 创造性 D. 坚韧性
E. 果断性

6. 有关马斯洛五个需要层次由低到高的顺序，以下正确的是（ ）
A. 生理的需要，尊重的需要，安全的需要，爱与被爱的需要，自我实现的需要
B. 生理的需要，尊重的需要，爱与被爱的需要，安全的需要，自我实现的需要

C. 生理的需要，爱与被爱的需要，安全的需要，尊重的需要，自我实现的需要

D. 生理的需要，安全的需要，爱与被爱的需要，尊重的需要，自我实现的需要

E. 生理的需要，安全的需要，尊重的需要，爱与被爱的需要，自我实现的需要

7. 个体想吃零食，又怕发胖是（　　）

A. 双趋冲突　　B. 双避冲突　　C. 趋避冲突　　D. 多重趋避冲突

E. 心理冲突

8. 不属于高级神经活动类型的气质是（　　）

A. 活泼型　　B. 安静型　　C. 抑制型　　D. 外向型

E. 兴奋型

9. 性格特征不包括（　　）

A. 对现实的态度特征　　B. 能力特征

C. 情绪特征　　D. 意志特征

E. 智力特征

10. 个体对自己的角色、名望、地位的认识是指（　　）

A. 理想自我　　B. 生理自我　　C. 心理自我　　D. 现实自我

E. 社会自我

11. 心境是一种（　　）

A. 迅速性的情绪状态　　B. 持续存在的情绪状态

C. 较短暂的情绪状态　　D. 弥散的情绪状态

E. 爆发性的情绪状态

12. 有预先目的，必要时需要意志努力，主动对特定事物所发生的注意是（　　）

A. 随意注意　　B. 无意注意　　C. 不随意注意　　D. 有意后注意

E. 长时注意

13. 人脑对客观事物间接的、概括的反映是（　　）

A. 概念　　B. 思维　　C. 想象　　D. 语言

E. 知觉

14. 张飞、李逵等人物遇事冲动，性情直率，敢作敢为，其气质类型属于（　　）

A. 多血质　　B. 黏液质　　C. 胆汁质　　D. 抑郁质

E. 外向质

15. 下列说法中正确的是（　　）

A. 智力水平低，心理健康水平也低

B. 智力水平高，心理健康水平也高

C. 智力水平与心理健康高低有显著相关

D. 智力水平与心理健康高低无显著相关

E. 智力水平高，心理健康水平居中

16. 小刘已有 8 年没有游泳，但最近在危急情况下，他成功地从深水塘中抢救了落水儿童，从记忆的内容分类看，小刘在水中的行为属于（　　）

A. 形象记忆　　B. 情绪记忆　　C. 运动记忆　　D. 感觉记忆

E. 危急记忆

三、简答题

1. 人的心理现象包括哪些内容？
2. 心理的实质是什么？
3. 简述感觉的特性。
4. 试述记忆的分类。
5. 简述人的情绪和情感的关系。
6. 简述马斯洛的需要层次理论的基本内容。
7. 简述动机冲突的表现形式。
8. 简述气质与性格的关系，试分析你的气质和性格类型及特点。

实训项目

张某，73 岁，一直独居。其女儿住在另一个城市，每星期都会给母亲打电话，最近 6 个月没有见面。在最近的电话中，母亲显得心烦意乱，经常打断谈话，反复说自己很担心。女儿问她担心什么时，她说："不知道。"女儿开车赶到母亲家，决定陪住几天。当到达时，女儿震惊地看到母亲变得多么消瘦。除了牛奶，水果和饼干之外，家里几乎没有吃的东西。女儿发现母亲弄坏了假牙，而且嘴部肿胀。母亲说，电磁炉和电视坏了。但女儿发现它们没有坏。母亲经常说去房间拿浴巾给女儿，但空手回来。母亲经常说不出物体的名字，比如说眼镜与煤气灶之类。到了晚上，她变得更加烦躁，无法入睡。说："去看看孩子们有没有睡觉。"于是女儿带着母亲来门诊看医生，张某热情的跟医生打招呼，并且问他母亲如何。她把医生误认为一位朋友的儿子，事实上这是她第一次与这位医生见面。在检查期间，张某表现出频繁的不专注，无法遵从医生或护士给她的指示。她知道自己的名字，但不知道现在她所在的位置，也不知道日期。医生提问时，她表现出焦躁不安，说不想回答，或试图掩盖自己（"我知道，我只是不想回答"）。

请写出你的判断：

1. 张某的心理方面出现了哪些问题？
2. 护士与她沟通时应注意哪些问题？

第三章

心理健康

内容导读

1. 掌握　心理健康概念、心理健康的工作内容及范围。
2. 熟悉　不同年龄阶段及不同群体的心理健康。
3. 了解　心理健康概念及判断标准。

心理卫生是关于保护与增强人的心理健康的心理学原则与方法，它不仅能预防心理疾病的发生，还可以促进人的心理健康。心理卫生的内容十分广泛，不同年龄阶段，有不同的心理特点，心理卫生的内容也不尽相同。护理工作者也需要了解不同年龄阶段患者的身心特点，促进患者心理健康。

第一节　心理健康概述

案例引导 3-1

案例：丽丽，天生聪明伶俐、热情大方，是学校的拔尖人才，多次参加市级乒乓球比赛，并小有名气，学习成绩更是名列前茅，年年被评为“三好学生”和“优秀学生干部”。可是，就是这样一位优秀的学生，竟会有偷窃行为。被叫到办公室后，对学生日常行为规范倒背如流。询问后得知，她认为自己偷窃“不易被人怀疑”“是小毛病”，认为自己“花钱也得优于别人”。

问题：请问案例中的“三好学生”丽丽存在心理健康方面的问题吗？

一、心理健康的概念

心理健康（mental health）也称心理卫生（mental hygiene），指通过教育和研究，预防疾病、促进心理健全状态以适应当前社会环境，使生理、心理和社会适应功能都保持良好状态。

心理健康有狭义与广义之分，狭义的心理健康着重于预防精神疾病、神经症、病态人格、发育迟滞和心身疾病等病症并促进其康复。广义的心理健康则以促进人的心理健全状态，实现生物—心理—社会和谐统一，发挥更大的心理效能为目标。

心理健康在预防疾病、维护和促进人们的心理健康方面形成了三级式递进目标：初级目标为减轻疾病患者的伤残程度，提高其社会适应能力；二级目标为发现心理亚健康症状，并提供心理及医学干预；三级目标为普及心理健康知识，预防和减少心理疾病的发生，提高全民心理健康水平。

二、心理健康运动简史

人类对心理健康的认识有着悠久的历史。在儒家培养人才所奉行的“格物、致知、诚意、正心、修身、齐家、治国、平天下”的修身路线中，“正心”作为修身的重要环节不仅指提高道德修养，而且还包括了对人本身的情感和欲望进行调控的心理健康内容。孔子主张“君子不忧不惧”“不迁怒”，从而保持“中庸”状态；墨子主张“去六辟”，即“去喜、去怒、去乐、去悲、去爱、去恶而用仁义”（《墨子·贵义》）；老子主张“少私寡欲”；庄子主张“无情”“无以好恶内伤其身”（《庄子·德充符》），即认为人只有摆脱情感才能获得“悬解”，如若受情感的束缚就犹如置于“倒悬”的状态；荀子主张“然则从人之性、顺人之情，必出于争夺，合于犯分乱礼，而归于暴”（《荀子·性恶》）。中国古人在构建“国泰民安”的思想上亦包含了治情节欲的主张，可见维护心理健康的重要性由来已久。我国古代医学更是把心理健康视为维护身心健康的重要因素。《黄帝内经》指出：“喜怒不节则伤脏，脏伤则病起于阴也。”因而提出了“养身莫若养性”的心理健康原则。古代西方对心理健康的作用也早有认识。古希腊的许多学者认为人有三种心理活动，分别为智慧、情欲与理性，而情欲应服从理性的调控，以避免危害身体健康和促使人性的完满。古希腊的斯多葛学派也像庄子一样，认为人应该做到“无情”。古希腊的希波克拉底提出体液说，即现在心理学所讲的气质类型，认为人的身体健康和人格健全与否与四种液体（血液、黄胆汁、黑胆汁、黏液）的比例是否恰当有关。上述这些主张虽然现在看来有欠科学之处，但它表明在心理健康形成为一门科学和社会运动之前，人类对心理健康的意义与作用早已有某种认识。

心理健康作为一项社会运动，是由美国人毕尔斯（CW. Beers）所创导的。毕尔斯曾因患精神病住了三年精神病院，亲身感受了心理失常所带来的痛苦和住精神病院所受的折磨。出院后，他于 1908 年出版了一本名为《一颗发现自我的心灵》的书（A Mind That Found Itself），此书详细叙述了当时精神病院对待精神病患者的非人道待遇，提出了心理因素对维护心理健康的重要作用，并发出了维护人类心理健康和预防心理疾病的呼吁。毕尔斯这一呼吁的提出得到了当时美国著名心理学家、精神病学家及社会各界的同情与支持，他们纷纷表示愿意帮助毕尔斯推进他所规划的心理健康运动，该事件标志着心理健康运动的飞跃发展。1908 年 5 月在美国各界人士的帮助下，毕尔斯在故乡康涅狄格州成立了世界上第一个心理健康组织——康涅狄格州心理健康协会。翌年，美国成立了全国心理健康委员会。其后，随着心理健康运动影响的扩大，于 1930 年在美国华盛顿召开了第一届国际心理健康大会，来自包括中国在内的 53 个国家代表出席了该大会，成立了国际心理健康委员会，呼吁全世界人民重视心理健康。在世界潮流的推动下，中国心理健康协会也于 1936 年在南京召开中国心理健康协会成立大会，但由于抗日战争的爆发，实际上未能开展工作。1985 年 9 月中国心理健康协会在山东泰安正式成立，并相继出版了《中国心理卫生杂志》《中国健康心理学杂志》《中国临床心理学杂志》《心理与健康》等刊物，对我国人民的全民健康与社会的文明、进步起到了积极的促进作用。心理健康运动虽然首创于美国，迄今只有约百年的历史，但是已经在全世界造成影响，形成一种国际性的心理保健运动。

三、心理健康的标准

关于心理健康的概念，在当前学术界仍然存在争议。我们对已有的心理健康定义进行整合后重新做出界定：所谓心理健康（mental health），是指个体在环境中能自觉调整自身心理结构，保持心理上、社会上的正常或适应良好的一种持续而积极的心理功能状态。

心理健康的标准，是心理健康概念的具体化。根据国内外学者对心理健康的界定，经过对理论和实践的探索，我们认为以下 10 项因素在制定心理健康标准时应加以考虑。

1. 智力正常

智力是人的各种能力的总和，包括观察能力、记忆能力、思维能力、想象能力和实际操作能力，它是保证人们进行正常社会活动的最基本的心理条件。智力正常与否可通过智力测验和社会功能评定来判定。

2. 情绪稳定

人们的情绪是激发心理活动和行为的动机。健康、稳定、乐观的情绪有助于生理、心理健康和促进社会功能良好发挥。

3. 意志健全、行为协调

意志的健全在于行动上的自觉性、果断性、坚韧性和自制性。人的行为是意志的载体，意志是行为的体现，心理健康的人意志与行为是统一协调的。

4. 注意力集中

注意力是心理活动对特定对象的指向性和集中性，是一切心理活动的基本特性，是判断心理健康与否的重要指标。如果长期出现注意力保持时间短、指向力低、分配能力差，提示心理有问题。

5. 人格完整统一

心理健康的人有相对正确的信念体系和世界观、人生观，并以此为核心把动机、需要、态度、理想、目标和行为方式统一起来。如果某人经常行为表现与道德观念相冲突，行为方式与意志不相一致，那么他的心理必定是不健康的。

6. 积极向上、面对现实

社会适应能力较好是国际上公认的心理健康的重要标准。具体说来，表现在三个方面：①适应各种环境的能力；②人际关系的适应能力；③处理、应付家庭和社会生活的能力。

7. 反应能力适度

反应程度与外界事物的刺激相匹配，既不十分过敏，也不极为迟钝。

8. 心理特点与实际年龄相符

一个心理健康的人，其心理特点与实际年龄阶段的心理特征是大致相符的。

9. 自我认知正确

自我认知是个体对自己作为主体和客体存在的各方面的认知。自我认知产生自我体验和自我控制。心理健康的人能正确认识和客观评价自己，摆正自我的位置，妥善地处理人际关系，有自信心、自尊心，能够自觉地发展自己。心理不健康的人通常没有发展目标，整天浑浑噩噩，或者妄自尊大、好高骛远，或者自轻自贱、悲观失望，甚至试图逃避现实、消极厌世。

10. 具有高创造性、成就感

马斯洛认为，人的内部存在生长需要和缺失需要，而生长需要的最高层为自我实现的需要。自我实现的需要包括完满人性的实现和个人潜能的开发，就是使自己成为理想的人，也可以说是一个人对实现自身潜能的不断追求，这通常可以通过人创造力的发挥程度和成就感的高低来衡量。

四、心理健康的工作内容及范围

心理健康最初是作为一种心理保健运动而诞生的，但是在其发展过程中人们逐渐开始探讨心理健康的本质和机制，研究各种心理障碍和心理疾病产生的原因和发展的规律，探求各种心理疾病预防和治疗的措施与方法，以及如何促进人的心理健康和提高人的心理素质等，使得心理健康作为一门专门的学科应运而生。同时，毕尔斯最初倡导心理健康运动时，着眼点主要是精神病的预防和治疗，心理健康的工作对象是精神病患者。然而随着时代的发展，人们日益认识到心理因素对健康的重大影响，认识到维护心理健康和提高心理素质是顺利完成一切工作的重要条件。因此，心理健康工作的对象就不再局限于精神病患者，而是转到以全体人民群众为对象。心理健康的任务也不仅仅是精神疾病的预防和治疗，而是转到以维护和促进人民群众的心理健康和提高人民群众的心理素质为任务。促进人们的心理健康与提高人们的心理素质，是心理健康工作两项统一不可分的任务。有人把心理健康同精神医学混为一谈，这种看法是不恰当的。

知识链接 3-1

世界心理健康年

19 世纪西方一些国家开始关注在儿童、青少年教育过程中的情绪适应问题和心理健康问题，在法律上把少年犯和成人犯分开处理。进入 20 世纪后，许多国家普遍重视社会成员的心理健康服务，并逐渐综合运用医学、心理学、教育学、法学、社会学等方面的知识和方法。各国的心理健康组织纷纷成立，多次举行了国际性心理健康会议和活动，联合国于 1960 年发起了“世界心理健康年”活动。

第二节 不同年龄阶段的心理健康

案例引导 3-2

案例：王某，男，10 岁，家中独子。家庭父母关系和睦，无老人同住。王某在家与父母话很少，爱发脾气，不允许别人摸他的头，即使是亲戚们宠爱的表现，也会生气。在学校很少参加团体活动，与老师关系很疏远。经常与同学发生争执，并时有动手现象发生，攻击性表现明显，学习成绩中下。

问题：王某处在哪一个年龄阶段？在此年龄阶段易有哪些不良行为表现？通常是什么原因导致的？

一、胎儿期的心理健康

胎儿期指从受孕成胎到出生的时期。胎儿期的生长主要受遗传和生物因素的控制，但也受到内外环境和母亲自身状况的一部分影响。因此，除了注意配偶的选择、婚前检查、最佳孕龄选择、避免各种环境污染之外，还应重视孕期心理健康。

（一）拥有良好的夫妻感情基础

保持双方的社会认知、兴趣爱好、价值取向的协调。形成良好的家庭环境氛围，为保持愉悦心境和增进胎儿早教活动创造条件。

（二）养成良好的行为习惯

父母吸烟、酗酒等不良行为，有可能导致胎儿畸形或智力低下。乙醇进入血液可损害生殖细胞，影响胎儿发育；吸烟除吸入化学毒物外，还会引起一氧化碳结合的血红蛋白增多及血氧含量降低，影响胎儿发育。此外，偏食、出入有噪声污染的娱乐场所等都会造成胎儿的不健康发展。

（三）创造良好的胎儿发育环境

首先孕妇要注意预防各种疾病，孕妇的身体健康对胎儿的发育至关重要。孕妇感染风疹、严重缺碘、妊娠高血压症、心脏病、慢性肾病、癫痫等疾病均可能导致胎儿不同程度的心脏畸形、白内障等发育缺陷，甚至导致死产或早产。

其次孕妇要保持良好的情绪状态。我国古代妇科医书《妇人秘科》提到："受胎之后，喜怒哀乐，莫敢不慎"。孕妇在平静放松的情绪状态下，灌注胎盘的血液量增加，有利于增加对胎儿营养物质和氧气供应，对胎儿的生理和智力发展形成有利条件。如果孕妇长期处于忧郁、紧张的心理状态会造成血液循环不良和血管痉挛，引起胎儿畸形。因此，母亲在妊娠期间一定要心情舒畅、情绪稳定，保持良好的心理状态。

（四）进行科学积极的胎教

胎教，是为开发胎儿潜在能力而施行的胎儿教育。广义胎教指为了促进胎儿生理上和心理上的健康发育成长，同时确保孕产妇能够顺利地渡过孕产期所采取的精神、饮食、环境、劳逸等各方面的保健措施。狭义胎教是根据胎儿各感觉器官发育成长的实际情况，有针对性地，积极主动地给予适当合理的信息刺激，使胎儿建立起条件反射，进而促进其大脑功能、躯体运动功能、感觉功能及神经系统功能的成熟。目前常用的胎教方法有音乐胎教、语言胎教、运动胎教等，科学的胎教应该在心理学家、早教专家及妇产科医师的指导下完成。

二、婴幼儿期的心理健康

婴幼儿期是指个体 0~6 岁时期，分为婴儿期（0~1 岁，新生儿时期）、幼儿前期（1~3 岁）、幼儿期（3~6 岁）。从出生到 6 岁时是个体口头语言、运动技能、性别认同、神经系统迅速发育、兴奋抑制过程日趋完善的重要阶段，是个体认识世界、发展智力、形成稳定情感的最佳时期，同时也是个体人格形成的重要时期。此阶段要做好的心理健康工作主要有以下几点。

（一）重视不同阶段的针对性培养

心理学研究表明：脑细胞的增殖主要涉及遗传因素，但是早期经验可以改变不受遗传因素控制的微神经元的功能性。新生儿脑重约 390g，1 岁时达到 900g，2.5~3 岁时增加至 900~1011g，相当于成人的 2/3。5~6 岁幼儿大脑皮质发育正处在第一次显著加速期，幼儿大脑结构与功能发育已接近成熟水平。兴奋的增强使幼儿的睡眠时间渐渐较前减少，觉醒时间延长，皮质的抑制过程加强，表现在幼儿逐步学会控制自己的行为，能综合分析外界复杂事物。约从 4 岁起，抑制过程的发展更为迅速，但兴奋过程仍占优势。

在口头语言方面，婴儿前期父母有意识地为孩子提供适量的刺激，有益于促进婴儿对应感觉器官的发育，尤其在此阶段为语言发展的关键时期，父母与婴儿进行交谈和鼓励婴儿说话有助于加强第二信号系统的联系。

在性别认同方面，6 个月大的婴儿能够区分图画中的成年女性与男性。10 个月大婴儿能区分他们的面部；到 18 个月时，他们就能够匹配女性与男性的面部和嗓音；2~2.5 岁，他们能够准确地标记男童和女童的照片。学会了区别男性与女性的儿童，对玩具和同伴表现出更多的特定的偏爱，婴儿的性别自我概念逐渐形成。

在运动技能方面，幼儿出现了简单的逻辑思维，并出现了独立的愿望和基本的道德感和理智感。游戏是幼儿的主导活动，玩具和游戏有助于增长幼儿知识，培养思维、想象力和促进人格发展，家长应创造宽阔自由的活动空间，所选玩具最好是可装可拆的，以发挥其想象力和训练其技能。同时，对于其独立性的发展应因势利导，以心平气和的方式去关注儿童的需要。理解其感受，并给予指导和教育。

（二）重视接触与交流

出生后新生儿对胎教还会留有“记忆”，持续进行胎教时的内容有助于使婴儿的情绪得到抚慰，对新生环境建立信任感。母亲通过母乳喂养和爱抚可提供充足的母爱，给予儿童适当的刺激，建立亲密的、持久的情绪联络，满足婴儿心理发展需求。英国精神分析学家鲍尔比（Bowlby）认为，如果个体婴儿期缺少母亲的照顾或没有形成一种安全可靠的情感联系，那么个体成人后可能会对他人缺乏信任感和不具备形成稳定和亲密关系的能力。幼儿期家长对儿童恰当及时的关注有助于减轻幼儿不合理依赖行为，建立健全的信任机制和培养独立、自由、合作型人格。

（三）重视良好行为习惯的培养

1. 适时给婴儿断奶

母乳喂养有效满足了婴幼儿对食物和依恋心理的需求，但从 1 岁半开始母乳已不能完全满足生长发育的需要，WHO 建议纯母乳喂养到 6 个月，然后再逐步有计划地添加辅食，以有利于婴儿心理和生理的健康发展。断奶过早或过晚都不利于儿童的健康发育。

2. 培养良好的睡眠习惯

从小培养婴幼儿良好的睡眠习惯，养成规律的作息制度和保证足够的睡眠时间，以促进身体的生长发育。同时家长要做到不把睡觉当成是对儿童的一种惩罚，不在睡前用威吓的话逼迫儿童入睡和避免用睡觉讲条件，以避免形成不良情绪性条件反射。

3. 正确对待婴幼儿的不良行为表现

美国心理学家古迪诺芙把儿童发怒表现规定在以下范围：①无指向发泄，如踢腿、喘气、深呼吸、大喊；②行为或口头反对，如不肯合作、不肯听话，不让人拉其手，不让人抱；③还击行为，如咬人、打人、向人喊叫。研究发现在2~5岁，婴幼儿无指向发泄行为有逐渐缓和的趋势，而还击行为增加。面对婴幼儿在成长过程中出现的情绪不稳定、爱发脾气、任性、多动、以自我为中心、破坏性行为的特征，家长不应采取粗暴的行为进行惩罚，否则容易造成婴幼儿不良情绪反应和人格特征的形成。同时，也不能用溺爱的方式去盲目地顺从儿童的要求，应以细致耐心的教育方式培养儿童良好的生活习惯、自理能力、克服困难的勇气、坚强的毅力及与人交往的技能等优良品质。

4. 重视家庭、学校环境的影响作用

婴幼儿具备高度发展的观察和模仿能力，但缺乏对是非的辨别能力。家长和教师的言行举止对其成长和健全人格的形成十分重要。

三、儿童心理健康

学龄期也称儿童期，一般指6~12岁。

（一）学龄期儿童的生理心理发展特点

在生理发展方面儿童脑重量已经接近成人。与随意运动和言语发展有密切关系的大脑额叶显著增大，大脑皮质功能发展，兴奋和抑制功能进一步加强。第二信号系统随着学习活动和人际交往而日渐发展，并占据主导地位。儿童智力发展特征主要表现在视觉和听觉方面的突出发展。手关节和肌肉的感受力有了迅速的提高，反应能力强、动作灵活，观察事物快而准确。语言表达和概括能力显著提高，有意识记和意义识记开始占优势，但由于知识经验终归不足，看问题容易片面和绝对。情感十分丰富和强烈，遇事容易动感情，也很容易被激怒。儿童期逐渐形成一些高级的社会情感（道德感、理智感和美感），逐步对自己、对他人、对集体及对外界事物形成相对稳定的态度，能认识到自己的优缺点，并且能初步分析自己缺点产生的原因。在权威性方面，儿童对老师的言行从初期的绝对信任、效仿逐渐发展到自己独立评价，在集体生活中，他们的集体意识逐渐建立，集体荣誉感逐渐发展起来。同伴关系形成，并有选择的建立友谊关系，处在“帮派时期”，同伴群体会对童年个体品质产生重要影响，而这种影响主要通过舆论和群体压力来实现。儿童期个性得到进一步的发展，能力、气质和性格也日益成熟和稳定，好奇心强，可塑性大，喜欢模仿，容易接受新鲜事物，独立生活能力增强。家长不能事事包办，否则会使儿童养成懒惰、娇气、依赖和畏惧的消极个性心理品质。

（二）学龄期儿童主要的心理问题

1. 学习问题

学习问题是学龄期儿童的主要问题。很多儿童上小学后，由于种种原因，均表现出适应不良问题。具体体现为注意力不集中、注意短暂、学习困难，甚至厌学等。在儿童学习问题中，学习困难是最常见的，一般是指学龄期儿童，由于种种原因致使学习技能的获得

或发展出现障碍。表现为经常性的学业成绩不良。

2. 情绪问题

在学龄阶段，儿童从家庭、幼儿园走入学校和更广泛的社会中，常因不适应而产生惧怕、焦虑和类似神经症的表现，且经常伴随睡眠问题、食欲下降及自主神经系统功能紊乱症状。具体表现为情绪不稳、过分任性、冲动和常有出乎意料的行为。

3. 品行问题

儿童的品行问题主要表现为如偷窃、打架、骂人、扰乱课堂秩序、经常性说谎、多次离家出走、逃学、攻击和破坏行为等。这些表现常因诸如家长对儿童溺爱，采取放任不管的态度或管教过严、亲子关系紧张、单亲家庭或家庭不和睦、学业失败和受坏人教唆等导致。针对这些原因，家长与老师应密切配合，通过调整亲子关系、师生关系，耐心说服教育，尊重儿童的人格和自尊得以矫治。

4. 顽固性不良习惯

儿童顽固性不良习惯包括吮指、啃咬指甲、遗尿、口吃、偏食等问题。

吮指是从人生命早期吮吸活动中遗留的习惯行为，一般在1~2岁最为频繁，随着年龄的增长，这种现象逐渐减少，至学龄期大都自然消失。儿童长大后如仍有这种行为，大部分是由于某种心理问题引起的，如缺乏母爱、不被人关注、受挫折等，可通过给予更多的关怀或适当使用奖惩等心理疗法加以矫正。

咬指甲是儿童较为常见的不良习惯。大多从四五岁起，8岁左右为高峰，到11岁后逐渐减少，有的学生还啃咬铅笔头、橡皮或红领巾等物品。心理学家认为，儿童啃咬习惯是一种内心紧张的发泄。例如教师或家长对待儿童过于严厉，功课太难等，都可导致儿童咬指甲。对于这种情况，除注意减少儿童的压力和紧张的心情外，可鼓励儿童多用手做一些事情，分散注意力。

遗尿是指儿童在5岁以后反复发生不适宜的不自主排尿，即在清醒时不能控制排尿反射，或在睡眠中失去排尿警觉而将尿排在床上，俗称尿床。男童尿床约为女童的2倍多。其发生常由于心理紧张造成，如受父母责打或家庭不和等，也有因发育迟缓、异常或因泌尿系统感染而引起的排尿功能异常。有遗尿的儿童往往易产生自卑感，不愿与伙伴交往，为遗尿而担忧等。对待遗尿，切忌羞辱儿童，而要查出原因，有针对性地进行帮助。

口吃俗称结巴，是一种语言障碍。多发于2~7岁，男女比例约为3∶1。发生原因最多见于父母对儿童学话过于急躁，做过多的矫正或强迫儿童讲话造成的。有口吃的儿童因害怕受到其他小朋友的讥笑，不愿与人交往，极易形成羞怯和自卑的性格，同时也更容易兴奋激惹、情绪不稳。如果能消除环境中的不良刺激，避免周围人的讥笑，并培养儿童从容不迫的讲话习惯，树立自信心，将非常有利于口吃矫治。

偏食在独生子女家庭中尤为常见。偏食易造成营养不合理，进而导致儿童营养缺乏、消化不良、肥胖等，不仅对儿童的身体发育带来严重影响，而且不利于儿童健康的心理发展。家长要注意培养儿童良好的饮食习惯，让儿童了解平衡膳食和合理营养的重要性，以预防儿童偏食。

四、青少年心理健康

青少年期又称青春期，一般指 12~16 岁，主要处于初中阶段和高中阶段。

（一）青少年的生理心理发展特点

青春期为第二次身体发育突增阶段，女童比男童提前两年左右。以生殖器发育成熟、第二性征发育为标志。在认知方面，有意识记忆和意义记忆逐渐占优势。言语驾驭能力得到发展，思维基本完成了由经验性向理论性水平过渡的阶段。青少年情感丰富多彩，并逐步形成高级的情操。情绪的波动和敏感性较大，自我意识继续发展，对自我与他人及与环境的关系的认识加深，自尊心和自信心的建立成为这一时期的重点问题。性心理方面，对性知识关注和好奇，对异性产生好感和爱慕心理，产生强烈的性欲望和性冲动。一般经历三个时期，分别为疏远异性期、接近异性期、两性初恋期。

（二）青少年主要的心理问题

1. 学业问题

在当今竞争激烈的社会中，青少年面临着升学和就业的压力。他们是在父母、老师的高期待下成长起来的，学习负担过重是普遍存在的问题。特别是毕业班和学习差的学生达不到家长和老师的期望，常使青少年产生厌学情绪。有些家长“望子成龙”心切，对学习差的子女要求过严，有些家长则对子女学习失去信心，放任不管，这些做法都不会给青少年带来帮助，只会造成他们的反感，有时会产生焦虑、紧张、厌学、拒绝上学、逃学和离家出走等心理健康问题。

2. 情绪问题

情绪问题是青少年心理健康的一个重要问题。青少年因外界环境而表现为情绪不稳，经常表现为烦恼、焦虑和抑郁等现象并不少见。青少年情绪的另一个特点是情绪反应强度大且易变化，容易狂喜、愤怒，也容易极度悲伤和恐惧，情绪来得骤然，去得迅速。青少年有一定自我调节、控制情绪的能力，但发展还不够成熟，因此常由于情绪问题而影响心理健康。

3. 人际关系问题

青春期是人生中第二逆反期。处于青春期的青少年与家庭的关系逐渐疏远，对父母的教导产生疑虑，对家庭的一些传统习惯不愿适从。在学校里，青少年有时对老师的话持怀疑态度，使师生关系紧张。鉴于青少年的这些心理特点，如果家长和老师了解青少年的心理特点，给他们更多的理解，耐心地倾听他们的意见，教给一些解决问题的基本技能，给予正确的帮助和引导，将会给青少年很大的支持，有利于解决人际关系问题。

4. 不良行为

青少年不良行为包括吸烟、酗酒、吸毒、赌博等。青少年由于好奇心及模仿性强，这种心理状态使他们很容易受他人影响。青少年产生不良行为的原因很多，主要是由于他们认识社会的能力还不够强，在分析思考问题方面，常带有直观、片面、感性的特点。不良行为不仅影响青少年的学习，对身体造成危害，而且也不利于心理健康，不利于维护社会治安。

（三）青少年心理健康工作的意义和目标

青少年良好的心理素质是成年后心理健康的基础。特别是在身心发育迅速的青春期，对青少年进行适时、适度的心理健康教育，不仅可以帮助他们认识自我，不断调整自己的情绪和行为，提高心理素质，还可以预防吸烟、酗酒、少女妊娠、离家出走、自杀、暴力、违法犯罪等一系列行为问题，同时也有利于维护社会治安。因此，加强青少年心理健康工作的研究与服务具有重要意义。为使青少年获得健康的心理，必须贯彻预防为主的方针，制定工作目标，采取各种适宜的技术和卫生措施，系统地进行干预和教育。具体可以从以下几个方面进行：①发展良好的自我意识，青春期是自我意识发展的重要阶段，学校应及时开展相关教育，使青少年能够认识自身的发展变化规律，学会客观地认识自己和面对现实。②引导性意识健康发展，应及时地对青少年进行性教育，包括性生理健康、性心理健康、性道德和法制教育，从而消除青少年对性器官及第二性征的神秘、好奇、不安、恐惧。培养高尚的道德情操，提高法制观念，自觉抵制黄色影视书刊的不良影响，学会讲究性器官的卫生，预防性病。③培养情绪情感调节能力，青少年情绪波动大，而且不善于处理情感与理智之间的关系，以致不能坚持正确地认识和理智地控制。因此，情绪情感的调节尤为重要。④消除心理代沟，代沟（generation-gap）是指父母与子女间心理上的差异和距离，以及由此引起的隔阂、猜疑、苦闷、甚至离家出走等。是中学生中常见的心理问题，应该通过心理咨询、心理指导等方式促进双方及早进行心理调适，目标是促进相互尊重、理解和信任。

五、青年期心理健康

青年期年龄阶段的划分 一般是依据个体从生理成熟到社会成熟这一时间阶段，具体年龄界定为十七八岁到35岁。青年期个体在身体方面有形态结构与生理功能的一系列变化，个体发展的主要特点是自我意识得到了迅速发展，自我同一性确立，人生观、价值观趋于稳固，个体进入了一个相对平静、相对成熟的发展时期。在心理方面则有认知、情绪、行为等的急剧发展，在社会行为方面，其活动范围由家庭到学校步入更为复杂的社会群体。青年人在这个时期的任务是要完成进入成年期的各种准备，如通过学习训练获得为社会服务的本领；在人际交往过程中使自己逐步完成社会化并且形成正确的自我观念；经过恋爱、结婚组成家庭，进入复杂的婚姻关系；就职立业，争取为社会所接纳等。青年期心理健康的防治主要有以下两点：

（1）青年人的认知和思维能力迅速提高，但仍缺少一定的经历或历练，看问题容易主观或片面。应注重培养理性思维和感性思维有机结合的思维习惯。同时，青年人情感缺乏稳定性，情绪起落大，容易出现激情，应合理调控自我情绪，与他人建立良好的人际关系，增强社会适应能力，最终逐步缩小"理想我"和"现实我"的距离，实现自我认同。

（2）建立正确的职业价值观与婚恋观，做好职业选择，理性、认真地择偶，正确对待婚恋关系，做好为人子女到为人父母角色转换的准备。

六、中年期心理健康

中年期的年龄阶段为35~60岁，是人生中比较特殊的一个阶段。这一时期个体生理功能相对稳定，但已开始转弱，身体细胞的再生能力、免疫能力、内分泌功能等逐步下降。心理能力不断增长，认知、情绪情感和意志发展到最佳的稳定状态，并具有灵活的调控能力，个性发展趋于成熟，人生观、价值观逐步明确，社会角色基本稳定。中年期是个体一生中最成熟、精力最充沛、工作能力最强的阶段，但同时社会负担加重，体力和脑力的工作量超过生理和心理所能承受的范围，容易导致躯体疲劳、失眠、不同部位的疼痛等，各种心理症状也随之出现，社会适应能力下降。中年期心理健康的防治主要有以下几点：

1. 做好身心健康和追求成就的平衡

大多数中年人社会责任和工作任务较重，在家庭中还须承担赡养父母和抚养子女的责任，对事业成就有较高的追求，同时还需要协调各方面的人际关系，使中年人长期承受高强度的心理紧张和压力。中年人应正确认识和接纳自我，处理好生活和工作的关系，正确看待成败，淡泊名利地位，提高对挫折的承受能力。

2. 营造良好人际关系

中年人应合理处理家庭、同事、朋友、长幼等的对应关系，并协调彼此之间的联系，建立良好人际圈。

3. 做好更年期心理健康

更年期是由旺盛的生育期向老年期过渡的一个转折时期，是一个比较特殊的生命转折时期，女性一般为45~55岁，男性一般为55~65岁。中年人应该主动学习有关更年期的科学知识，认真处理更年期症状，提高自身调节和控制能力，顺利度过更年期。

七、老年期心理健康

老年期指60岁至死亡这一阶段。在此阶段老年人生理功能和心理功能逐渐衰落，情绪趋向不稳定，晚年生活质量下降。老年人在社会中所扮演的角色起了急剧的变化，随着年老，可出现视力减退、听觉迟钝、动作反应迟缓，活动和交往能力都受到限制，身体的外貌和功能也起了变化，对死亡产生恐惧心理。

老年期心理健康的防治主要有以下几点。

（1）加强身体锻炼，正确看待衰老、疾病和死亡　以“动、静、乐、寿”原则为导向，坚持一定量的脑力和体力活动，避免无所事事，同时注意休息，保持心境平静。

（2）培养业余爱好，发挥余热　争取在社会生活各个领域发挥合适的作用。年轻一代和社会也应为老人创造必要的社会和精神环境，促使老人回归社会。

（3）养成良好的饮食行为习惯　主要指养成不吸烟、少饮酒、不偏食、不过度饮食等生活和行为习惯。

（4）社会和家庭给予关注和照顾　发挥社会支持系统的作用，做好相应老年人的心身保健工作。

第三节　不同群体的心理健康

案例引导 3-3

案例：阿华是一名来自偏远小山村的女性，因为家里条件不好，从小懂事能干，初中毕业后进城打工。经过多年的打拼，终于做到一家商场的销售主管，也和一名城里的同事组建了幸福的小家庭。可最近几年，由于和丈夫家庭背景不同，两人生活习惯、业余爱好、消费习惯存在较大的差异，夫妻间经常吵架，婆媳关系也不和。阿华的精神状况越来越差，经常为小事情和家人吵架，无心料理家务，工作热情不如以前。经常发呆，情绪抑郁，睡眠不好，甚至打算要离婚……

问题：阿华现在的心理状态是由什么原因导致的？有什么解决的办法？

群体是指通过一定的社会关系结合起来进行共同活动而产生相互作用的集体。群体的共同特征包括：共同的目标和利益；成员彼此依赖、影响和支持；共同的准则、纪律和规范。形成群体的主要基础有血缘关系、地缘关系、业缘关系。

人们的心理健康不仅受到个体心理发展规律的影响，而且与群体心理环境关系密切，群体心理健康对个体心理保健形成重要的影响作用。因此，改善群体心理环境，增进群体心理健康是提高整体心理健康水平的重要途径。

一、家庭心理健康

家庭是以婚姻和血缘关系为基础的社会生活群体，它不仅是社会的细胞，也是每一个成员生活时间最多的地方。健康的家庭及其家庭生活，不仅是社会稳定的基础，而且是每个家庭成员获得健康心理和生理的保证，维护家庭心理健康，以下几条可供参考：

1. 牢固树立社会主义婚姻家庭的幸福观

家庭中应讲究民主，男女平等，尊老爱幼，互相帮助，把夫妻双方的幸福凝聚在一起，每位成员都要共同维护家庭的安定团结。

2. 夫妻双方要以身作则，树立榜样

夫妻是家庭中的核心角色，应承担家庭义务，万事顾全大局。首先，夫妻双方应做到不断深化夫妻感情、讲究伦理道德、学习文化知识、提高自身修养、更新思想观念。其次，夫妻间要互相谅解、体贴、支持、忍让，有时甚至还需要做出牺牲。双方本着大事讲原则，小事讲风格的准则，在日常生活中多做奉献，尽可能在子女教育、老人抚养、经济开支等方面统一认识，注意在子女面前维护对方的威信，妥善处理好工作、事业及其他社交活动与家庭生活的冲突。

3. 正确对待家庭成员所发生的不良生活事件

家族中有人重病、车祸、失学、下岗、失恋、经济困难时，应伸出援助之手，帮助他们渡过难关。

4. 让家庭里充满爱

爱是家庭幸福和快乐的源泉，爱他人和被他人爱，会化冷漠为温暖。生活在一个充满亲情之爱的家庭中，即使遇到挫折和不幸，也会很快从消极情绪中摆脱出来。反之，生活在一个缺少爱的家庭里，烦恼和忧愁的负面影响力更强。因此，要改善家庭气氛，使家庭快乐。

5. 尽量满足家庭成员的合理需要

心理学研究证明，人的情绪与其需要能否得到满足密切相关。当需要得到满足时，一般都会产生积极的情绪，而其需要得不到满足时，则多产生消极情绪。因此，每个家庭成员尤其是核心成员，应尽最大努力去满足亲人合理的物质和精神需要，给予亲人关心、帮助、安慰、鼓励和赞赏。

6. 搞好家庭成员间的关系

亲人之间相互尊重，相互体谅，增进团结，提倡家庭民主，是营造融洽的家庭气氛不可缺少的重要内容。每个成员尤其是家庭核心成员，应该学会和善于引导积极情绪的扩散，及时遏止和消除消极情绪的产生和传播。

7. 丰富精神生活，杜绝不良嗜好

促进兴趣多样化，培养业余爱好，经常开展有益的娱乐活动。

8. 子女应尽赡养老人的义务

在父母年迈之时，患病之日，儿女应勇于承担责任，善待父母，使他们老有所养，老有所归，老有所福，愉快地度过晚年生活。

二、学校心理健康

学校对人的成长至关重要，是一个对心理健康有较大影响的环境。学校的教育不止于知识和技能的传授，应以形成完整的人格、实施综合素质教育为最终目的。加强学校心理卫生工作是一项构筑学生心理健康的希望工程。学校的心理健康教育应通过如下途径进行。

1. 心理健康教育渗透到各科教学中去

各科教学在教学原则、方法、组织管理诸方面都致力于促进学生的全面发展，使学生树立科学的世界观和正确的人生观。因此，我们应着眼于提高教师素质。特别是提高教师对心理健康教育的重要性的认识，使之能自觉地把心理健康教育有意识地渗透到各科教学活动之中。

2. 树立榜样，促使学生形成健康的人格

学校如果对全面发展的理解片面，树立榜样时仅考虑学习成绩好而听话的“好孩子”，并不都是身心健康的学生，将会对学生起到不好的示范效应。近些年来，人们逐步修正和补充全面发展概念。我们呼吁学校在学生中树立健康学生的榜样，并把心理健康作为优秀生的标准之一，促使学生健康人格的形成。

3. 开设心理咨询门诊，对学生进行心理咨询

学校对学生的心理咨询，主要是心理健康方面的咨询，也应重视心理修养方面和人生观、世界观、职业观等方面的咨询指导。

4. 根据学生的身心发展情况，开设相应系列的心理健康知识讲座

讲座形式有利于促进心理咨询从障碍性咨询向发展性咨询过渡，有利于咨询工作的进一步开展和普及，使学生更系统、更深刻地了解心理健康知识，减少个别咨询中较易出现的心理阻抗，且影响范围广，时间利用率高。讲座更利于解决青少年的闭锁心理和易感心理，能较好地针对不同年龄段学生群体的特点，做到有的放矢，对症下药。

5. 开展积极的校园文化活动

将心理健康教育与各类活动相结合，是心理健康教育的重要途径。

6. 优化育人

学校应为学生创设一种和谐、积极、向上的教育环境。除此之外，学校要加强校风、学风和领导作风建设，提高学校教职工的思想素质。同时，也要把校园环境建设与学生的年龄、心理特征结合起来考虑，把校园环境建设好。

7. 自我教育

“外因是变化的条件、内因是变化的根据。”教会学生进行自我教育，自我保健是学生心理健康教育的重要目的之一。学生心理健康教育必须与自我教育相结合。

8. 其他

与家庭配合对青少年进行心理健康教育。

三、工作场所心理健康

人们通常将职业的性质和工作环境视为社会生活和社会环境的重要组成部分，职业在很大程度上决定着人们的安宁、幸福、前途等问题。工作场所的劳动资源、劳动组织及人际关系等方面的不良因素为影响现代人心身健康的主要应激源。不安全的工作环境往往引发精神紧张、焦虑、情绪不稳定、注意力不集中等心理反应，并容易导致工伤事故。与个体不相适应的工作状态和工作性质容易导致职业枯竭，包括长期从事枯燥、重复、缺乏社会交往的单调劳动，无章可循、班次更迭的工作时间安排，知识更新的挑战等等。

从正面来看，人们在职业群体中，会获得许多有利于个体心理健康发展的机会。如得到与人交往的机会，获取社会赞誉或奖赏，进入一个能同步共进、患难同行的友伴集体等。

职业群体心理健康的任务是改善工作环境、科学组织劳动、提倡劳逸结合、鼓励协作精神、发掘创造潜能、完善奖励制度，从而提高工作满意度，促进人际关系和谐，实现工作环境优化和劳动组织合理化，提高职业群体的健康水平。针对工作场所中可能出现的心理健康问题，其解决办法主要有以下几点：

1. 倡导爱岗敬业精神

在职业选择上，就职岗位可能存在理想与现实有反差，进而造成持久性的心理困扰。当一个人对工作安排违心屈就时，通常会引起烦恼，心情不畅，易疲劳和厌倦，感觉整个生活索然无趣。针对此情况，应及时给他们进行咨询开导，帮助他们树立爱岗敬业精神，通过努力工作来获取成就感，通过不断学习来提升对岗位的认识和认同感，通过丰富的业余生活来排解工作的压力。当今社会是一个分工高度细化的社会，任何一个行业，都可以提供多种多样的不同性质的岗位。只要个体勇于进取，善于发现自身特长和本行业的契合点，一定能找到适合自己的岗位，从而安于职守并消除精神痛苦。

2. 消除职业倦怠

劳动者长期在一个固定的场所工作，可能会因为职业环境的相对稳定及与外界的交往有限而造成心理上的厌倦。思想上容易出现固定思路和习惯性思维；行为上容易发生印记性习惯动作；情绪上易发生麻木和偏激。在人格特征上，出现意愿、态度、观点、信念等方面的职业病或职业偏见，与其他群体之间发生心理上的疏隔难以沟通。还有某些行业造成的特有的精神紧张等等。因此，对于因职业固定或场所限定带来的种种心理健康问题，都必须采取有效措施加以矫正或补足。

3. 关注群体领导者的心理健康状况

一个优秀的领导者，应当首先使自己成为人格健全的人，进而采取多种措施建设整个群体的心理健康。例如，树立和创造有利于保护全体成员心身健康的气氛和环境；设置能够克服群体弱点的条件，安排一定的场合，便于与不同行业不同工作环境的单位加强沟通交流，开阔群体成员的视野和思路，调剂其感情生活，丰富其人格特质，缓解或排除各种紧张刺激给成员心身健康带来的消极影响等等。

4. 建立公平的评价、奖罚体制

在工作场所开展真诚的赞誉和善意的批评，可以使每个成员经常保持自尊、自信，提升职业满意度。

5. 开展有的放矢、富有成效的咨询活动

以满腔热忱和审慎应对的态度受理工作场所中的成员提出的各种心理健康问题，启发他们自知、自爱，加强自我意识的调节作用，学会自制、自励，帮助其获取满意的职业生涯。

四、社区心理健康

社区是社会的基本共同体或群体生活场所，是以地缘关系为纽带的一个群体生活组织，它包含着住宅、工厂、商店、街道、居民的一个生活网络或生活系统。同时，它不仅是一个空间概念，还是人与人之间互动，相互影响的文化群体概念。其中有不同的婚姻状况、家庭构成、职业类型、民族组成、教育水平、语言环境等等，而这些均与人的心理健康有密切联系。人们相互之间有协作和竞争，也有矛盾和共同利益。社区从心理健康的角度讲，就是要维护、巩固、促进和提高社区居民的整体心理健康水平，提高社区的心理保健服务水平，对心理障碍者或精神病患者应早辨别、早诊断、早治疗。研究社区互动对正常人的心理健康、生活、工作、学习的影响。社区心理健康主要有以下几个特点：

（1）服务和干预是社区心理健康服务的重心。对人们的心理危机要早干预和介入，对社区中的精神病患者要做好早发现、早专科治疗，对康复期患者要做好社区康复和社区回归工作。同时开展广泛的健康人群心理咨询服务，普及心理健康知识社区宣传教育，组织社区娱乐活动，丰富社区精神文化生活。

（2）重视社区的精神文明建设活动。要加强社区精神文明建设活动的有效性和延续性。重视社区的文化宣传活动，倡导传统文化中的睦邻友爱精神，营造“人人为我，我为人人”的社区文明氛围，努力打造和谐社会、和谐社区的生活环境。

（3）要提高社区居民对心理健康的重视程度和知识水平，举行各种宣传活动，定期或不定期邀请心理学家或心理辅导人员来社区做讲座，要经常听取广大居民的意见，提高居民的参与度，提高人们对心理健康的认知。

在社区心理健康教育中，提倡社区心理健康的“三次性预防”理论。一次性预防指降低社区中心理不健康现象或精神疾患的发生率，尽可能消除产生心理障碍的环境因素；二次性预防指社区对居民心理障碍和精神疾患早发现、早就诊、早治疗；三次性预防是指使社区中有心理障碍、精神疾患的人早康复、早回归，为他们恢复正常创造良好的社区环境。

任务小结

心理健康作为一项社会运动，是由美国人毕尔斯（CW. Beers）所创导的，是指通过教育和研究，预防疾病、促进心理健康水平，使生理、心理和社会适应功能都保持良好状态。不同年龄阶段，具有不同的心理发展特点，会发生不同的心理卫生问题，需要采取相应的心理健康维护举措。家庭、职场、学校、社区是人工作生活学习的重要场所，是社会组成的基本单元。做好不同年龄段、不同场所的心理卫生保健工作，就是给全社会人群提供了纵横交叉的、全方位的心理健康服务。

知识点自测

一、名词解释

1. 心理健康　2. 品行问题　3. 职业倦怠

二、选择题

1. 心理健康运动是由谁创立的（　　）

A. 毕尔斯　B. 希波克拉底　C. 孔子　D. 黄希庭

E. 以上都不是

2. 青少年期是指下列哪一个年龄阶段（　　）

A. 6～12 岁　B. 12～18 岁　C. 18～35 岁　D. 12～15 岁

E. 以上都不是

3. 不属于学校心理健康教育途径的有（　　）

A. 自我教育　B. 与家庭配合对青少年进行心理健康教育

C. 优化育人　D. 注重学习倦怠的消除

E. 以上都不是

4. 过量饮酒会引起青少年认知功能下降，比如（　　）

A. 逻辑思维混乱　B. 冲动行为　C. 学习动力下降　D. 情绪易激惹

E. 以上都不是

5. 通过提高青少年的心理素质来预防个体自杀倾向，属于自杀预防的（　　）

A. 一级预防　B. 二级预防　C. 三级预防　D. 四级预防

E. 以上都不是

6. 青少年希望通过吸烟来引起对方注意，属于一种什么心理（　　）

A. 好奇心理　B. 逆反心理　C. 补偿心理　D. 表现心理

E. 以上都不是

7. 母乳喂养对于婴儿心理健康的主要作用是（　　）

A. 给予适宜的刺激　　B. 给予充足的营养

C. 给予有效免疫力　　D. 给予温暖的母爱

E. 给予食欲的满足

8. 父母对子女的轻微损伤表示大惊小怪，影响子女成年后对疼痛的态度属于（　　）

A. 强化学习　　B. 对处境的认知评价

C. 注意　　D. 暗示

E. 情绪管理

9. 游戏对幼儿心理发展的作用是（　　）

A. 可增长知识、开发智力　　B. 有利于培养道德品质

C. 有利于发展交往能力　　D. 有利于发展肢体协调能力

E. 以上都是

10. 关于学校心理健康，以下说法不正确的是（　　）

A. 学校应配备心理咨询人员　　B. 学校应将学习成绩好的学生树立为榜样

C. 学校应开展心理健康讲座　　D. 学校应创设积极向上的学习环境

E. 学校应教育学生进行自我心理保健

三、简答题

1. 心理健康预防疾病的三级式递进目标是什么？

2. 衡量心理健康的 10 项标准是什么？

3. 学龄期儿童主要的心理问题是什么？

实训项目

根据自身所处的年龄阶段，分析自己的心理健康状况，并制订心理保健方案。

第四章 心理应激

内容导读

1. 掌握　应激、应激源的概念及分类、应对、社会支持、应激的中介机制、心身疾病的概念和特点；常见心身疾病及其致病因素。

2. 熟悉　应激的心理反应、应激对健康的影响、应激调节的方法、心身疾病的范围；心身疾病的诊断、治疗、护理与预防。

3. 了解　应激的生理反应、心理应激的意义。

人类的健康不仅受生物因素的影响，而且还与心理社会因素密切相关，例如心理应激就对人们的心身健康影响日益突出。现代社会人们的生活节奏加快，面临着许多竞争和挑战，各种应激事件增多，因此，护理工作者必须了解应激及其与健康的关系，从而为服务对象提供更全面的护理服务。

第一节　应激概述

案例引导 4-1

案例： 塞翁失马的故事：有位睿智的老人居住在靠近边塞的地方。一次，他的马无缘无故跑到了胡人的住地。人们都为此来宽慰他。那老人却说："这怎么就不是一种福气呢？"过了几个月，那匹失马带着胡人的许多匹良驹回来了。人们都前来祝贺他。那老人又说："这怎么就不是一种灾祸呢？"老人的儿子爱好骑马，结果有一天，从马上掉下来摔断了腿。人们都前来慰问他。那老人说："这怎么就不是一件好事呢？"过了一年，胡人大举入侵边塞，健壮男子都被征兵去作战。边塞附近的人，死亡众多。惟有老人的儿子因为腿瘸的缘故免于征战，父子俩一同保全了性命。

问题： 什么是应激？故事中有哪些种类的应激？从这个故事中，人们可以获得哪些启示？

一、应激的概念

（一）应激的概念

在护理心理学领域中，应激（stress）的含义可概括为三个方面。

1. 应激是一种刺激物

这是从应激源的角度看待应激。天有不测风云，人生变幻无常。人生活在现实世界上，每天都要面对大大小小的各种刺激，这些刺激从广义的角度，都构成应激。

2. 应激是一种反应

应激是对不良刺激或应激情境的反应。应激是机体对环境刺激的反应，具有保护性和适应性的功能。

3. 应激是一种觉察到的威胁

任何刺激，如果不被个体所觉察，对个体来说，就不构成刺激。从这个意义上说，应激并不是来源于特定的刺激或特定的反应，而发生于个体察觉或意识到一种有威胁的情境之时。

综合上述三个方面，现代应激理论认为：应激是个体面临或察觉（认知评价）到环境变化对机体有威胁或挑战时做出适应或应对的过程。

二、应激过程

（一）应激源

应激源（stressor）也称为生活事件（life events），指那些能引起应激的各种刺激物，也就是应激的原因。人在自然界生存，又在社会环境中活动，各种自然界和社会环境的变化，以及自身生理和心理的变化，都可以作为应激源而引起应激反应。

应激源按性质分类，可分为躯体性、心理性、社会性和文化性应激源。

（1）躯体性应激源　指对人的躯体发生直接刺激作用的刺激物，包括各种物理的、化学的和生物学的刺激物。如强烈的噪声、过高过低的温度、不良食物、微生物等。这一类应激源是引起应激生理反应的主要刺激物。

（2）心理性应激源　指来自人们头脑中的紧张性信息，主要指冲突、挫折和各种原因导致的不正确信念、不良人格特征。心理性应激源与其他类应激源的显著不同之处是它直接来自人们的头脑，但也常常是外界刺激物作用的结果。例如患新型冠状病毒肺炎，构成躯体性应激源，而患病后患者内心过度恐惧、紧张、康复后心有余悸、过度自我保护、过分小心翼翼，又构成心理性应激源。

（3）社会性应激源　是指发生在社会环境中的各种不良生活事件。包括：①自然环境变化，如地震、海啸、台风、环境污染等，给个体带来灾难性的影响。②社会环境的重大变化，如战争、政治变革、社会冲突等，常常导致家破人亡，对个体形成强烈的应激。③工作或学习中的应激，如剧烈竞争、工作过于劳累、岗位调动频繁，或劳动条件差、学习压力重等，都可导致人的适应不良而引起心理应激。④人际纠纷冲突和个人不幸遭遇，如卷入诉讼、纠纷、群体矛盾事件，遭遇犯罪、暴力、离婚、亲人死亡等应激事件。

（4）文化性应激源　指因语言、风俗和习惯的改变而引起的应激。人虽然生活在社会大环境中，但经常与个体发生联系并能适应的外界环境毕竟有限。如环境变化剧烈、文化迁移等引起个体生活背景中的主要因素发生较大变动，而又不能及时有效地加以调整，就会引起应激反应。如从农村移居城市、由国内移居国外，由于生活方式、习惯与风俗、信仰及语言的不同都可导致应激现象发生。

（二）应激的中介机制

应激引起的反应，除了与应激源的强度、持续时间等有关外，还取决于中介因素，包括认知评价、应对方式、社会支持及个性特征等。

1. 认知评价

认知评价（cognitive assessment）是指个体对遇到的生活事件的性质、程度和可能的危害情况作出的认识和估计。对同样的应激源，认知评价不同，所引起的应激反应也大相径庭。如一位女士在黑暗的胡同遇到一个抢劫犯，会开始颤抖，心跳加快，体验到恐惧，应激反应非常强烈；如果是一位武术冠军却不会如此，反而可能将抢劫犯制服。认知评价并非是完全独立的因素，它既受其他因素的影响，又影响其他因素。首先，个体个性特征可在一定程度上影响认知评价。例如对同样的生活事件，乐观者往往比悲观者做出更积极的认知评价。其次，社会支持也在一定程度上影响个体的认知评价。受认知评价影响较为明显的因素是应对方式。当人们认为某件应激源可控制时，往往会以问题应对的方式应付应激源；而如果认为某件应激源不可控制时，往往会以情绪应对的方式应付应激源。

2. 应对方式

应对（coping）又称应付，应对可以被理解成是个体解决生活事件和减轻事件对自身影响的各种策略，故又称为应对策略（coping strategies）。目前一般定义为，应对是个体在压力情境中意在减轻压力影响而采取的策略或行为。

3. 社会支持

社会支持（social support）是指个体遭遇应激时，能从社会网络中获得的物质和精神帮助的总和，是应激作用过程中个体“可利用的外部资源”。个体与社会各方面包括亲属、朋友、同事、伙伴等，以及家庭、单位、党团、工会等社团组织所产生的精神上和物质上的联系程度，反映了一个人与社会联系的密切程度和质量，很大程度上决定了个体能获取的社会支持的程度。

社会支持主要分为客观支持与主观支持。客观支持也称实际社会支持，包括物质上的直接援助和社会网络、团体关系的直接存在和参与，是客观存在的现实。主观支持指个体主观上体验到的社会支持，也就是个体体验到在社会中被支持、被理解、被尊重，因而产生的情感体验。研究表明，个体体验到的支持程度与社会支持的效果直接相关。

社会支持也受其他应激有关因素的影响。许多生活事件可以直接导致社会支持的问题；认知因素可影响个体社会支持的获得，且特别影响主观支持的质量；某些应对方式本身就涉及社会支持的问题，如求助、倾诉，因此成功的应对也导致成功的社会支持；个性特征也直接或间接影响个体的社会支持，个性可以影响一个人的客观社会支持程度，也可影响其主观社会支持程度。

4. 个性特征

个性特征与生活事件、认知评价、应对方式、社会支持和应激反应等因素之间均存在相关性。

个性可以影响个体对生活事件的感知，有时甚至可以决定生活事件的形成。态度、价值观和行为准则等个性倾向性，以及能力和性格等个性心理特征因素，都可以不同程度影响个体对各种内外刺激的认知评价。事业心太强或性格太脆弱的人就容易认定自己的失败。个性有缺陷的人往往存在非理性的认知偏差，使个体对各种内外刺激发生评价上的偏差，从而导致较多的心身症状。

个性特征一定程度上决定应对方式，不同人格类型的个体面临应激时可以表现出不同的策略。个性特征也可以影响社会支持的形成，一个人在支持别人的同时，也为获得别人对自己的支持打下了基础，一位个性孤僻、不好交往、万事不求人的人是很难充分得到和利用社会支持的。

个性与应激反应的形成和程度也相关，同样的生活事件在不同个性的人身上可以出现完全不同的心身反应结果。

（三）应激反应

应激反应（stress reaction）是指个体因为应激源所致的各种生理、心理和行为方面的变化。

1. 应激的生理反应

心理刺激与生物刺激一样，同样可引起生理反应。例如让一受试者皮肤接触荨麻叶时立即出现荨麻疹，接触枫叶时不出现荨麻疹。现在让患者掩盖双目，皮肤上真正接触的是枫叶，但告之接触的是荨麻叶，结果局部出现了荨麻疹。这说明语言刺激（心理刺激）也可直接引起生理反应。

20 世纪 40 年代，加拿大生理学家塞里（Selye H）发现，用冷、热刺激、感染和毒物作为应激源的动物实验中，动物的生理反应非常相似，而与应激源的种类无关。塞里将这种类似应激反应称为“一般适应综合征”（general adaptation syndromes，GAS）。GAS 可分为警觉期、抵抗期与衰竭期三个阶段。

（1）警觉期　表现为体重减轻，肾上腺皮质增大。外周反应为肾上腺素分泌增加，血压升高，脉搏与呼吸加快，心脑血管血流量增加，血糖增高等等。这些反应唤起了体内的防御能力。使机体处于最好的姿势，以增强力量，准备做出“战斗或逃跑”反应。

（2）抵抗期或耐受期　表现体重恢复正常，肾上腺皮质变小，淋巴结恢复正常，激素水平恒定。机体对应激源表现出一定的适应，对其抵抗力增强。若机体继续处在有害刺激下或刺激过于严重，则会丧失所获得的抵抗力而进入下一个阶段。

（3）衰竭期　肾上腺增大，最终耗竭，体重再次减轻，淋巴系统功能紊乱，激素水平再次升高后降低。当个体抵抗应激的能力枯竭时，副交感神经系统异常兴奋，常出现疾病甚至死亡。

2. 应激的心理反应

（1）认知性应激反应　轻度应激刺激，可以适度激活认知过程，使个体的注意力、记忆力、思维能力增强，以适应和应对外界环境的变化。如常说的“急中生智”就是积极的认知反应。但是强烈的应激刺激由于激活水平过高，超过最适水平，会影响认知功能，导致认知能力下降，产生消极的认知应激反应。可表现为意识障碍，注意力受损，记忆、思维、想象力减退，如考试时出现“大脑一片空白”。消极的认知反应的另一个表现是自我评价下降，使人自我价值观受损害，丧失自信心。

（2）情绪性应激反应　个体在应激时产生什么样的情绪反应及其强度如何，受很多因素的影响，差异很大。这里介绍几种常见的情绪反应。

焦虑：是最常出现的情绪性应激反应，是个体预期将要发生危险或不良后果时所表现的紧张不安、担心的情绪状态。适度的焦虑可提高人的警觉水平，是一种保护性反应，而过度的或不适当的焦虑，是有害的心理反应。

抑郁：消极、悲观的情绪状态，表现为兴趣减退、言语活动减少，无助、无望，自我评价降低，严重者出现自杀行为。常由丧失亲人、离婚、失恋、失业、遭受重大挫折和长期病痛等应激引起。此种情况下发生的抑郁属外源性抑郁，而内源性抑郁与人的内在脑部生物学改变有关。

恐惧：企图摆脱特定危险的情景或对象时的情绪状态，伴有交感神经兴奋，肾上腺髓质分泌增加，全身发抖，常常丧失应对的信心，表现为回避或逃跑，严重时出现木僵或晕厥。

愤怒：是与挫折和威胁有关的情绪状态，由于目标受到阻碍，自尊心受到打击，为排除阻碍或恢复自尊，常可激起愤怒，并多伴有攻击性行为。

（3）行为性应激反应　伴随应激的心理反应，个体在外部行为上也会发生改变，这是机体为缓冲应激对个体自身的影响，摆脱心身紧张状态，而采取的应对行为策略，以顺应环境的需要。

逃避与回避：是常见的消极应激反应。逃避是指已经接触到应激源后而采取的远离应激源的行为；回避是指预先知道应激源会出现，而提前远离应激源（如拖延、闭门不出、离家出走、辞职等）。

退化与依赖：个体遭受挫折或应激后，不成熟的应对方式。个体失去成人解决问题的态度和方法，退行至幼儿时期的应对方式。退化常伴有依赖心理和行为，即依靠别人关心照顾而不是自己去努力完成本应自己去做的事情。

敌对与攻击：敌对是内心有攻击的欲望，但表现出来的是不友好、谩骂、憎恨或羞辱别人；攻击是在应激刺激下个体以攻击方式作出反应，攻击对象可以是人或物，可以针对别人也可以针对自己。其共同的心理基础是愤怒。

无助与自怜：无助是一种无能为力、无所适从、听天由命、被动挨打的行为状态，其心理基础包含了一定的抑郁成分；自怜即自己可怜自己，其心理基础包含对自身的焦虑和愤怒等成分，多见于独居、性格孤僻、对外界环境缺乏兴趣者。

物质滥用：某些个体在心理冲突或应激情况下，选择饮酒、吸烟或吸毒的行为方式来转移痛苦。这些不良行为方式通过负强化机制逐渐成为个体的习惯性应对方式。

3. 综合性应激反应

所有的应激反应都是综合性的，是一个整体，有以下几种形式：

（1）亚健康状态 亚健康的主要特征包括：①身心上不适应的感觉所反映出来的种种症状，如疲劳、虚弱、情绪改变等，其状况在相当时期内难以明确诊断；②与年龄不相适应的组织结构或生理功能减退所致的各种虚弱表现；③微生态失衡状态；④某些疾病的病前生理病理学改变。亚健康临床表现多种多样，躯体方面可表现为疲乏无力、肌肉及关节酸痛、头昏头痛、心悸胸闷、睡眠紊乱、食欲不振、腹部不适、腹泻便秘、性功能减退、怕冷怕热、易于感冒、眼部干涩等；心理方面可表现有情绪低落、心烦意乱、焦躁不安、急躁易怒、恐惧胆怯、记忆力下降、注意力不能集中、精力不足、反应迟钝等；社会交往方面可表现有不能较好地承担相应的社会角色，工作、学习困难，不能正常地处理好人际关系、家庭关系，难以进行正常的社会交往等。

（2）崩溃 是一种由于强烈的心理应激而带来的一种无助、绝望的情感体验。表现为体力与精神的极度耗损。

（3）延缓性应激反应 重大生活事件除了对健康造成即时损害外，还会产生“余波效应”，典型的如创伤后应激障碍（posttraumatic stress disorder，PTSD），指在遭遇异乎寻常的威胁性或灾难性事件后延迟出现或长期持续的精神障碍。一般在创伤事件之后数天到6个月内发病，病程多持续1个月以上。其临床表现以创伤体验复现、持续性警觉增高、持续的回避与反应麻木为主要特点，其严重程度可有波动性。

第二节 应激与健康

案例引导 4-2

案例：女性患者，50 岁，教师。2 天前全家开车外出发生车祸，丈夫和女儿在车祸中丧生，患者当即晕厥，醒来后出现目光呆滞，言语不连贯，反复念叨：“这是什么地方？”“他们不会死的，他们是和我开玩笑，想吓唬我的，他们到外面玩去了”。第 2 天情绪波动明显。时常号啕大哭，反复责备自己：“那天，我要是不让他们出门就好了。”入院后表现检查不合作，情绪激动，坐立不安，不愿意多说话。

入院诊断：急性应激障碍。

问题：应激对健康有哪些影响？对该患者，您可以从哪些方面去帮助她从创伤中恢复？

一、应激对健康的影响

心理应激是人类生活中不可回避的问题，它同人的健康有着密切的联系。这种联系是双向的：一方面心理应激可以影响人的健康，另一方面一个人的健康状况也会影响心理应激的反应强度和对应激的耐受力。

（一）心理应激对健康的积极影响

研究表明，适度的心理应激对人的健康和功能活动有积极的促进作用。这种作用至少表现在以下三个方面：

1. 适度的心理应激是个体成长和发展的必要条件

人的成长和发展包括生理、心理和社会适应三个主要部分，遗传和环境是影响成长和发展的两个主要方面。对于个体来说，适度的应激反应可以看成是身体及时调整与环境的契合关系，这种及时调整有利于体格和心理的健全，从而为未来的环境适应提供更好的身体和心理素质条件。一些研究表明，早期适度的心理应激经历可以提高个体后来生活中的应对和适应能力。心理治疗的临床经验也从相反的方面说明了这种情况，如心理应激缺失（比如被父母过度保护）的青少年由于环境适应能力较差，在离开家庭走向社会的过程中，往往容易发生适应障碍和人际关系问题。

2. 适度的心理应激是维持机体正常功能活动的必要条件

个体离不开适度的刺激，适当的心理应激对于维持人正常的生理、心理和社会功能是十分必要的。心理学的实验研究已经证明人被剥夺感觉刺激或处于缺乏刺激的单调状态下，超过一定时间限度后，会出现幻觉、错觉和认知功能障碍等身心功能损害。工业心理学中有许多关于流水线工作的研究，说明工人从事单调和缺少变化的流水线工作时，容易注意力不集中、情绪不稳定。

3. 应激有助于人类适应环境

应激反应是个体对变化着的内外环境所做出的一种适应，这种适应是生物界赖以发展的原始动力。

（二）心理应激对健康的消极影响

1. 急性心理应激

常引发较强烈的心理和生理反应，可以引起急性焦虑反应、血管迷走反应和过度换气综合征，类似于甲状腺功能亢进症、冠心病、低血糖和肾上腺髓质瘤（嗜铬细胞瘤）等的症状和体征。

2. 慢性心理应激

慢性心理应激下的人，常常感到疲劳、头痛、失眠和消瘦，可以产生各种各样的躯体症状和体征。典型综合征是“神经血管性虚弱”，患者感到呼吸困难、易疲劳、心悸和胸痛。胸痛常局限于心尖区，也常出现焦虑的情绪反应和交感-肾上腺髓质轴活动增强的征象，如心率加快、血压升高、脉压增宽和心脏收缩期杂音等心血管功能活动加强的体征。

3. 对已有疾病的影响

心理应激下的心理和生理反应，特别是较强烈的消极反应，可加重一个人已有的疾病，或造成复发。心理应激还会对已有的精神疾病造成不良影响，有调查发现，神经症患者的心理应激程度同疾病的严重程度呈正相关关系。

4. 造成机体抗病能力下降

严重的心理应激引起个体过度的心理和生理反应，造成内环境的紊乱致机体抗病能力下降，使人处于对疾病的易感状态，使体内比较脆弱的器官和系统首先受累而发病，如心身疾病。

知识链接 4-1

2001 年 9 月 11 日，恐怖分子对美国世界贸易中心和五角大楼的袭击造成数千人丧生，数万人在恐惧中逃生，或遭受丧亲之痛。据报道，约有 42.2 万人在恐怖袭击后出现了不同程度的心理障碍，主要表现为焦虑、抑郁和创伤后应激障碍。不少救援者患上了“9·11 病症”，多年来饱受身体疾病及心理障碍的困扰。

据最新统计，救援者中有 3700 人确诊罹患癌症。研究发现，曾参与救援的纽约消防局救援人员罹患肺病、甲状腺癌、结肠癌、前列腺癌和血液癌的风险远远高于普通人。

5. 引起精神心理障碍

《疾病和有关健康问题的国际统计分类（ICD-10）》与《中国精神障碍分类及诊断标

准第三版（CCMD-3）》将应激事件的反应分为三组，分别是急性应激障碍、创伤后应激障碍及适应障碍。

（1）急性应激障碍（acute stress disorder，ASD） 急性应激障碍是指以急剧、严重的精神刺激（如自然灾害、战争、亲人丧失、严重攻击、性侵犯等）作为直接原因，患者在受刺激后数分钟至数小时发病，表现有强烈恐惧体验的精神运动性兴奋或精神运动性抑制，如冲动、攻击、木僵。急性应激障碍出现与否以及严重程度与个体的人格特征、认知评价、应对方式、社会支持、当时躯体健康状态等密切相关。

（2）创伤后应激障碍（post traumatic stress disorder，PTSD） 创伤后应激障碍是由于受到异乎寻常的威胁性或灾难性心理创伤，如战争、天灾人祸、严重事故、被强暴、目睹他人惨死等，导致延迟出现和长期持续的精神障碍。几乎所有经历这类事件的人都会感到巨大的痛苦，常引起个体极度恐惧、害怕、无助感。多数患者在创伤后的数天至半年内发病，症状持续 1 个月以上，长则可达数年，严重影响社会功能。多数患者在 1 年内恢复，少数患者可持续多年不愈或转变为持久的人格障碍。

（3）适应障碍（adjustment disorder） 适应障碍是指在明显的生活改变或应激事件后，特别是生活环境或社会地位的改变，如出国、移民、离婚、入伍、患重病、退休等，个体难以适应，产生主观的痛苦体验和情绪紊乱状态。常在遭遇应激事件 1 个月起病，病程一般不超过 6 个月。患者的人格特征，易感性在发病中起着重大作用。患者的社会适应能力不强，面对新的处境，难以适应与应对，从而造成其发病。

二、应激的处理

（一）应激的应对方法

应激的应对方法涉及可利用资源及应对策略。

1. 资源

指用以处理应激的基本材料，包括个体、社会和物质资源。个体资源包括一些有助于个体处理应激的人格特点，如正确的态度、积极的情绪、坚强的意志、积极的行动等，都是有效抵御应激的重要因素。社会资源即通常所说的社会支持，它具有屏障作用，可有效保护个体免受应激的消极影响。物质资源包括个体良好的健康状况、充沛的体力，还包括实际的资源，如住房和金钱等。

2. 应对策略

如前所述，应对是个体解决生活事件和减轻事件对自身影响的各种策略。应对的分类有很多，目前被人们广泛认可的分类是分为问题为中心的应对和情绪为中心的应对两种。问题为中心的应对，是改变自己的行动，采取行动以改善人与环境的关系，努力解决问题；情绪为中心的应对，是调节自己的情绪状态，减小由外界的伤害、威胁引起的不良情绪。

（1）问题处理策略包括：①直接解决问题，许多事情之所以是应激源，是因为人们不具备解决问题的能力。当问题消失后，应激便随之消失。所以，学习具体问题的解决策略，提高解决问题的能力，是最直接的应激处理策略。例如，学生处理考试类应激的最有效方法就是牢固掌握知识，通过考试，应激即不存在。②加强社会技能，日常生活中的许多应激源由人际关系不协调引起，故加强社会技能的训练，增进团队的协作，坦诚待人，团结友爱等可大大减少源自人际关系的应激源。③寻求信息，未来处境的不确定性往往给人们造成较大应激，使用寻求信息的技能，可帮助人们最大限度地降低不确定性以及由此引发的应激。④应激监控，指个体对其身边可能出现的应激源进行监控，提前做好防范和应对工作。

（2）情绪处理策略包括：①紧张消除，是最常用的技能。紧张是应激反应最基本的表现，它甚至会持续到应激源消失后，因此消除紧张有着积极意义。主要通过理性分析、减少灾难想象、适度发泄、娱乐放松、转移注意力、寻求支持等手段进行。②认知重组，是一种十分常见的应对策略。当一个应激源无法用行为直接消除时，认知重组就成为重要的策略。其方法是改变个体对某个事件和情境的评价，从而获得新的视角和参考框架，寻找新的解决途径或态度。幽默也可看做是一种认知重组，它可让人们情绪放松和态度转变。③转移注意力，以建设性活动把注意力从痛苦思绪中转移。例如，当遇到令人沮丧的事情时，读书、参与体育锻炼或看电影等都可起到转移注意力的效果。④自我暴露或宣泄，自我暴露指向他人坦露自己的体验和感受；宣泄指释放积压的不良情绪。封闭的个体通常比较痛苦，因为他使自己远离社会支持，独自承受所有痛苦，而宣泄可有效地降低应激的情绪负荷。

（二）应激的自我调节

在日常生活中，人们总是无法回避各种各样的生活事件，如竞争、考试、疾病等，在很多情况下，应激会持续存在，无法永久解决，也无法永远回避，而过强或持久的精神紧张，会严重妨碍心身健康，个体必须加以自我调节。通常可采用以下方法：

1. 控制或回避应激源

减少应激源的刺激，是控制应激的理想方法。例如通过指导人们改变生活方式，纠正不良行为等措施，使冠心病的发病率得到明显下降，从而减少该类疾病引发的应激刺激。这充分说明减少应激源很多情况下具有可行性。另一方面，当今社会环境生活节奏快，竞争激烈，应激源比比皆是，要想彻底消除应激源是无法做到的。对某些高危人群可采用“回避”或“逃避”的方法，使其远离应激源，防止或减少脆弱人员暴露于不必的人为心理应激。例如，对高血压患者要避免与其争吵，年老体弱者避免参加遗体告别仪式等。

2. 改变认知评价

认知评价在应激过程中被看成关键因素，认知活动是建立在个人的知识、经验和思维习惯的基础上。由于事物的多维性和多变性，即使当事人知识程度很高，思维逻辑性很强，难免有时候会出现“聪明一世，糊涂一时”的情况。通过各种方法来改变当事人的认知。例如，指导心理移位、指导角色身份转换、实施他人暗示、指导自我暗示、安慰、激励技术等，使个体从消极认知转变为积极认知，从而获得积极的应对和积极的情绪。

3. 改善应对水平

指导人们提高对应激的积极应对水平，自然也就能调节应激和缓解由此而引起的不良反应。一个人的积极应对水平，和他对事物所采取的态度以及所具有的信念有密切的关系。乐观而有旺盛进取心的人，往往会有效地处理各种紧张情境。作为人的态度和信念，是长期在社会生活中受家庭、学校、社会教育的影响而逐渐形成的，形成之后，不容易改变。因此，从小就应该注意这方面的培养。在提高应对水平的同时，正确估计自己的应对能力也很重要。估计过低，使个体看不清光明的前景；估计过高，易遭受挫折，而导致失望、抑郁和沮丧，也不利于对应激做出正确的反应。

4. 寻求社会支持

作为应激可利用的外部资源，调动社会支持也是应激调节的重要一环。几乎所有处于应激情况下的人，都需要社会支持。处于危险位置时，人与人之间会显得非比寻常的友善和热情，说明人类在应激时具有天然的寻求社会支持的行为。然而，实际生活中，人们往往忽视社会支持的重要性。指导个体从单位、家庭、同事、亲友那里得到精神上或物质上的支持，对调节心理应激具有十分重要的作用。在临床工作中，不可低估患者家属、同事及医务人员对患者的支持。一个人已处于心理应激状态，除了客观支持外，还应帮助其改善主观支持和提高支持的利用度。

5. 改善个性特征

个性的调节涉及心理指导或心理治疗两途径。在心理指导方面，可以向来访者讲解，他（她）的某些人格特征，如观念方面的问题（价值观、爱情观、人生观）在其应激产生和发展中具有核心的作用，告知其因人格原因所致的“求全、完美”倾向的重要性，指导来访者进行某些积极的习惯性应对行为训练。如指导其面对“挫折”的训练，也是常用的针对人格方面的应激调节措施。在心理治疗方面，由于人格因素的相对稳定性，试图触动某些人格层面来实施应激调节，通常需要较长期的心理治疗过程。

6. 适当的运动

适度的体育运动能调节血压，改善血液循环，促进消化和吸收，平衡自主神经系统功能，还可转移个体对应激源的注意力，解除焦虑、抑郁等不良情绪。研究结果表明，经常进行体育锻炼的人，冠心病发病危险性要低得多。从松弛心身紧张，提高应对应激能力方面，适宜的运动依次是跑步、游泳、跳绳、骑自行车、步行。

7. 心理咨询

这是应对心理应激的有效方法。高血压患者可采用认知疗法、生物反馈疗法、松弛训练等，降低其紧张性。有心理危机的患者可采用支持疗法，使应激无害化。考试焦虑的学生，可采用行为疗法，放松训练，降低考前焦虑，并改善由此引起的头痛、失眠等症状。

8. 药物治疗

当个体应激反应严重，影响个体心身健康时，可针对症状，适当采用药物控制。但药物都有一定的不良反应，长期使用可成瘾或产生药物依赖性，削弱应对应激的能力。因此，一般不主张依靠药物，在不得已的情况下，谨慎使用。

第三节　心身疾病

案例引导 4-3

案例： 患者，小钟，女，海归博士，某大学教师。今年被确诊为乳腺癌。她本想尽快评上副教授、换个大房子、给孩子和父母好一点的生活……在她看来，她得乳腺癌的概率如此之小：她才 31 岁，体质很好，又刚生完孩子喂了 1 年母乳。

在住院期间，她输着氧气，还坚持在电脑上写论文。在护士对其进行心理疏导时，她说出了这一代人被物质追求压得喘不过气，生活充满了无奈、恐惧、忧虑、烦躁。

问题： 1. 试分析患者患病的可能原因是什么？

2. 此案例反映出这一代人怎样的心理生理状况？

一、心身疾病的概念

心身疾病（psychosomatic disease）又称“心身障碍”或心理生理疾病，指心理社会因素在疾病发生、发展过程中起重要作用的躯体器质性疾病和功能性障碍。心身疾病的含义有狭义和广义之分。狭义的心身疾病是指心理社会因素在疾病的发生、发展过程中起重要作用的躯体器质性疾病；广义的心身疾病则指心理社会因素在发病、发展过程中起重要作用的躯体器质性疾病和功能性障碍。

多年来，人们将疾病分为两大类，即躯体疾病与精神疾病。随着对心身关系研究的不断深入，越来越多地确认了心理社会因素在有些躯体疾病的发生与发展中的重要作用。

心身疾病具有以下几个特点：①生物或躯体因素是心身疾病发生和发展的基础，心理社会应激往往起到“扳机”的作用；②个性特征与某些心身疾病密切相关；③心理社会因素在疾病的发生、发展及预后中起重要的作用；④以躯体的功能性或器质性病变为主，一般有较明确的病理生理过程；⑤心身疾病通常发生在自主神经系统支配的器官上；⑥同一患者可有几种心身疾病存在或交替发生；⑦患者常有相同或类似的家族史；⑧疾病常有缓解和反复发作倾向；⑨心身综合治疗比单纯的生物学治疗效果好。

二、心身疾病的范围

传统的心身疾病包括消化性溃疡、溃疡性结肠炎、甲状腺功能亢进症、局限性肠炎、类风湿关节炎、原发性高血压及支气管哮喘。目前，糖尿病、肥胖症、癌症等疾病也被纳入心身疾病的范围。以下是比较公认的心身疾病分类。

（一）内科心身疾病

1. 心血管系统

原发性高血压、冠心病、阵发性心动过速、心动过缓、期前收缩、雷诺病、神经性循环衰弱症等。

2. 消化系统

胃、十二指肠溃疡、神经性厌食、神经性呕吐、溃疡性结肠炎、过敏性结肠炎、贲门痉挛、幽门痉挛、习惯性便秘、直肠刺激综合征等。

3. 呼吸系统

支气管哮喘、过度换气综合征、心因性呼吸困难、神经性咳嗽等。

4. 神经系统

偏头痛、肌紧张性头痛、自主神经功能失调症、心因性知觉异常、心因性运动异常、慢性疲劳等。

5. 内分泌代谢系统

甲状腺功能亢进症、垂体功能减退症、糖尿病、低血糖等。

（二）外科心身疾病

全身性肌肉痛、脊椎过敏症、书写痉挛、外伤性神经症、阳痿、过敏性膀胱炎、类风湿关节炎等。

（三）妇科心身疾病

痛经、月经不调、经前期紧张综合征、功能性子宫出血、功能性不孕症、性欲减退、更年期综合征、心因性闭经等。

（四）儿科心身疾病

遗尿、口齿、异食癖等。

（五）眼科心身疾病

原发性青光眼、眼肌疲劳、眼肌痉挛等。

（六）口腔科心身疾病

复发性慢性口腔溃疡、颌下关节紊乱综合征、特发性舌痛症、唾液分泌异常、咀嚼肌痉挛等。

（七）耳鼻喉科心身疾病

梅尼埃病、咽喉部异物感、耳鸣等。

（八）皮肤科心身疾病

神经性皮炎、皮肤瘙痒症、斑秃、多汗症、荨麻疹、银屑病、湿疹、白癜风等。

（九）其他

癌症、肥胖症等。

三、心身疾病的致病因素

心身疾病的危险因素涉及社会、文化、心理、生理等多个方面。

（一）社会文化因素

社会文化因素一般指人们的生活和工作环境、人际关系、家庭状况、角色、社会制度、经济条件、风俗习惯、社会地位、职业、文化传统、宗教信仰、种族观念等诸多方面。

流行病学调查显示：社会文化背景不同，心身疾病的发病情况也不同。在对美国、芬兰、希腊及尼日利亚等国的调查中，冠心病发病率从高到低的排名依次为美国、芬兰、希腊、尼日利亚。据统计，美国每年死于冠心病者高达 60 万人，占死亡者总数的 1/3 以上。1986 年美国人口死因中心脏病占据榜首，占六大死因总数的 37.6%，而在尼日利亚，连续 8000 例尸体解剖中仅发现 6 例心肌梗死，只占死亡者总数的 0.75%。处于同一社会文化背景的人群，由于地位和社会分工等的不同，心身疾病的发病率也各不相同。可见疾病的产生，绝不仅仅是生理上的原因，它的发生通常有着地域和社会文化背景的差别。

此外，工作环境如强烈的物理与化学刺激，重复、单调、枯燥无聊的工作，过长的劳动时间等都会使人产生烦躁、焦虑、失望等紧张情绪从而影响健康。生活事件也与心身疾病的发病密切相关，这一方面取决于刺激的强度、频度和时限，另一方面也取决于个人对生活事件的认知和体验。随着社会竞争力加大、生活节奏加快、矛盾冲突的增多，社会文化环境中的刺激必然会引起人类心身疾病的增多。

（二）心理因素

人们置身于社会与周围环境发生相互作用的同时，对作用于个体的大量外界信息，都会做出主观评价并采取相应的态度，产生相应的情绪体验。心理因素对躯体内脏器官的影响正是以情绪活动为中介而产生作用。积极情绪对生命活动具有积极的作用，可动员机体的潜能，以适应不断变化的环境；而消极情绪如悲伤、痛苦、恐惧、愤怒、忧郁等，虽也是适应环境的心理反应，但如强度过大或时间过久，都会使个体的心理活动失去平衡，导致神经系统功能失调，对健康产生不良影响。如果消极情绪反复出现，引起长期或过度的精神紧张，则可能产生神经功能紊乱、内分泌失调、血压持续升高等病变，从而导致某些器官、系统的疾病。人格特征影响个体的主观评价，因而影响个体的情绪反应与社会适应，进而影响个体的心身健康。

（三）生理基础

生理基础即某些心身疾病患者发病前的生理特点，它决定了个体是否易患疾病及易患疾病的种类。研究发现：一些重大灾难过后，仅少数人患心身疾病，而且所患疾病也各不相同，其原因除了个体的人格特征和行为方式外，主要取决于患者原有生理特点的差异。因此，心身疾病是生理基础和社会心理因素刺激共同作用的结果。如高血脂是冠心病的生理基础，高尿酸血症是痛风症的生理基础，高蛋白结合碘是甲状腺功能亢进症的生理基础。

四、心身疾病的治疗

（一）心理干预目标

1. 消除心理社会刺激因素

引导或帮助患者脱离某些存在刺激因素的环境以减少刺激。

2. 消除心理学病因

指导或帮助患者改变认知，矫正行为模式，从患者自身减小心理社会因素的刺激后果。

3. 消除生物学症状

通过松弛训练或生物反馈疗法等心理学技术直接改变患者的生物学过程，提高身心素质，促进疾病的康复。

（二）心身同治原则

心身疾病应采取心、身结合的治疗原则，对于具体病例则应有所侧重。对于急性发病且躯体症状严重的患者，应以躯体对症治疗为主，辅以心理治疗，而对于躯体症状已呈慢性过程的心身疾病患者，则可在实施常规躯体治疗的同时，加强心理治疗。

五、心身疾病的护理

心身疾病的护理应涉及个体的心理、生理和社会三个方面，应采取心、身结合的护理原则，寓心理护理于基础护理之中。关于心身疾病的护理，大致可以分为以下几个方面：

（一）心身疾病的基础护理

应用护理的基本理论和基本技术，满足患者的基本生活需要和心理需要。如使用药物的方法、剂量、时间应准确；改善环境因素，保证患者休养环境的安静、整洁、舒适；协调好医患、护患以及患者与患者之间的关系，消除患者的孤独感；帮助患者尽快熟悉环境，减轻患者焦虑情绪；提高患者睡眠质量等，从而提高治疗效果，促进患者康复。

（二）心身疾病的心理护理

心理护理在疾病诊治中具有不可低估的作用，良好的心理状态、社会支持可以调整机体平衡，增强免疫系统功能，利于疾病向好的方向发展。包括：对患者进行准确的心理评估；根据患者的个体情况如性别特征、年龄阶段、社会文化背景、应激状态、人格特征等有的放矢地开展心理护理；帮助患者及其家属获取社会支持；指导患者正确认识自身的个性特点，识别环境因素对自身的影响等。

（三）心身疾病的健康教育

健康教育的核心内容是通过健康信息的作用，消除和减少健康的不利因素，达到预防心身疾病、强身健体的目的。应采用多种内容、形式与方法，使患者从心理、社会、文化、精神等更广阔的领域去了解致病因素，加强自我保健意识，提高应对危险因素的能力，并指导患者改变不良的生活方式，这是预防心身疾病的基础。具体措施如指导患者规范用药与自我救护、合理膳食、适量运动、戒烟限酒、保持心理平衡、定期复查等。

六、常见的心身疾病

（一）冠状动脉粥样硬化性心脏病

冠状动脉粥样硬化性心脏病简称冠心病，是威胁人类健康最严重和确认最早的一种心身疾病，发病率呈逐年上升趋势。冠心病多见于中、老年人，其确切病因尚不十分清楚，近年来的研究发现，冠心病的发生、发展与许多生物、心理和社会因素有关，包括遗传、高血压、高血脂、吸烟、肥胖、缺少活动、A 型行为、社会关系不协调和焦虑抑郁等。

1. 生活事件

应激性生活事件是冠心病发病的危险因素之一。与冠心病有关的心理应激因素一般包括低收入、恶劣工作环境、婚姻不幸等。过分的焦虑、抑郁、持久高负荷的心理压力可诱发冠心病，引起胸闷、心绞痛、心律失常和气急等症状。

2. 社会环境与生活方式

冠心病发病率与社会结构、社会分工、经济条件、社会稳定程度有一定相关性。研究证实，社会发达程度高、脑力劳动强度大、社会稳定性差等均为冠心病的危险因素。在生活方式方面，吸烟、饮酒过量、高脂肪与高胆固醇饮食、缺乏运动、肥胖是冠心病的易感因素。

3. 人格特征

世界心肺和血液研究协会（NHLBI）于 1978 年确认 A 型行为属于一种独立的冠心病危险因素。A 型行为（type A behavior pattern）指好胜心强、雄心勃勃、努力工作而又急躁易怒，具有时间紧迫感和竞争敌对倾向等特征。也有人将A型行为类型称为“冠心病个性”。A型性格者的行为表现，促使心脏负担加重，增加心肌的耗氧量，引起心肌缺氧，促使血浆中的甘油三酯、胆固醇升高，血液黏度增加，从而加速了动脉粥样硬化的形成。

（二）原发性高血压

原发性高血压是以血压升高为主要临床表现的综合征，通常简称高血压，是最常见的慢性病之一，也是心脑血管病最主要的危险因素。原发性高血压是一定遗传背景下由于多种后天环境因素作用，使正常血压调节机制失代偿所致。其中遗传因素约占40%，环境因素约占60%，心理社会因素对其有着很重要的影响，但目前仍然没有确切的证据来阐明心理社会因素对高血压的影响机制。

1. 生活事件

有学者认为，应激与冲突多的社会中，高血压发病率高。长期慢性应激状态较急性应激事件更易引起高血压，而童年期的应激如被虐待、社会隔离、低社会经济状态等可能导致个体青春期血压偏高，这些个体未来罹患高血压的可能性高于一般人群。也有研究显示：婚姻状态作为一种生活事件或生活状态，也严重影响个体的血压水平。

2. 环境与文化因素

不同的文化背景和生活、工作环境下，人感受到的压力不同。研究表明，经常性的情绪紧张和各种应激，使大脑皮质及血管运动中枢兴奋性增高，儿茶酚胺释放过多，导致血压增高。有人对空中管制人员与空勤人员的原发性高血压患病率做了比较发现；管制人员比空勤人员的患病率高4倍，发病年龄也由48岁提前到41岁。

3. 人格特征

一般认为，原发性高血压患者的人格特征表现为求全责备、刻板主观、易激动、易冲动、过分谨慎、不善表达情绪、压抑情绪但又难以控制情绪。有研究表明，经常处于压抑或敌意的人血液中的去甲肾上腺素高出正常人水平30%以上。

（三）糖尿病

糖尿病是一种典型的内分泌系统疾病，其病因和发病机制目前尚不十分清楚。有研究表明糖尿病患者中情感障碍的发病率达12.3%，焦虑症为5.6%，进食障碍为15.2%，全部糖尿病患者的精神疾病诊断率为18.7%。

1. 生活事件

生活事件与糖尿病的代谢控制密切相关，一些糖尿病患者在饮食和治疗药物不变的情况下，可能因生活事件使得病情加剧，甚至出现严重并发症。糖尿病的发生与情绪也有密切关系。不良的情绪对糖尿病的代谢控制和病情转归会产生消极的影响。

2. 人格特征

研究发现，糖尿病患者的性格倾向于内向、被动、感情不易冲动。有人也认为糖尿病与 A 型行为有关。很多患者倾向于压抑、不愿求助与倾诉，这种消极的应对方式易产生焦虑、抑郁等不良情绪，进而通过“免疫-内分泌”机制又成为患病的诱因。

（四）消化道溃疡

消化性溃疡主要指发生于胃和十二指肠的慢性溃疡，是较早公认的常见心身疾病。人群患病率可达 10%以上。我国流行病学调查显示，有 60%~84%初患或复发的消化道溃疡患者，在症状出现前 1 周受到过严重生活事件的刺激。

1. 生活事件

与消化道溃疡关系密切的生活事件有：①严重的精神创伤，如失业、丧偶、失子、离异、自然灾害和战争等；②持久的不良情绪反应，如长期的焦虑、抑郁、孤独等；③长期的紧张刺激，如不良的工作环境、缺乏休息等。

2. 人格特征

国外有严格的对照研究发现：消化道溃疡患者具有内向及神经质的特点，表现为孤独、缺少人际交往、被动拘谨、顺从、依赖性强、缺乏创造性、刻板、情绪不稳定、遇事过分思虑、愤怒而常受压抑。消化道溃疡患者习惯于自我克制，情绪得不到宣泄，从而使迷走神经反射强烈，胃酸和胃蛋白酶原水平明显增高，易诱发消化道溃疡。

（五）支气管哮喘

支气管哮喘是严重威胁人类健康的慢性疾病。哮喘常起病于幼儿或儿童早期，剧烈的运动、恐惧、紧张等刺激均可引发儿童哮喘发作。支气管哮喘与个体遗传、性别、种族、气道高反应性等生物学特征紧密相关，研究表明哮喘的发作与心理社会因素密切相关。

1. 生活事件

生活事件是儿童哮喘的重要触发因素，常见的有母子关系冲突、亲人死亡、弟妹出生、家庭不和、意外事件、心爱的玩具被破坏、进入托儿所导致突然的环境改变引起的不愉快情绪等。此外，母亲过分溺爱与患儿哮喘发作有关。这类患儿对与母亲分离十分敏感，由哮喘获得关爱而强化，易形成“发作-恐惧-发作”的恶性循环，迁延不愈。

2. 生活方式

有研究显示，吸烟可增加男性及女性患哮喘的风险，且丈夫吸烟的女性烟民患哮喘的风险更高，被动烟雾暴露能增加儿童和年轻人群哮喘发生率至少 20%，吸烟还可以增加与某些职业性致敏物质的作用，两者具有协同作用，使得接触粉尘的工人患职业性哮喘风险明显增加。

3. 人格特征

早期的研究发现，支气管哮喘者多有依赖、被动顺从、敏感、易受暗示、希望被人照顾和自我中心等性格。

六、恶性肿瘤

恶性肿瘤是一种严重危害人类健康及生命的常见病，其发病原因尚未完全阐明，一般认为是多因素作用的结果，心理社会因素是其中重要因素之一。

1. 生活事件

国内外研究发现，癌症患者发病前的突发生活事件发生率较高，尤以家庭不幸方面的事件如丧偶、近亲死亡、离婚等最为显著。慢性应激可能通过影响神经内分泌从而影响包括恶性肿瘤的复杂性疾病的患病率。

2. 应对方式和负性情绪

研究发现，生活事件与癌症发生的关系，取决于个体对生活事件的应对方式和情绪反应。那些不善于宣泄生活事件造成的负性情绪体验者，多习惯于采用克己、压抑的应对方式，其癌症的发生率较高。

3. 人格特征

C 型人格又称为“癌症型人格”，表现为与他人过分合作，回避各种冲突，不表达负性情绪，屈从于权威，在遭遇重大生活挫折时，常陷入失望、悲观和抑郁情绪不能自拔，在行为上表现为回避、否认、逆来顺受等。研究发现，人格特征与恶性肿瘤的发生有一定的关系，尤其与 C 型人格的发生关系密切。

任务小结

应激是个体面临或察觉（认知评价）到环境变化对机体有威胁或挑战时做出适应或应对的过程。

应激的心理中涉及认知评价、应对方式、社会支持、个性特征等因素，个性特征在应激相互作用中起核心作用。

应激的心理反应包括情绪性应激反应、认知性应激反应、行为性应激反应。

心身疾病指心理社会因素在其发生、发展过程中起重要作用的躯体器质性疾病和功能性障碍。

心身疾病的危险因素涉及社会、文化、心理、生理等多个方面，既有生理基础，也有社会、文化环境及个体生活事件、应对方式、人格特征等的影响。

知识点自测

一、名词解释

1. 应激　2. 应激源　3. 社会支持　4. 认知评价　5. 应对方式

6. 一般适应综合征　7. 创伤后应激障碍　8. 心身疾病　9. A 型行为

二、选择题

1. 心理学研究表明，要取得最大的业绩，最佳的紧张度是（　　）

A. 高紧张状态　B. 低紧张状态　C. 适度紧张状态　D. 无紧张状态

E. 超紧张状态

2. 同样的应激源对于不同的个体会产生（　　）

A. 相同的反应　B. 不同的反应　C. 类同的反应　D. 积极的反应

E. 消极的反应

3. 相同应激源反应不同的原因是因为个体对于应激源的（　　）

A. 体质不同　B. 认知评价不同　C. 敏感度不同　D. 反应强度不同

E. 文化程度不同

4. 人们在遇到压力、痛苦、困境、困扰时引起自杀的主要原因是（　　）

A. 不想应对遇到的应激源　B. 已排除遇到的应激源

C. 难以应对遇到的应激源　D. 未意识到遇到的应激源

E. 想超越遇到的应激源

5. 下列关于心身疾病的说法，不正确的是（　　）

A. 生物或躯体因素是其发生和发展的基础

B. 与个性特征密切相关

C. 以躯体的功能性或器质性病变为主

D. 患者常有家族史

E. 一般没有明确的病理生理过程

6. 下列不属于心身疾病的为（　　）

A. 冠心病　B. 糖尿病　C. 精神病　D. 原发性高血压

E. 肿瘤

7. 应激反应中最常见的情绪反应是（　　）

A. 焦虑　B. 愤怒　C. 恐惧　D. 抑郁

E. 惊讶

8. 关于精神应激在精神疾病发生发展中的作用，下列何种说法错误（　　）

A. 有些精神疾病是精神应激直接引起的

B. 有些精神疾病与精神应激没有关系

C. 起病前有精神应激因素的一般预后要差一些

D. 精神应激有时会导致疾病复发

E. 创伤后应激障碍是由于应激所引起

9. 强调潜意识心理冲突导致心身疾病发生的理论是（　　）

A. 心理生理学理论　B. 学习理论　C. 心理动力理论　D. 人本主义理论

E. 行为主义理论

10. 强调心理社会因素通过各种生物学机制引起心身疾病的理论是（　　）

A. 心理生理学理论 B. 学习理论 C. 心理动力理论 D. 人本主义理论

E. 行为主义理论

三、问答题

1. 应激的心理反应有哪些？
2. 应激的心理中介因素有哪些？
3. 应激源可分为哪些种类？
4. 一般适应综合征可分为哪几个阶段？
5. 应激的行为反应有哪些？
6. 应激对健康有什么样的影响？
7. 冠心病的发生与哪些因素有关？
8. 心身疾病有哪几个特点？

实训项目

1. 李先生，47 岁，5 年前被确诊为 2 型糖尿病。确诊后，他一直注意饮食，坚持服药控制血糖，并且坚持进行锻炼。1 个月前，刘先生调到了一个新的工作岗位，他感到了前所未有的压力。尽管他依然一如既往地控制血糖，但是病情却开始恶化，不得已他住进了医院。

请你分析：

（1）李先生病情恶化的主要原因是什么？

（2）如何改善他目前的状况？

2. 说说您在成长过程中遇到了哪些应激事件，并分析这些应激事件对您产生了怎样的影响？

第五章

心理评估

内容导读

1. 掌握　心理评估的定义、特性、方法。
2. 熟悉　常用的智力测验、人格测验、心理评定量表。
3. 了解　心理评估者应具备的基本素质。

运用心理评估的理论和技术，能够帮助护士了解患者在认知、情绪、行为、人格等方面存在的心理问题，以及评估心理护理的效果，实施更有效的心理护理。

第一节　心理评估概述

案例引导 5-1

案例： 徐某，男，高三学生，学习成绩中等，理科科目成绩较好，文科科目成绩欠佳。现高考结束，分数可以上第二批次录取学校。父亲认为其应该学机械、电子等专业，母亲认为其应该学地理、师范等专业，其本人希望学习物理专业。现与家人一起来心理咨询，希望了解考生的优势能力和适合的专业。

问题： 如果您是心理咨询师，您将如何评估徐某的心理能力？您将给他什么样的建议？

一、心理评估的概念

心理评估是指运用多种方法获得信息，通过这些信息对评估对象的心理品质或状态进行客观的描述和鉴定的过程。临床心理评估，是指将心理评估的通用理论和方法运用于临床，以临床患者为主要评估对象，评定和甄别患者心理状态的一系列应用性评估手段和技术。心理评估具有以下不同的特性：

（一）间接性

心理评估的对象是心理品质或状态，它们都是内在的，必须通过评估对象既往行为记录、现时外显行为或言语反应等来间接地反映内在的心理状态。因此，心理评估具有间接性。

（二）相对性

由于心理现象的复杂性和不稳定性，心理测验分数等评估结果受到评估对象、评估者、评估工具、评估过程等多方面的偶然因素影响。因此，准确性与客观性都是相对的。

（三）互动性

心理评估对象是人，在不同时间、不同情境下可能有很大的变化。评估过程中评估者的言行举止和喜怒哀乐都影响评估对象后续的表现。反过来，评估者也难免受评估对象的特殊举动的影响。处理不当，评估过程的互动性会影响结果的真实性。

因此，要对心理现象做出科学、准确的评估不是一件容易的事，良好的专业知识、评估经验、人际交往技能均有助于提高心理评估的功效。只有了解心理评估的间接性、相对性和互动性的特性，才能对评估结果有比较清醒的认识，所推出的结论才可能更接近于实际。

二、心理评估的常用方法

心理评估方法众多，其方法主要如下。

（一）调查法

通过晤谈、访问、座谈等方式获得资料，并加以分析研究，了解被评估者心理特征的一种研究方法。调查法包括历史调查和现状调查。历史调查主要包括档案、文献资料和向了解被评估者过去的人调查等。现状调查主要围绕与当前问题有关的内容进行。调查对象包括被评估者本人及其周围的知情人。调查法还可采用调查问卷进行。调查法的优点是可以结合纵向与横向两个方面的内容，广泛而全面，短时间内可收集大量资料。不足之处是调查法耗时耗力，所获得信息的真实性易受被调查者主观因素的影响。

（二）观察法

观察法是心理学研究中最基本的方法，也是心理评估的基本方法之一。是指研究者根据一定的研究目的、研究提纲或观察表，用自己的感官和辅助工具去直接观察被研究对象，从而获得资料的一种方法。观察内容有：仪表，如穿戴、举止、表情等；身体形态，如胖瘦、高矮及其他特殊体形等；人际沟通风格，如大方或尴尬、主动或被动、容易接触或难接触等；言语，如语音语调、表达能力、流畅性、中肯、简洁、赘述等；动作方面，如刻板、怪异等；在交往中表现出的兴趣、爱好、对人对己的态度；在困难情境的应付方式等。

（三）会谈法

会谈法也称作“晤谈法”，是心理评估常用的方法之一，其基本形式就是评估者与来访者进行面对面的语言交流，以了解来访者心理特征方面的资料。会谈的形式包括自由式会谈和结构式会谈两种。前者是开放式的谈话，气氛轻松，被评估者较少受到约束，可以自由地倾诉自己的思想和感情，从而容易掌握患者的真实体验和对评估有用的资料，但这种方式耗时长，容易铺开面太广，获得的信息可能太繁杂，重点不突出，难以总结分析。后者根据特定的目的，预先设计好一定的程序和结构，编制出会谈的提纲和问题表，然后向当事人提出问题，让其回答。这种方式有固定的程序，谈话内容有所限定，重点突出，比较好操作，能够在短时间内收集到比较系统的资料，因而效率较高。缺点是比较呆板，被访问者容易感到被审问而机械应对，或感到被狂轰滥炸而随口作答，信息容易失真。在实际工作中，将两种方式结合起来效果会更好。

（四）作品分析法

“作品”是指被评估者所做的日记、书信、图画、工艺品等，也包括在生活劳动过程中所做的事和其他物品。这些“作品”反映了被评估者的心理特征、心理发展水平、行为模式及当时的心理状态。通过分析这些“作品”可以有效地评估其心理水平和状态。

（五）测验法

在心理评估中，心理测验占有十分重要的地位。从心理测量学意义上来讲，心理测验是测量一个行为样本的系统程序，即通过观察少数具有代表性的行为或现象来量化描述人的心理特征。由此可知，心理测验是对心理现象的某些特定方面进行系统评定，并且采用标准化、数量化的原则，所得到的结果参照常模进行比较，避免了一些主观因素的影响。心理测验的应用范围很广，种类也十分繁多。在医学领域内所涉及的心理测验内容主要包括器质性和功能性疾病的诊断中与心理学有关的各方面问题，如智力、人格、特殊能力、症状评定等。目前，人们对心理测验的应用与解释尚有许多不足之处，对此我们应有清醒的认识，不可滥用和夸大测验的作用，而应在一定范围内结合其他资料正确发挥心理测验的作用。

第二节　心 理 测 验

案例引导 5-2

案例：李某，男，大二学生，计算机专业，学习成绩优异。其自诉从中学以来，就觉得自己不合群，喜欢一个人独处，与同学们在一起没什么共同语言，喜欢一个人钻研科学问题。在宿舍里也从不参与室友们的娱乐活动和闲聊，认为是浪费时间。对班级集体活动也没有兴趣，认为很多人在一起很吵闹，没有意思。没有谈过恋爱，也不打算谈恋爱，自称对异性没有兴趣。近期因为作息时间和同宿舍人发生矛盾冲突，班主任建议其做心理测验。

问题：如果您是学校的心理咨询师，您打算给患者做哪些心理测验？您认为李某有心理问题吗？您会给他什么建议？

一、心理测验概述

（一）心理测验的定义

关于心理测验（psychological test）有许多种定义，美国心理学家布朗（F. G. Brown）指出："测验是测量一个行为样本的系统程序。"即心理测验是指通过观察人的少数有代表性的行为，对贯穿在人的全部行为活动中的心理特点做出推论和数量化分析的一种科学手段。

（二）心理测验的基本要求

一个有效的心理测验，不管它是什么类型的测验，都必须具备以下几个基本要求。

1. 标准化

测验的标准化是指测验的编制、实施、记分及测量分数的解释的程序的一致性，是一个系统化、科学化、规范化的过程。标准化的首要前提是所有接受测量的个人实施相同的或等值的测验内容。测验内容不同，所得的结果便没有可比较的基础。其次是测验条件的标准化，是指所有接受测量的个人必须在相同的施测条件下接受测验，包括相同的测验情景、相同的指导语、相同的测验时限。第三是评分记分的原则和手续经过了标准化。

2. 常模

是指测验的参照分数，是解释测验结果的依据。心理测验的常模是通过标准化的程序建立起来的。比较常见的几种常模有年龄常模、百分等级常模、标准分常模等。用于测验时，要根据实际需要选用适合的常模。

3. 信度

是指测验的可靠性或可信性程度，它是心理测验稳定性水平的表征。没有信度的测验量表，就好比一把橡皮筋尺，测验的结果会随着测验者掌握的松紧不同而变化，人们无法了解其正确与否。因此，一个可靠的测验必须具有较高的信度。

4. 效度

是指测验的准确性或真实性程度，它是心理测验能否确实测到其所要测的心理特质的程度。如果一个测验测得的不是所要测的东西，就无法解释测验结果的真实意义，就不能说这个测验是有效的测验。

（三）心理测验的种类

心理测验有很多种分类，常见的有以下几种分类，同一个测验采用不同的标准，可能归为不同的种类。

1. 按测验的功能分类

（1）能力测验　能力测验又分为普通能力测验与特殊能力测验。前者即通常说的智力测验，后者多用于测量个人在音乐、美术、体育、机械、飞行等方面的特殊才能。

（2）成就测验（也称学业测验）　主要用于测量个人或团体经过某种正式教育或训练之后对知识和技能掌握的程度。因为所测得的主要是学习成绩，所以称作成就测验或学业测验。最常见的是学校中的学科测验。

（3）人格测验　主要用于测量性格、气质、兴趣、态度、品德、情绪、动机、信念等方面的个性心理特征，亦即个性中除能力以外的部分。

2. 按测验的对象分类

（1）个别测验　指每次测验过程是一对一形式进行的，即每次仅一位受测者，通常是由一位主测者与一位受测者在面对面的情形下举行。其优点在于主测者对受测者的行为反应有较多的观察与控制机会，尤其是在某些人（如幼儿及文盲）不能使用文字而只能由主试者记录其反应时。缺点是时间不经济，不能在短时间内收集到大量的资料，而且个别测验手续复杂，主测者需要较高的训练与素养。如“韦克斯勒智力量表”和“洛夏墨迹测验”。

（2）团体测验　是指在同一时间内由一位主测者（必要时可配几名助手）对多个受测者进行测验。可以在短时间内收集到大量个体的资料，因此在教育上被广泛采用。团体测验的缺点是受测者的行为不易控制，难以观察个体测试时的行为反应，容易产生测量误差。

二、常用的几种心理测验

（一）智力测验与评估

1. 智力与智力单位

关于智力，至今还没有一个公认的定义。一般认为智力是各种认知能力的综合表现，它包括观察力、记忆力、注意力、想象力和思维力，而抽象思维能力是智力的核心。智力单位是在智力测验中衡量智力高低的尺度，用它来表示智力测验的结果，通常用智商（intelligence quotient，IQ）来表示。智商概念的提出及其发展有一个过程。比奈首先提出了智龄的概念，然后在此基础上产生了比率智商概念。为了克服比率智商的缺点，随后又产生了目前在智力测验中广泛使用的离差智商概念。

（1）智力年龄（简称智龄，mental age，MA）　是指智力达到某一个年龄水平。比奈认为，儿童的智力是随着年龄的增长而增长的，每一个年龄的智力可用该年龄大部分儿童能通过的智力作业题来表示。

（2）比率智商　是智力年龄与实足年龄两者的比率，表示一个人在智力发展上同其他同龄人相比时的相对数量，因而能表示一个被试智力发展的速率和聪明程度。比率智商的计算公式为：智商（IQ）=智龄（MA）/实龄（CA）×100。比率智商有一定的局限性，因为它是建立在智力水平与年龄成正比的基础上的，实际上智力发展到一定的年龄后稳定在一定的水平，呈平台状态，此后随着年龄的增长智力开始下降。因此，比率智商适用的最高实际年龄在15~16岁。

（3）离差智商　为了解决上述问题，韦克斯勒提出了离差智商。它表示的是被试的成绩偏离同年龄组平均成绩的距离，它是用统计学中的均数和标准差计算出来的。每个年龄组IQ均值为100，标准差为15。计算公式为：智商=100+15（X-M）/SD。其中X为被试的成绩，M为样本成绩的均数，SD为样本成绩的标准差。离差智商克服了比率智商受年龄限制的缺点，已成为通用的智商计算方法。

2. 几种常用的智力测验

（1）韦氏智力测验　是由美国的心理学家大卫·韦克斯勒（D. Wechsler）编制而成，被国际心理学界公认是较好的量表之一，也是目前世界上应用最为广泛的智力测验量表。韦氏智力量表的主要特点是在一个量表中分若干个分测验，每一个测验集中测量一种智力功能。韦氏量表有三个版本：①韦氏成人智力量表，源于1939年编制的Wechsler-Bellevue量表（W-B1），最新使用的是1980年修订本（WAIS-R），适用于16岁以上的成人；②韦氏儿童智力量表，1949年编制，1974年重新修订，称为韦氏儿童智力量表修订版（WISC-R），适用于6~16岁的学龄儿童；③韦氏学龄前智力量表，1963年编制，1967年修订（WPPSI-R），适用于4~6.5岁的儿童。以上三个量表互相衔接，可以对一个人从幼年到老年的智力情况进行测量。20世纪80年代以来，我国学者龚耀先、林传鼎、张厚粲等分别对三个量表进行了修订。

韦氏智力测验的内容如下：

知识测验：由一些常识性的问题所组成。主要测量人的知识和兴趣范围及长时记忆力，一般学习与接受能力，对材料的记忆能力和对日常事务的认识能力。

领悟测验：由一些有关社会价值观念、社会习俗的理解等问题组成，要求被试者对某一事件说明为什么，或解释在某些情况下应该怎么做。主要测量被试者的社会适应和道德的判断能力。

背数测验：也称数字广度测验。根据背数的长度，可以测量一个人的短时记忆力和注意力。

相似性测验：找出两个物体（或两个名词）的共同点，并用适当的语言表述出来。通常给被试一些成对的词，每对词表示的事物均有一些共同点，要求被试者对共同的地方进行概括，以测量人的抽象思维和概括能力。

算术测验：由一些难易不同的应用型算术题所组成，用心算的形式迅速回答出各题的答案。主要测量数的概念、数的操作能力、集中注意力和解决问题的能力。

词汇测验：给一些词下定义，主要测量人的词语理解能力和词义表达能力，还能测出理解和掌握知识的广度。

填图测验：由一些图片组成，每张图片上的图画均有一处缺笔，要求被试者将这个缺笔的名称和部位找出来。主要测量人的视觉辨别能力，对构成事物要素的认识能力及推理和观察能力。

积木图案：由 9 块 2.54cm（1 英寸）的正立方体积木块组成，其中每个立方体有两面是红色的，两面是白色的，其余两面是红白各半的，另外备有 10 张图案卡片。测验时让被试者根据每次呈现的图片，用积木块在规定的时间内拼出来。主要测定人的空间知觉及视觉分析综合能力。

拼物测验：将一些物体的碎片复原。测量人的想象力，处理局部与整体关系的能力，概括思维能力、知觉组织力和辨别力。

图片排列：要求被试者将一些随机排列的图片重新排列，调整无秩序的图片为有意义的序列。测量人的逻辑联想、知觉的组织能力及思维的灵活性。

数字符号：用 9 个符号代表 9 个数字，测验时要求被试在规定的时间内在每一个数字的下面标出相应的符号。主要测量一般的学习能力，视觉-运动的精细动作、操作速度及知觉辨别能力。

迷津测验：由一系列迷津图组成，要求受试者在规定时间和允许的错误内完成，错误数目少将得到高分。该测验测量儿童行动的计划性和知觉组织能力，以及视觉-运动的协调能力。

几何图形：要求儿童准确地临摹一系列几何图形。该测验测量了儿童的感知觉、视觉-运动组织能力，也测量了儿童的心理和运动功能的发展水平。

视觉分析测验：要求儿童在 6 张图片中找出 1 张与刺激图完全一样的图。主要测量儿童视觉感知、辨别能力。

动物下蛋测验：用不同颜色的弹子代表不同的动物，要求儿童按照规则在每一个动物下面的洞内放入相应颜色的“蛋”（弹子），儿童完成时间越快，并且错误和遗漏越少，得到的分数就越高。该测验主要测量儿童视觉-运动速度和协调能力，短时记忆和注意力。动物下蛋测验还测量儿童的学习能力。

韦氏智力测验属于个别测验，其测验的实施方法按手册规定将各分测验项目逐一进行。各项记分方法按手册规定操作。一个分测验的各个项目得分相加，称为该测验的粗分（原始分），而后按手册上相应项目用表换算成量表分。根据测验成绩按常模最后可换算成言语智商（VIQ），操作智商（PIQ）和全量表智商（FIQ），韦氏智商等级及分布情况见表 5-1。

表 5-1　韦氏智商等级分布

智商	智力等级	人口中理论百分数
130 及以上	非常优秀	2.2
120~129	优秀	6.7
110~119	中上	16.1
90~109	中等	50.0
80~89	中下	16.1
70~79	临界	6.7
69 及以下	智力缺陷	2.2

（2）斯坦福-比奈智力测验　斯坦福-比奈量表（Stanford Binet scale）是美国斯坦福大学的特尔曼教授对比奈-西蒙量表进行多次修订而形成的智力测验量表。在斯坦福-比奈量表中，特尔曼教授结合美国的实际情况，将原来的不适当项目进行了修改，又增加了一些新项目，使原来的量表项目增加至 90 项。在内容方面，在原有文字测验的基础上，又增加了一些动手操作的非文字测验，从而扩大了量表的使用范围。同时还对每个项目的施测规定了详细的指导语和记分标准，使该量表标准化水平大大提高。此外，特尔曼教授第一次用智商（比率智商）来表示智力的相对水平。智商的应用使人们有了判断聪明程度的相对指标，使不同年龄的人的智力水平可以进行比较，这是智力测验史上具有重大意义的事件（表 5-2）。

表 5-2　斯士福-比奈智力量表各分测验的功能（第 4 版）

能区域分测验	适用年龄（岁）	主要功能
言语推理能区		
词汇测验	2~23	测量词汇量，言语发展水平
领悟测验	2~23	测量所掌握的实用知识，评价和应用既往经验能力，社会成熟
找错测验	2~14	测量视觉观察、注意和社会理解能力
词分类测验	12~23	测量言语抽象概括能力
抽象/视觉推理能区		
模型分析	2~23	测量空间逻辑推理和抽象概括能力
复制图形	2~13	测量视觉运动能力和眼-手协调性
矩阵推理	7~23	测量感知觉推理能力
纸的折剪	12~23	测量视觉空间感知、综合能力
数量推理能区		
数量分析	2~23	测量数概念和心算能力
数字系列	7~23	测量数理推理和注意力
等式建立	12~23	测量数理推理、数字操作和计算能力

续表5-2

能区域分测验	适用年龄（岁）	主要功能
短时记忆能区		
串珠记忆	2~23	测量短时视觉记忆
句子记忆	2~23	测量短时听觉能力、回忆和注意力
数字记忆	7~23	测量短时听觉记忆和心理转换能力
物体记忆	7~~23	测量短时视觉记忆、回忆和注意力

我国陆志韦先生于1937年修订了1916年版本的斯坦福-比奈量表，1986年吴天敏教授根据陆志韦先生修订本再做了修订。斯坦福-比奈量表最初为预测儿童学习能力而编制，因此该量表一直在教育上使用较多。

（3）格塞尔发展量表（Gesell development scale） 由美国耶鲁大学格塞尔及其同事于1940年发表，是国际上公认的优秀量表。格塞尔是婴幼儿智力测验的创始人，他根据对小儿10年的系统研究，认为婴幼儿的行为发展是一个有次序的过程，反映了神经系统的不断成长和功能的不断分化，因而可以把每个成熟阶段的行为模式作为智能诊断的依据。他将小儿在动作、顺序、言语和社会应答四个方面的表现与正常儿童的顺序对照，便得到在每一方面的成熟年龄（即发展年龄），并可求得出每一方面的发育商，计算公式为：发育商（DQ）=发展年龄/实际年龄×100。

由于DQ提供了发育速率的指标，因此对临床诊断有相当大的价值，如果各方面的DQ均低至65~25，说明发育严重落后。格塞尔量表中只有少数项目是对儿童进行测验，多数是通过直接观察儿童对标准化玩具或其他刺激物的反应来收集资料，并把母亲提供的信息作为补充。修订后的量表适用于0~6岁儿童。

3. 适应行为测验

（1）适应行为（adaptive behavior） 是指个体有效地应对和顺应自然环境和社会环境的能力，实际上是指社会适应能力，包括个体自己独立生活和维持自己的生活，以及满足个人和社会所提出的文化要求的能力。适应行为量表发展较智力测验要晚，它作为能力测验的补充，是诊断智力低下的必要条件之一。智力测验与适应行为量表一起，能较全面地评估人的智能，但两者不尽相同，前者主要是在实验条件下测量个体的学习能力，后者侧重于评定个体在正常社会环境中的生存能力。适应行为量表属于能力评定，不仅用于智力低下的诊断、分类、训练及特殊教育领域，也用于其他人群，尤其是问题儿童的行为发展的研究。

（2）常用适应行为量表 ①美国智力缺陷协会（American Association on Mental Deficiency，AAMD）编制的适应行为量表，于1969年发表，分两个版本，分别用于13岁以下和13岁以上，适应能力划分为6个水平。②儿童适应行为量表，由姚树桥、龚耀先根据AAMD适应行为量表修订、编制，分城市和农村两个版本，全量表包含感觉运动、生活自理、语言发展、个人取向、社会责任、时空定向、劳动技能和经济活动等 8 个分量表，适用于 3~12 岁小儿。测评结果以适应能力商数（ADQ）表示，也可求出 8 个分量表的百分位数。ADQ 分级为极强（>130）、强（115~129）、正常（85~114）、边界（70~84）、轻度（55~69）、中度（40~54）、重度（25~39）、极重度（<25）。③成人智残评定量表，由龚耀先和解亚宁等于 1986 年编制，适用于 16 岁以上年龄，向下可降至 13 岁少年。量表包括生活能力、学习或工作能力、时空和人事定向能力及社会交往能力四个分量表。适应能力结果分为正常、轻度低下、中度低下、重度低下、极重度低下五个等级。

（二）人格测验与评估

1. 人格测验

人格测验又称个性测验，是测量一个人在一定情景下，经常表现出来的典型行为反应。

2. 人格测验的分类

从测验方法上划分，人格测验可分为两大类，一类为结构明确的自陈量表，另一类为结构不明确的投射测验。①自陈量表：一般采用经过标准化处理的问卷。量表的结构明确，编制严谨。测试题目含义明确，包括很多社会生活的具体方面问题。②投射测验：这类测验所用的刺激多为意义不明确的图形、墨迹或数字，让受测者在不受限制的情境下，自由地做出反应。根据反应结果来推断其人格。其原理是个体面临不明确的刺激时，往往会把自己的思想、态度、愿望、情绪等个人特征投射到外界事物，从而反映出个体的内部人格特质。

3. 几种常用的人格测验

（1）明尼苏达多相人格测验（Minnesota multiphasic personality inventory，MMPI） 是由美国的明尼苏达大学的心理学家哈撒韦（Halthaway SR）和精神科医师麦金利（Mackinley）编制的。至目前为止，无论是临床应用的频率，还是科研使用的数量，MMPI 都名列前茅。MMPI 共 566 道题目，组成了 10 个临床量表和 4 个效度量表。

效度量表：①L 量表（lie scale 说谎量表）。L 量表由 15 道题目组成，高分者具有防御、天真、思想单纯的倾向，希望别人把他看得更好，这种人难以打交道，俗气，思想和穿戴都比较单纯；低分者过于老实谨慎、冷淡成熟。②F 量表（fake bad 诈病量表）。F 量表共有 64 题，测量任意回答的倾向。看被试是否故意装病或漫不经心。高分者可能对提问的项目有错误的理解、对测验不合作、故意让别人把自己看得不好，或者是精神分裂症；低分者具有诚实、温和、可信赖的优点，具有正直、单纯、兴趣狭窄等人格特征。③K 量表（correction scale 修正量表）。回答问题时有过分防御或不现实的倾向，即故意的装好或装坏，共有 30 题，用以测定被试对测试是否有隐瞒和防卫。高分者可能是拒绝承认症状，或是缺乏自知，容易害羞，属于遵纪守法的人；低分者可能是故意装坏、对自己的生活环境持消极态度、处境不佳、无自制力、寻求别人的帮助又怀疑别人，也可能是同性恋患者。④Q 量表（无法回答量表）。该量表分数高，说明是在回避问题。如果原始分数>30 分，则临床量表就不可信。

临床量表：①疑病量表（Hs）。由 33 道题目所组成，内容均与身体的功能状态有关。高分者具有比普通人更关心和担心自己身体健康的倾向，具有忧郁、悲观、自怜等性格特征；低分者都很乐观，有洞察力、机敏、责任感强。②抑郁量表（D）。由 66 个题目构成。高分者抑郁、沉静、消极、冷淡、有自罪感；低分者活泼、自信、乐观。③癔症量表（Hy）。由 60 个题目所组成，测量患者有无癔症性格，高分者有心理问题躯体转换的倾向，患者幼稚、缺乏自制力；低分者不爱交际，较现实、理智，对人不信任。④病态人格量表（Pd）。共 50 题，用以测量有无精神病的表现或反社会行为。高分者不愿意受世俗的约束，有反社会的行为，不诚实；低分者严于律己、刻板、迎合社会习俗。⑤男子气或女子气量表（Mf）。男性，高分者有女性性格，如被动、爱想象、敏感；低分者为男性性格，好冒险、能忍耐、从容。女性：高分者有男性性格，如好支配人，自信、主动；低分者为女性特征，贤妻良母型。⑥偏执人格量表（Pa）。共 60 题，由描述多疑、敏感、被害妄想者的行为特征的语句所组成，以测验有无上述心理状态。高分者敏感多疑、思维混乱；低分者不多疑，有广泛的兴趣，能与人合作。⑦精神衰弱量表（Pt）。共 48 题，高分者表现为不安定、心胸狭窄、缺乏判断力、紧张、神经过敏；低分者宽大、有通融性，很自信。得分非常高者，常有强迫症嫌疑。⑧精神分裂量表（Sc）。共 78 题，高分者冷淡、安静、孤独，极高分者可能为精神分裂症；极低分者情绪稳定、乐观、顺从、有责任感。⑨躁狂症量表（Ma）。共 46 题，高分者狂热、情绪不稳定；低分者冷淡、稳重、消极。⑩社会内向量表（Si）。共 70 题。高分者表现内向、胆小、退缩、不善社交、容易屈服、过分的自我控制，男性伴抑郁、精神运动迟滞，对个人的身体状况考虑过多，并有不善于和异性相处的特点；低分者无上述弱点，如分数极低，表示被试外向，活动力很强，智慧、机敏，并可能有稚气、冲动或自我放纵。

（2）卡特尔 16 项人格因素问卷（Cattell 16 personality factors inventory，16PF）　是卡特尔根据人格特质学说，采用因素分析方法编制而成。卡特尔认为 16 个根源特质是构成人格的内在基础因素。测量某人的 16 个根源特质即可知道其人格特征，各因素的名称及分数高低的意义，见表 5-3。除了以上 16 项因素之外，得出 8 个应用因素，其中 4 个次人格因素是：①适应与焦虑性；②内向与外向性；③感性用事与安详机警性；④怯懦与果断性。另外 4 个为实际运用的人格因素：①心理健康者的人格因素；②从事专业而有成就者的人格因素；③创造力强的人格因素；④在新环境中有成长能力者的人格因素等。16PF 主要目的是确定和测量正常人的基本人格特征。

表 5-3　16PF 的因素名称、结构及其意义

因素	意义	
	低分者特征	高分者特征
乐群（A）	缄默孤独	乐群外向
聪慧（B）	迟钝、学识浅薄	聪慧、富有才识
稳定（C）	情绪激动	情绪稳定
恃强（E）	谦顺、顺从	好强、固执
兴奋（F）	严肃、审慎	轻松、兴奋
有恒（G）	权宜敷衍	有恒负责
敢为（H）	畏惧退缩	冒险敢为
敏感（I）	理智、注重实际	敏感、感情用事
怀疑（L）	信赖、随和	怀疑、刚愎
幻想（M）	现实、合乎成规	幻想、狂放不羁
世故（N）	坦率天真	精明能干、世故
忧虑（O）	安详、沉稳、自信	忧虑、抑郁、烦恼
实验（Q1）	保守、服从、传统	自由、批评、激进
独立（Q2）	信赖、随群附众	自立、当机立断
自律（Q3）	矛盾冲突、不识大体	知己知彼、自律严谨
紧张（Q4）	心平气和	紧张困扰

（3）艾森克人格问卷（Eysenck personalilty questionnaire，EPQ）　是英国著名心理学家艾森克夫妇于 1952 年编制，分儿童和成人两种。儿童问卷适用于 7～15 岁的儿童少年，成人问卷适用于 16 岁以上年龄。我国有龚耀先和陈仲庚修订的两种。成人问卷分别为 88 个和 85 个项目，以“是”或“否”回答，测试时让被试根据自己的情况回答。问卷有四个分量表（即 E、N、P、L），各分量表的意义为：①E 量表。测定外向-内向（extraversion-introversion）维度。分数越高表示人格越外向，好交际、喜欢热闹的场合、渴望刺激和冒险、情绪易冲动。分数越低越内向、沉静、不合群、富于内省、生活和工作严谨而有规律。②N 量表。测定神经质（neuroticism），系情绪稳定性量表。分数高表示焦虑、紧张、易怒、可伴有抑郁、情绪易激惹而不稳定，甚至出现不理智的行为。分数低表示情绪反应缓慢而平稳，不易激惹。③P 量表。测定精神质（psychoticism），为精神病倾向量表，又称倔强性。它在所有人身上都存在，只是程度不同。分数高者孤独、不关心他人、社会适应差、行为古怪，常常寻衅搅扰。④L 量表。测定说谎（lie）、掩饰、自我保护程度及纯朴性、社会成熟水平。同时，它本身也代表一种稳定的人格倾向。如果 L 分过高，提示测量的可靠性较差。为了说明人格维度之间的关系并提供更多的信息，还可将 E、N 交叉绘出直角坐标系，得出四个象限，每一象限分别与四种气质类型相对应。艾森克对人格特质的观点，为许多心理学家所接受。EPQ 具有题目少，耗时少，简明易做的特点，目前已

广泛地应用在心理学的研究、医学、司法、教育人才的测评与选拔上。

(5) 洛夏墨迹测验 (Rorschach inkblot test, RIT) 由瑞士心理学家洛夏 (Rorschach) 1921 年设计出版，目的是为了临床诊断，对精神分裂症与其他精神病做出鉴别，也用于研究感知觉和想象能力。1940 年以后，洛夏测验才被作为人格测验在临床上得到了广泛应用。该测验的价值在于能够了解人格结构和动力系统，是适用于成人和儿童的优秀的人格投射测验。测验材料为 10 张对称的墨迹图片，其中 5 张浓淡墨色，2 张浓淡墨色加红色玫瑰色，3 张彩色（图 5-1）。进行测验前先向受试者交代测验方法，再出示这 10 张卡片，由被试回答墨迹像什么，可以是整体，也可以是局部。对受试的回答，要做详细记录，并记录下对每一图片回答时间及完成此测验所用的全部时间。受试者不愿作答时，主试应尽量鼓励他回答，如实在不能回答再换第二张图片。全部图片都看完了以后，要受试从第一图的第一个回答起，要他解释回答的内容，是指图的哪一部分，为什么说它像这个，并将所指部位和回答的原因均记录下来，这一阶段称询问阶段。然后进行结果分析和评分。美国 Exner J 于 1974 年建立了洛夏测验结果综合分析系统。目前常用于正常和病理人格的理论和临床研究。

图 5-1　洛夏墨迹测验图

(6) 主题统觉测验 (thematic apperception test, TAT) 是由美国哈佛大学摩根 (C. D. Morgan) 和默里 (H. A. Murry) 于 1935 年编制。测验材料为 30 张含义不明确的人物图片（其中有 1 张为白卡），有些是共用的，有些分别适用于不同的性别和年龄。它没有统一的记分方法，对回答的分析重质不重量，主要看其心理倾向。每个测验用 20 张图片，分 2 次测量，每次做 10 张。测验时 1 次取 1 张呈现给被试，要求他根据图片的内容讲一个故事。故事必须包括以下内容：①图中主角以前发生了什么事；②现在发生了什么；③他感到如何；④结局会怎样。第二次测验时要求被试将故事讲得更生动形象并带有戏剧性，然后再出示一张空白卡片，让被试想象上面有图画并根据“图画”的内容来讲故事。很多测验者认为，患者讲述的故事反映了他的隐秘的需要、情绪、矛盾冲突及感受到的外界压力，并从上一张图片到下一张中表现出一致的主题。被试者会不知不觉地把自己内心的冲突和愿望由故事中的人物和行为泄漏出来，即把个人的心理活动投射到故事中去，主试者可以根据故事评定被试者的性格。

第三节　临床常用的心理评定量表

案例引导 5-3

案例：王某，男，14 岁，自小受循规蹈矩和很传统的父亲的教育，要求他做个好孩子。上课时遵照老师的要求将双手放到课桌上，自己克制尽量不变换姿势。见到姐姐穿的衣服露脐，批评她这样不文明，控制自己不看女孩子的身体。自去年开始出现反复洗手，晚上入睡前还要下床反复检查自来水是否关好。自觉没有必要，但就是控制不住地要反复做。

问题：你认为患者心理问题的程度如何？你打算给患者做什么心理评定量表？

评定量表的发展是心理健康研究方法中最重要的进展之一，在临床心理学工作实践中应用评定量表可以使研究具有客观性、可比性和可重复性。临床评定量表的形式一般与心理测验并无显著不同，但是对评估者的要求一般没有心理测验人员那样严格。

一、情绪与症状评定量表

（一）90 项症状自评量表（symptom check list 90，SCL-90）

1. 简介

90 项症状自评量表包括 90 个项目，共 10 个症状因子，即躯体化、强迫症状、人际关系敏感、抑郁、焦虑、敌对、恐怖、偏执、精神病性等。该量表主要用来衡量患者的自觉症状和严重程度。由于该量表评定的结果有较高的真实性，与其他自评量表相比具有内容多、反映症状丰富、能准确地刻画患者的自觉症状等特点，并能较好地反映患者病情的严重程度及变化，在国内心理健康调查研究中被广泛使用。评定时间范围是“最近 1 周”或“现在”。它的每一个项目均采取 1~5 级评分：

1 级：无，自觉无该项症状（问题）。

2 级：轻度，自觉有该项症状，但发生的并不频繁、严重。

3 级：中度，自觉有该项症状，其程度为轻度到中度。

4 级：相当重，自觉常有该项症状，其程度为中度到严重。

5 级：严重，自觉常有该项症状，其频率高，程度重。

2. SCL-90 的计分和解释

①总分（总严重指数 GSI）：将 90 个项目的各单项得分相加，得到的便是总分。②总均分：等于总分除以 90，是反映被试心理健康综合水平的总指标。③阴性项目数：表示患者“无症状”的项目有多少。④阳性项目数：表示患者在多少个项目中呈现“有症状”。⑤阳性项目均分：阳性项目均分 =（总分-阴性项目数）/阳性项目数，表示每个“有症状”项目的平均得分，从中可以看出该患者自我感觉不佳的一些项目的症状严重程度。阳性项目数和阳性项目均分是反映被试心理障碍及其严重程度的指标。⑥因子分：等于组成某一因子的各项目总分除以组成某一因子的项目数。SCL-90 有 10 个因子分，每一类反映患者的某一方面的情况，因此从因子分中可以了解到患者的症状分布特点及患者病情的具体演变过程。凡是符合下列条件之一的，均视为阳性，即心理健康状况异常：SCL-90 总分>160；任何一项因子分≥2；阳性项目数>43。

（二）抑郁自评量表（self-rating depression scale，SDS）

SDS 是由 Zung 于 1965 年编制的。主要用于衡量抑郁状态的轻重程度及其在治疗中的变化，它是一种使用广泛的抑郁状态自评量表，由患者自己对最近 1 周情况进行评定。共 20 个项目，采用 1～4 级评分：①1 分，表示没有或几乎没有；②2 分，表示很少有，有时有；③3 分：表示常有、经常或一半时间有；④4 分：表示几乎一直有，大部分时间或持续有。部分项目为反向计分，将所有项目评分相加，即得到总粗分，然后通过公式作转换：Y=1.25X，式中 X 为总粗分，Y 为标准分，取整数部分。一般认为标准分 52 以下无抑郁，53～62 为轻度抑郁，63～72 为中度抑郁，73 以上为重度抑郁。

（三）焦虑自评量表（self-rating anxiety scale，SAS）

SAS 是由美国 Zung 于 1971 年编制的。这个量表从结构形式到计分和抑郁自评量表十分相似，SAS 用于评定被试有无焦虑症状及其严重程度。适用于有焦虑症状的成人，也可用于流行病学调查。采用 1～4 级评分。①1 分，表示没有或几乎没有；②2 分，表示很少有，有时有，③3 分，表示常有、经常或一半时间有；④4 分，表示几乎一直有，大部分时间或持续有。部分项目为反向计分，将所有项目评分相加，即得到总粗分，然后通过公式作转换：Y=1.25X，式中 X 为总粗分，Y 为标准分，取整数部分。一般认为标准分 50 以下无焦虑，50～59 为轻度焦虑，60～69 为中度焦虑，70 以上为重度焦虑。

（四）状态-特质焦虑问卷（state-trait anxiety inventory，STAI）

STAI 是由 C. D. Spielberger 等编制。该量表是一种自评量表，既可用作个别测验也可用作团体测验。第 1～20 条为状态焦虑量表，第 21～40 条为特质焦虑量表。1～4 级评分，部分项目为反向评分。将 1～20 条的得分相加即状态焦虑总分（20～80 分）；将 21～40 条的得分相加即特质焦虑总分（20～80 分）。分数越高，说明焦虑越严重。该量表国内尚无常模，美国常模（95 百分位数）如下：状态焦虑量表，19～39 岁男性 56 分，女性 57 分；

40~49 岁男性 55 分，女性 58 分；50~69 岁男性 52 分，女性 47 分。特质焦虑量表，19~39 岁男性 53 分，女性 55 分；40~49 岁男性 51 分，女性 53 分；50~69 岁男性 50 分，女性 43 分。

（五）汉密尔顿焦虑量表（Hamilton anxiety scale，HAMA）

HAMA 由 Hamihon 于 20 世纪 50 年代编制，它是一个使用较广泛的用于评定焦虑严重程度的他评量表。由经过训练的 2 名专业人员对患者进行联合检查，然后分别进行评定。5 级评分（0~4），即无症状 = 0 分；轻度 = 1 分，指症状轻度；中等 = 2 分，有肯定的症状，但不影响生活与劳动；重度 = 3 分，症状重，需进行处理或已影响生活和劳动；极重 =4 分，症状极重，严重影响生活和劳动。HAMA 包括 14 个条目，分成精神性和躯体性两大类，各由 7 个条目组成。前者为第 1~6 项，第 14 项；后者为 7~13 项。注意本量表第 14 项需结合观察，其余所有项目都要根据患者的口头叙述进行评分，同时特别强调受检者的主观体验。评定员需由经训练的医师担任。总分超过 29 分，提示严重焦虑；超过 21 分，提示有明显焦虑；超过 14 分，提示有肯定的焦虑；超过 7 分，提示可能有焦虑；<7 分则提示无焦虑。

二、应激及应对评定量表

（一）生活事件评定量表（live event scale，LES）

1. 简介

生活事件评定量表是一类用来对人们所遭遇的生活事件进行定量、定性评估的量表，以便客观分析不同生活事件引起心理紧张（应激）的强度和性质。美国著名的研究者 H. Holmes 与 Rahe 于 1967 年编制了“社会再适应评定量表”（social readjustment rating scale，SRRS）。国内学者对其进行了修订，在此基础上编制了生活事件评定量表，此处介绍的为张亚林和杨德森于 1986 年编制的生活事件量表。该量表共有 48 个条目，分 3 方面问题：家庭生活方面（28 项）、工作学习方面（13 项）、社交及其他方面（7 项）。要求被试对一段时间所发生的生活事件从发生时间、性质、对精神影响的程度和影响持续时间 4 个方面逐一进行评定。

2. 评分计分和解释

生活事件刺激量的计算：某事件刺激 = 该事件影响程度分×该事件持续时间分×该事件发生次数；正性事件刺激 = 全部好事件刺激量之和；负性事件刺激 = 全部坏事件刺激量之和；生活事件总刺激量 = 正性事件刺激量 + 负性事件刺激量。生活事件总分越高反映个体所承受的精神压力越大，95% 的正常人在一年内的 LES 总分不超过 20 分，99% 的不超过 32 分。负性生活事件分值越高，对心身健康的影响越大，而正性生活事件对心身健康的影响尚有待进一步研究。

（二）社会支持评定量表

近 20 年来，许多研究发现，人们所获得的社会支持与人们的心身健康之间存在着相关关系，良好的社会支持能为个体在应激状态时提供保护作用。另外，对于维持良好的情绪体验也具有重要意义。20 世纪 80 年代中，肖水源编制了社会支持评定量表，该量表结构分 3 个维度：①客观支持，指个体所得到的客观实际的，可见的社会支持；②主观支持，指个体主观体验到的社会支持，对所获支持的满意程度；③对支持的利用度，指个体对社会支持的主动利用程度。量表共有 10 个项目，大多数为 1~4 级评分，要求受试者根据实际情况进行自我评价。计分方法：①第 1~4 和 8~10 项，每项只能选一个答案；②第 5 项又分为 A、B、C、D 4 条，每条从无至全力支持分 4 等，分别记 1~4 分，该项总分为 4 条计分之和；⑧第 6、7 项如回答为“无任何来源”记 0 分，如回答有来源则按来源项目计分，每一来源记 1 分，加起来则为该项目分数。客观支持分为 2、6、7 项评分之和；主观支持分为 1、3、4、5 项评分之和；对支持的利用度为 8、9、10 项评分之和。社会支持评定量表总分即 10 个项目计分之和。

（三）医学应对问卷（medical coping modes questionnaire，MCMQ）

由 Feifel H 等编制。原量表有 19 个条目，中文版已修订为 20 个条目，这是国内外至今为数有限的专用于患者的应对量表。在国内近年来已被初步应用于癌症、手术、慢性肝炎和妇科等不同患者的心身医学研究。量表包含对 3 类应对策略的评估，即面对（或斗争）、回避和屈服（或接受）。

（四）生活质量综合评定问卷（generic quality of life inventory，GQOLI）

对正常人和患者及其亲属的生活质量进行研究，这是 20 世纪 80 年代中兴起的一个国际研究方向。目前在这方面的研究有两种倾向：一是评价个体客观生活质量；另一种是研究个体对生活质量各方面的主观感受，即满意程度。然而，由于不同个体的社会经历、背景、价值观念、期望水平等许多方面存在很大的差异，因此主观评价和客观评价之间往往相差甚远，生活在相同客观条件下的个体其主观感觉可能完全不同，而主观感觉类似的个体其实际生活状态也可能大相径庭。由于这方面原因，有学者提出同时对主观感受和客观状态进行评定，这样做便于发现个体的价值观念，生活需求标准及其影响因素。

生活质量综合评定问卷（GQOLI）由李凌江等于 20 世纪 90 年代初编制，能同时评定个体客观生活质量和主观满意程度，并建立了湖南省区域常模。适用于 16 岁以上成人。由经过训练的专业人员进行评定，可以进行团体测验，但文化程度偏低者需主试者念给被试听，记录其回答，评分为 1~5 级。GQOLI 包括评定客观生活状态和主观满意度两部分。每部分都分 4 个相同的维度，即躯体健康、心理健康、社会功能和物质生活。共 64 个项目，其中客观指标 40 项，主观满意度指标 24 项。主观满意度评分从极不满意（1 分）到非常满意（5 分）。客观评定评分从极差（1 分）到极佳（5 分）。获得粗分后将其转换成标准分，再进一步换算成各分量表分。生活质量综合评定问卷广泛地应用于肿瘤患者、脑卒中患者、烧伤整形外科患者及骨科患者等的临床评估中。

三、疾病与创伤评估工具

（一）疼痛视觉模拟评级法

疼痛视觉模拟评级法（visual analogue scale，VAS）是由中华医学会疼痛学会监制的 VAS 卡片。在卡中心刻有数字的 10cm 长线上可滑动的游标，两端分别表示“无痛（0分）”和“最剧烈的疼痛（10 分）”，患者面对没有刻度的一面，将游标放在当时最能代表疼痛程度的部位，医师面对刻度的一面，并记录疼痛程度。VAS 是目前临床比较常用的一类疼痛强度评价方法，常用于评价镇痛疗效。

（二）创伤后成长量表（posttraumatic growth inventory，PGI）

创伤后成长量表美国学者 Tedeschi 等于 1996 年编制，共 21 个条目，5 个维度，分别为与他人关系、新的可能性、个人力量、精神变化和对生活的欣赏。采用 6 级评分，0=完全没有，1 分=非常少，2 分=少，3 分=有些，4 分=多，5 分=非常多。中文版量表由汪际等修订（2011 年），共 20 个条目，五个维度分别为人生感悟、个人力量、新的可能性、与他人关系及自我转变。

（三）癌症患者生活质量量表

癌症患者生活质量量表（functional assessment of cancer therapy，FACT）是由美国西北大学转归研究与教育中心的 Cella 等研制的癌症患者生活质量评价系统。癌症患者生活质量表中文版（FACT-G）由万崇华等修订，由 27 个条目，4 个因子构成，分别为生理状况、社会/家庭状况、情感状况、功能状况。采用 5 级评分（0~4），分值越高，生活质量越好，适合用于我国癌症患者生活质量的评估。

知识链接 5-1

心理痛苦温度计（distress thermometer，DT）是由美国国家综合癌症网（National Comprehensive Cancer Network，NCCN）推荐使用的识别患者心理痛苦的筛查工具。北京肿瘤医院唐丽丽与多位精神科和心理学专家对此问卷进行了汉化，包括 40 个条目，5 个因子，分别为实际问题、家庭问题、情感问题、躯体症状、信仰/宗教问题，0~10 评分，0 为无痛苦，1~3 分为轻度痛苦，4~6 分为中度痛苦，7~9 分为重度痛苦，10 分为极度痛苦。

任务小结

心理评估（psychological assessment）是指运用多种方法获得信息，通过这些信息对评估对象的心理品质或状态进行客观的描述和鉴定的过程。临床心理评估是指将心理评估的通用理论和方法运用于临床，以临床患者为主要评估对象，评定和甄别患者心理状态的一系列应用性评估手段和技术。护理领域的心理评估，是护士实施心理护理的重要依据，主要用于筛查心理问题，测评其心理问题的性质及强度，还可测查心理问题发生的原因。主要包括评估患者的一般心理健康状况，情绪问题，生活应激与应对，生活质量与社会支持等。本章主要阐述了心理评估的概念、特性及心理评估者的基本素质；心理评估的常用方法、心理测验的定义、要求、原则及临床常用的心理测验、临床常用的心理评定量表。通过本章的学习，应掌握心理评估的定义、方法；熟悉常用的智力测验、人格测验、心理评定量表。

知识点自测

一、名词解释

1. 心理评估　2. 心理测验　3. 调查法　4. 常模　5. 信度

6. 效度　7. 离差智商　8. 比率智商　9. MMPI　10. 适应行为

二、选择题

1. （　　）是护士实施心理护理的重要依据

A. 临床心理评估　B. 精神分析　C. 心理沟通　D. 心理模拟

E. 以上都不是

2. 心理评估的常用方法不包括（　　）

A. 调查法　B. 作品分析法　C. 观察法　D. 文献分析法

E. 心理测验法

3. 选择心理测验的原则是（　　）

A. 选择国外的标准化测验　B. 尽量选择新的没有使用过的测验

C. 选择标准化程度低的测验　D. 选择标准化程度高的测验

E. 以上都不是

4. 属于应激及应对评定量表的是（　　）

A. 创伤后成长量表　B. 生活质量综合评定问卷

C. 抑郁自评量表　D. 焦虑自评量表

E. 以上都不是

5. 在不同时间内用同一测验重复测量同一被试者，所得结果的一致性是指（　　）

A. 效度　B. 信度　C. 区分度　D. 重复度

E. 平行度

6. 离差智商适用于（　　）

A. 16 岁以上成人　　B. 18 岁以上成人
C. 20 岁以上成人　　D. 60 岁以上老人
E. 任何年龄

7. 某患者易焦虑抑郁、过分敏感，遇挫折有较强烈的情绪反应。如让他做艾森克人格问卷，其结果可能性最大的是（　　）

A. E 分低　　B. L 分低　　C. N 分高　　D. P 分高
E. N 分低

8. 心理测验的结果，可以（　　）

A. 取代临床诊断　　B. 改变临床诊断
C. 为临床诊断做参考　　D. 等同于临床诊断
E. 因医生的意愿而改变

9. 以下哪项不是有效的心理测验必须具备的要求（　　）

A. 条目是客观题　　B. 经过标准化　　C. 有常模　　D. 信度高
E. 效度高

10. 韦氏智商中等等级的分数是（　　）

A. 120~129　　B. 110~119　　C. 90~109　　D. 80~89
E. 70~79

三、问答题

1. 心理评估的方法有哪些？列举出各种方法的优缺点。
2. 临床上常用的心理评估量表有哪些？
3. 心理评估有哪些方法？
4. 心理测验的基本要求有哪些？
5. 心理测验有哪些种类？
6. 韦氏智商的等级划分是什么？
7. 艾森克人格问卷有哪几个分量表？
8. 洛夏墨迹测验的过程是什么？

实训项目

很多同学都在杂志或网上做过所谓的“心理测验”，有的测试你的未来人生，有的测试你的事业发展，有的测你的“桃花运”……其实这些测验的本质大多是以娱乐为目的，博君一笑的游戏。

请说出你的体验：

1. 当你的心理测验结果告诉你说“你的心理有问题”时，你内心的感受是什么？
2. 用于心理评估的心理测验与这些心理游戏有什么不同？

第六章

心理咨询与心理治疗

内容导读

1. 掌握　心理咨询的概念，基本原则，心理咨询的适用范围。
2. 熟悉　心理咨询与心理治疗的有关理论，心理咨询的程序，心理咨询的常用技术。
3. 了解　心理咨询与心理治疗的异同点，心理咨询的类型。

随着社会的不断发展及城市化进程的加快，激烈的竞争、快节奏的生活和复杂的人际关系使人们承受的精神压力越来越大，心理疾病的发生率呈逐年上升的趋势。在现代的医学模式和护理模式下，心理咨询和心理治疗在临床实践中的应用已经越来越广泛，在增进人类身心健康方面发挥着日益重要的作用。护理人员应掌握一些心理咨询和心理治疗的基本知识和技能，这不仅是从事这门职业的需要，更是时代发展的要求。

第一节　心理咨询与心理治疗概述

案例引导 6-1

案例：小莉在学校心理咨询室的门外已徘徊了很久，期末考试临近，对考试不及格的担心让她焦虑万分，已经无法安心复习功课，心中强烈的求助欲望驱使她来到了学校心理咨询室的门口，但沿途她都尽量躲闪着人群，生怕被熟人遇到。怕被人知道她去做心理咨询了。心想："只有心理有疾病的人才去做心理咨询，我可不想让人知道我心理有疾病，我也不能接受我心理有疾病，我该怎么办呢？真的很渴望有人能帮帮我，我该走进去吗？"

问题：小莉的这种心理您认为是普遍现象吗？什么是心理咨询？去做心理咨询的就是心理有疾病吗？

一、心理咨询与心理治疗的概念

（一）心理咨询的概念

心理咨询是指心理咨询师运用心理学的理论与技术，通过良好的咨访关系，帮助来访者解决心理问题，增进心身健康，提高适应能力，促进人格发展和潜能开发的过程。从这一概念可以看出心理咨询具有以下几个特点。

（1）心理咨询是咨访双方一系列的心理活动过程。心理咨询师在咨询过程中帮助来访者更好地认识自我，更有效地生活，包含有心理咨询师的一系列心理活动，而来访者在咨询过程中也需要接受新信息，学习调节情绪和解决问题的新技能等，从而在心理和行为上发生积极的改变，同样涉及一系列的心理活动。

（2）心理咨询是由专业人员从事的一项特殊服务。咨询师必须受过系统和严格的专业训练，具有从事这项服务所必需的知识和技能，能够对来访者的问题进行分析和评估，并运用各种心理咨询技术帮助来访者。

（3）心理咨询过程是建立在良好的咨访关系基础上的。咨询师和来访者之间的良好关系是心理咨询奏效的重要前提条件。咨询师应通过与来访者的交谈及自身的言行，使来访者感到放心，感觉自己受到咨询师的关心与尊重，从而赢得来访者的信任。

（4）心理咨询的服务对象，即来访者主要是在适应和发展方面遇到困难的正常人，而不是有精神病、明显人格障碍或脑器质性病变的患者。

知识链接 6-1

在《美国哲学百科全书》中，关于心理咨询定义的表述如下。

- 主要着重于正常人。
- 对人的一生提供有效的帮助。
- 强调个人的力量与价值。
- 强调认知因素，尤其是理性在选择和决定中的作用。
- 研究个人在制定目标、计划及扮演社会角色方面的个性差异。
- 充分考虑情景和环境因素，强调人对环境资源的利用，以及必要时改变环境。

（5）心理咨询的目标是助人自助。这是心理咨询的独特之处，心理咨询不是咨询师为来访者出主意、想办法，而是帮助和指导来访者，使他们自己有能力去解决自己的问题。

综上所述，我们也可以把心理咨询的概念简要概括为：心理咨询是心理咨询师协助来访者解决各类心理问题的过程。

（二）心理治疗的概念

心理治疗又称精神治疗，是由受过严格专业训练的心理治疗师，以良好的医患关系为基础，运用心理学的理论与技术，影响患者的认知、情绪和行为等心理活动，从而消除心身症状，促进其人格向健康、和谐的方向发展，重新保持个体与环境之间平衡的过程。

心理治疗必须包含以下基本要素。

（1）治疗者必须具备一定的心理学知识和技能。

（2）心理治疗要按照一定的程序来进行。

（3）心理治疗过程中要使用各种心理学的理论和技术。

（4）心理治疗的对象是具有一定精神、躯体或行为问题的人。

（5）心理治疗的目的是通过改善患者的心理状态和行为方式，消除或缓解其可能存在的各种心身症状，恢复健全的心理、生理和社会功能。

二、心理咨询与心理治疗的关系

心理咨询和心理治疗是两个常见的概念，经常出现在各种文献和教科书之中，两者既相似又有区别，明确这两个概念之间的关系，对临床心理学工作者具有重要的意义。

（一）心理咨询与心理治疗的相似点

1. 工作性质

心理咨询和心理治疗的整个过程都注重建立和维持帮助者与求助者之间良好的人际关系，认为这是帮助求助者改变和成长的必要条件。

2. 工作目的

两者都期望通过帮助者与求助者之间的互动，达到使求助者改变和成长的目的。

3. 工作对象

心理咨询师与心理治疗师都可能会遇到因情绪障碍、人际关系、心理冲突等问题而来的求助者。

4. 指导理论和方法技术

两者所遵循的指导理论和采用的方法与技术常常是一致的，例如心理咨询师对来访者采用的心理学理论与方法和心理治疗师采用的同种理论与技术别无二致。

5. 实施的过程

两者都需要遵守一些共同的原则，经历大致相同的若干阶段，最终达到助人的效果。

（二）心理咨询与心理治疗的区别

心理咨询与心理治疗的区别见表 6-1。

表 6-1　心理咨询与心理治疗的区别

不同点	心理咨询	心理治疗
工作对象	正常人、心理问题较轻或已康复的患者	症状较重或有心理障碍的患者
处理问题	正常人所遇到的各种问题	神经症、性变态、心理障碍、行为障碍、心理生理障碍、心身疾病及精神病患者
所需时间	短：1 次至数次，少数可达十几次	长：数次、数十次甚至数年
涉及意识深度	浅：大多在意识层面进行；咨询过程注重教育性	深：无意识层面； 治疗过程中带有一定对峙性
目标	重点：帮助来访者发展（协助） 直接、具体、明确	重点：重建患者的人格（矫正） 关注整个人的成长和进步
工作场所	相当广泛：门诊、学校、社区、职业培训部门等（非医疗情景）	医疗环境、私人诊所
专业训练及时间	接受专业训练的时间短	接受专业训练的时间长
所属专业组织	心理咨询 （咨商）协会	心理治疗学会
起源	①20 世纪初的职业指导运动 ②20 世纪初比尔斯发起的心理健康运动 ③心理测量运动和心理学中对个体差异的研究 ④以罗杰斯为代表的非医学的、非心理分析、非指导性的心理咨询的崛起	19 世纪末弗洛伊德创立的心理分析疗法甚至可溯源到 19 世纪中叶催眠术的施行
称谓	帮助者被称为咨询者 求助者被称为来访者或咨客	帮助者被称为治疗者 求助者被称为患者

由上述对心理咨询与心理治疗异同点的分析，可以看出，这两个专业领域的确是既有区别又有联系的，但在实际的工作中两者很难截然分开。陈仲庚教授曾指出，虽然存在着某些差异，但心理治疗与心理咨询没有本质区别。随着心理学理论和技术的进步与发展，在心理咨询与心理治疗之间的关系问题上，越来越多的学者倾向于两者并没有本质不同的观点。总的来说，两者存在差异又保持一致，共同服务于有心理需求的人，达到帮助其成长的目的，进而维护人类的心理健康。

三、心理咨询与心理治疗的有关理论

（一）精神分析理论

精神分析理论又称心理动力理论，是奥地利精神科医生弗洛伊德（Freud S）于 19 世纪末 20 世纪初创立的，在欧美国家曾非常盛行。弗洛伊德的精神分析理论内容十分丰富，使心理治疗领域第一次有了完整的理论体系和方法。作为一名治疗精神病的医师，弗洛伊德创立了一个涉及人类心理结构和功能的学说，其影响不仅仅局限于临床心理学领域。对于整个心理学乃至西方人文科学的各个领域均有广泛而深远的影响，是现代心理学的奠基石。精神分析理论中与心理咨询和心理治疗相关的基本理论观点主要有意识的层次理论、人格结构理论和本能论三个方面。

1. 意识的层次理论

弗洛伊德将人的心理活动分为意识、前意识和潜意识三个层次，认为人的各种心理活动，包括思维、欲望、幻想、判断、情感、决定等是在不同的意识层次里发生和进行的。其中意识是心理结构的表层，是人能直接感知到的心理活动部分，它调节控制着进入意识的各种印象，压抑着心理活动中那些原始的动物性本能和欲望。只有合乎社会规范和道德标准的各种观念才能进入意识领域；潜意识是心理活动的深层次结构，是不能为人所意识到的心理活动部分，包括人的原始冲动、各种本能和出生后被压抑的欲望。这些心理活动具有强大的能量，是人活动的内驱力，决定或影响着人的全部有意识的活动；前意识是指人们当前并未意识到，需经他人提醒或经自己集中注意并努力回忆才能进入意识领域的心理活动部分，它介于意识和潜意识之间，担负着“检察官”的角色，严密防范以阻止潜意识的本能和欲望随便进入意识之中。弗洛伊德把这些不同的意识层次比作海里的冰山：冰山的绝大部分隐匿在海水之下，类似于人的潜意识；露出水面、极易被发现的部分仅仅是冰山很小的一块，类似于人的意识；在海平面上交界的部分则类似于人的前意识。由此可见，潜意识的心理过程占据了心理活动的绝大部分，这是精神分析所要探讨的主要领域。

弗洛伊德认为，由于人的行为动机中有许多是潜意识的，因而我们常常并不知道自己行为的真正原因。心理障碍的发生就是由于压抑在潜意识中的心理矛盾和心理冲突造成了患者的焦虑和内疚，导致心理症状乃至躯体症状的发生。因此，潜意识对人的心身健康有着决定性的影响。心理咨询和心理治疗就是帮助求助者发现潜意识中的心理冲突和矛盾，最终力求转变其人格或思维方式。

2. 人格结构理论

弗洛伊德认为人格由三部分组成，即本我（id）、自我（ego）和超我（superego）。

本我存在于潜意识的深处，是与生俱来的动物性的本能冲动，是一切心理能量之源泉，是人格中最原始的部分。它包含生存所需要的基本欲望、本能冲动和生命力等，其中性本能对人格发展尤为重要。本我遵循的是“快乐原则”，它不理会社会道德和外在的行为规范，唯一的要求是追求快乐、规避痛苦。本我具有要求即刻被满足的倾向，往往不看条件、不问时机、不计后果地寻求本能欲望的即时满足和紧张的立即释放。本我是潜意识的，因而不能被个人所觉察。幼儿的人格几乎完全由本我组成，但是儿童很快就通过与他人的相互作用知道，本我并不总能得到满足，而且必须经常受到压制。

自我是个体在现实环境中由本我分化、发展而产生的现实化的本能，代表着理性和审慎。它理智地试图在社会环境的需要与本我的驱力之间求得平衡。自我的大部分存在于意识之中，小部分位于潜意识中。一方面，自我的动力来自于本我，即为了满足本能冲动和欲望；另一方面，自我在超我的要求下，要顺应外在的现实环境，采取社会所允许的方式指导行为，以保护个体的安全。总之，自我遵循“现实原则”，既配合现实和超我的要求，延迟转移或缓慢释放本我的能量，又设法在外部环境许可的情况下适当满足本我的欲望，从而很好地调节和控制本我的活动，因而是人格的执行部门。

超我是道德化了的自我，是人格结构中最具理性的部分。它是个体在长期的社会生活过程中，将社会的规范以及道德观念等内化的结果，类似于我们日常所说的良心、良知、理性等，是人格的最高形式和最文明的部分，大部分属于意识层次。超我的功能主要是按社会伦理道德、风俗习惯、法律法规等来监督、批判及管束自我的行为，使人格达到社会所要求的完善程度，其所遵循的是“至善原则”。因而，超我是社会道德权威在内心的再现，通过耻辱感和自豪感来左右自我的决定。儿童从他人那里了解到社会对自己的要求，并最终将这些要求以超我的形式内化于人格之中。

综上所述，本我追求本能欲望的满足，是求生存的动力，但不顾现实；超我监督和控制主体按社会的规范和道德行事，以维持正常的人际关系和社会秩序；自我则对上要按超我的要求控制本我，对下要汲取本我的力量，并通过调节适当满足本我的欲望，对外要适应现实环境，对内要保持心理平衡。弗洛伊德认为人格是由本我、自我和超我三部分交互作用构成，是在企图满足无意识的本能欲望和努力达到社会道德标准两者之间长期冲突的相互作用中发展和形成的。如果三者间能达到动态平衡，个体就会保持身心健康，成为一个发展正常、适应良好的人。如果三者间平衡失调或彼此长期冲突，则会导致个体社会适应不良，产生各种精神障碍和病态行为。

3. 本能论

本能论是精神分析理论的重要组成部分，也是其人格理论的动力学基础。弗洛伊德认为本能是人的生命和生活中的原始冲动和基本要求，是需要被满足和表达的，是人活动产生的内驱力，它的根源是个体内部的需要和冲动，一旦引发兴奋或紧张状态，它将驱使个体采取行动以释放或消除这种紧张。弗洛伊德认为人的心理活动的能量来源于本能，本能的能量决定了感知、记忆、思维等心理过程的目标和方向，因而是推动个体行为的内在动力。人最基本的本能有两类，即生的本能和死亡本能。生的本能包括性欲本能与个体生存本能，其目的是保持种族的繁衍与个体的生存。弗洛伊德是泛性论者，在他眼里，“性欲”是一个广义的概念，是指人们一切追求快乐的欲望，除直接的性活动外，还包括皮肤的接触、黏膜的刺激性及快乐的情感。性本能冲动是人一切心理活动的内在动力，当这种能量（力比多）积聚到一定程度就会造成机体的紧张，机体就要寻求途径释放能量。他认为个体性心理的发展主要是力比多的投注和转移，因而提出了心理性欲发展阶段说，认为性心理发展分五个时期：口腔期、肛门期、性器期、潜伏期和两性期。性本能在每个阶段都起着重要作用。在心理发展的各阶段，性的压抑、欲望不能满足和冲突不能解决是日后产生人格障碍或心理疾病的根本原因。弗洛伊德认为成人人格的基本组成部分在前三个发展阶段已基本形成，所以儿童的早年环境、早期经历对其成年后的人格形成起非常重要的作用。许多成年人的变态心理、心理冲突都可以追溯到其早年期的创伤性经历和压抑的情结。

弗洛伊德在后期提出了死亡本能，即个体可能存在着某种侵略、破坏或自我毁灭的本能，认为这是促使人类返回生命前非生命状态的力量。死亡是生命的终结，是生命的最后稳定状态，生命只有在此时才不再需要为满足生理欲望而斗争，不再有焦虑和抑郁，所以所有生命的最终目标是死亡。死亡本能派生出攻击、破坏、战争等一切毁灭行为，当它转向机体内部时，会导致个体的自责，甚至自残自杀，而当它转向外部世界时，则会导致对他人的仇恨、攻击和谋杀等。

（二）行为主义理论

行为主义心理学于20世纪初诞生在美国，它反对传统心理学主张研究意识等主观性概念，认为所有行为都是外部环境因素引起的，主张研究可观察的行为。行为主义理论认为，人的正常和病态行为包括外显行为及其伴随的心身反应形式，都可通过学习过程而形成。因此，学习是支配行为和影响心身健康的重要因素。通过对行为学习各环节的干预，可以矫正问题行为，进而治疗和预防疾病。与心理咨询和心理治疗关系较大的行为学习理论主要有三种：巴甫洛夫（Ivan · P · Pavlov）的经典条件反射理论、斯金纳（Skinner BF）的操作性条件反射理论和班杜拉（Bandura A）的社会学习理论。

1. 经典条件反射理论

经典条件反射理论是20世纪初俄国生理学家巴甫洛夫在研究消化的生理过程中通过实验发现而创立的，是目前公认的解释人和动物学习各种行为的最基本的生理机制。在实验中，巴甫洛夫用食物作用于狗的口腔，狗会产生唾液分泌的反应，此时的食物称为无条件刺激，食物引起唾液分泌的反射过程称为无条件反射。无条件反射是本能行为，是有机体生来固有的对保存生命有重要意义的反射，如人一出生即有吮吸反射和拥抱反射等。如果使食物（无条件刺激）与铃声（与唾液分泌无关的中性刺激）总是同时出现，经过一段时间后，铃声就会成为食物的信号，转化为条件刺激，表现为对狗只给铃声不给食物，就可以引起唾液分泌。铃声引起唾液分泌的反射过程就是条件反射。可见，条件反射是在无条件反射的基础上通过学习而获得的，两者之间是通过在有机体大脑皮质上建立起暂时神经联系来实现的。某一中性刺激（铃声）反复与无条件刺激（食物）相结合后，会成为条件刺激，引起原来只有无条件刺激才能引起的行为反应（唾液分泌）。因此，条件反射是由后天学习所获得的一种习惯行为，这就是经典条件反射理论的基本内容。经典条件反射理论是行为主义理论发展的奠基石，它可以解释人的很多行为，任何中性刺激都可以通过经典条件反射作用影响人的各类行为。条件反射现象一方面可以使人更好地适应复杂多变的日常生活，但另一方面也可能产生不良习惯、心理障碍等负面影响。

2. 操作性条件反射理论

操作性条件反射理论是由美国心理学家斯金纳于 20 世纪 30 年代提出的。为了解释操作性条件反射的建立过程，斯金纳精心设计制作了“斯金纳箱”。“斯金纳箱”是动物学习实验的自动记录装置。在实验箱内有一个特殊装置，按压 1 次杠杆就会出现 1 粒食物，实验时在箱内放 1 只处于饥饿状态的白鼠，白鼠在箱内四处探索，偶然按压了 1 次杠杆而获得了食物，逐渐地白鼠“学会”了通过按压杠杆来获取食物，并且按压杠杆的次数逐步增加，即形成了操作性条件反射。按压杠杆原本是白鼠的一种无刺激而产生的自发行为，通过按压杠杆得到食物后，食物又作为该行为的“强化物”强化按压杠杆这一行为，这一过程被斯金纳称为强化训练。在实验中，行为结果可以是愉快、轻松的，也可以是痛苦、被动的（如将食物换成电击），这些刺激既可以从无到有逐渐增强，也可以从有到无逐渐减弱。

斯金纳认为操作性条件反射与经典条件反射的主要区别在于：前者是一个“反应-强化”过程，而后者则是一个“刺激-反应”过程，即操作性条件反射的强化刺激是随着反应之后发生的。操作性条件反射重视行为的结果对行为本身的作用。任何与个人需要相联系的刺激，只要反复出现在某一行为之后，都可能对这种行为产生影响。斯金纳把动物的这种学习行为推广到人类的学习行为上，认为虽然人类学习行为的性质比动物复杂得多，但也要通过操作性条件反射才能形成。人类的许多正常或异常的行为反应，包括各种习惯或症状，都可以由于操作性条件反射机制而形成或改变。人的一切行为几乎都是操作性强化的结果，人们还可以通过强化作用去改变别人的行为反应，这也是各种行为治疗的理论基础。

3. 社会学习理论

社会学习理论是在刺激-反应学习原理的基础上发展起来的，社会学习理论认为，现实生活中的个体在获得习惯行为的过程中并不都得到强化。因此，不是人类的所有行为都可以用传统的学习理论来解释。班杜拉把依靠直接经验的学习（传统的学习理论）和依靠间接经验的学习（观察学习）结合起来说明人的学习。观察学习是社会学习的一种最主要的形式，班杜拉认为，人类的大量行为都是通过观察他人的所作所为以后进行模仿学习学会的。模仿学习可分为主动和被动两种类型，主动模仿学习是指学习者不仅观看被模仿者的表现，而且参与其中，与榜样一起进行学习；被动模仿学习是指只看被模仿者的行为表现但不直接参与其活动。班杜拉认为，如果为那些有行为问题的人提供模仿学习的机会，他们就有可能改变自身的不良行为习惯，形成健康的行为模式。

示范作用是另一种行为学习理论。这种理论认为，人可以通过对一个具体榜样的行为活动的观察与模仿，学会这一种新的行为类型，而不强调刺激和反应之间的联系。人们常说的“近朱者赤，近墨者黑”“榜样的力量”等，其实就是示范作用。

（三）人本主义理论

人本主义心理学是从 20 世纪 50—70 年代在美国兴起的一种心理学流派，强调研究人性，如人的成长、潜能与自我实现倾向、人的存在与意义等，人本主义心理学是西方心理学史上一次重大的变革，被认为是心理学的第三势力，其中马斯洛（Maslow AH）和罗杰斯（Rogers CR）是主要代表。

1. 马斯洛的需要层次理论

马斯洛是美国人本主义心理学的主要代表。他认为传统的心理学如精神分析和行为主义，两者关于人性的看法都过于狭窄，对正常、健康的人缺乏充分的研究。马斯洛于 20 世纪 50 年代提出了需要层次理论。该理论认为人类行为的心理驱力不是性本能，而是人的需要。人的需要分为两大类、七个层次，好像一座金字塔，自下而上依次是第一类需要（基本需要），包括生理需要、安全需要、爱与归属的需要和尊重的需要，这些属于匮乏性需要；第二类需要（心理需要）包括认识需要、审美需要、自我实现需要，这些属于成长性需要。

2. 罗杰斯的实践理论

罗杰斯的理论是从心理治疗的实践经验中发展出来的。他创立了“以人为中心的治疗”，是人本主义心理治疗流派中最具有影响力的人。罗杰斯认为，所有人对个人的成长、健康、心理适应及“自我实现”都具有强烈的驱动力，都有实现自己需要的倾向，这种实现的倾向被看作是一种积极的倾向。在实现的过程中，个体使自身得到维持并不断成长。但是，人的心理问题及困扰，如紧张、焦虑等也是由于这种实现倾向受阻而引起的，而心理问题反过来又会干扰人调整和控制自己的能力。治疗者的任务就是营造一种气氛，使患者可以体验个人的成长，重新确立良好的动机驱动，使患者朝着自我调整、自我成长的方向前进。

罗杰斯还提出了自我概念，与弗洛伊德的“自我”不同，罗杰斯的自我概念是指一个人对他自己的知觉和认识。这种知觉和认识有时与个体真实的自我相同，有时也会出现不一致的现象。当真实自我与自我概念一致时，人就达到了一种理想状态，即达到了自我实现。否则，就会产生心理障碍。是否产生心理障碍，取决于个体是否能正确地知觉和认识自我。当个体真实的自我与自我概念之间发生冲突时，就会影响自我实现的倾向，失去行动的指南，不能正确判断行为是否有助于成长，从而出现心理障碍。心理障碍者的行为看起来可能是非理性的，甚至是愚蠢的，但是按照他们自己的结构与参照系统，却是合情合理的，是可以理解的。心理治疗的目的就是帮助患者重新获得自己真实的情感和价值观念，从而使患者最终接受真实的自我。

（四）认知理论

认知心理学从信息加工的角度探讨人怎样凭借感官接受信息，储存信息及提取和运用信息，强调人的认知对行为和情绪的决定作用。

认知心理学的兴起是受多种因素影响，逐渐演变而成，既无核心人物、也非某人独创，是而由许多心理学家各自独立地发展而共同形成的。他们的体系都有相同或相近的取向，即认知取向，都认同人的情绪、行为受学习过程中对环境的观察和解释的影响。不适宜的情绪、行为产生于错误的知觉和解释。所以，要改变人的情绪、行为，就要首先改变人的认知。认知学派认为，在多数情况下，情绪、行为和认知是相伴而生的，认知可以改变情绪、行为，情绪、行为也可以改变认知。下面简要介绍两种与心理咨询和心理治疗有关的认知理论：艾利斯（Ellis A.）的 ABC 理论和贝克（Beck A. T.）的情绪障碍认知理论。

1. 艾利斯的 ABC 理论

ABC 理论是 20 世纪 50 年代由美国临床心理学家艾利斯所创立。艾利斯认为，人的情绪和行为不是由某一诱发事件引起，而是当事人对其的解释和评价所引起。在 ABC 理论中，A（activating event）指与情绪有关的诱发性事件；B（beliefs）指个体在遇到诱发性事件之后产生的信念（包括理性的或非理性的信念），即他对这一事件的想法、解释和评价；C（consequences）是指个体情绪与行为的反应或结果。通常人们会认为，人的情绪及行为反应 C 是直接由诱发性事件 A 引起的，即 A 引起了 C。但 ABC 理论则指出，诱发性事件 A 只是引起情绪及行为反应 C 的间接原因，而人们对诱发性事件所持的信念、看法、解释 B 才是引起人的情绪及行为反应的更直接的原因。也就是说，在诱发事件 A 和情绪及行为反应 C 之间有一个信念或信念系统 B。由于所持信念不同，同样一件事情发生在两个不同的人身上会导致截然不同的情绪反应。他指出，人天生具有歪曲现实的倾向，造成问题的不是事件本身，而是人们对事件的判断和解释。但人也能够接受理性，改变自己的不合理思考和自我挫败行为。由于情绪来自思考，所以改变情绪或行为要从改变思考着手。他的合理情绪疗法就是促使患者认识自己不合理的信念及这些信念的不良情绪后果，通过修正这些潜在的非理性信念，最终做出理性的选择。

2. 贝克的情绪障碍认知理论

贝克认为，情绪障碍者有独特的认知模式，并创立了认知-行为理论和相应的认知-行为疗法。贝克的认知疗法接受了认知是情绪和行为反应的中介的观点，认为一个人的错误认知方式决定了他内心的体验和行为反应。情绪和行为不是由事件直接引起的，而是经由个体接受、评价、赋予事件以意义才产生的。情绪障碍和行为障碍与适应不良的认知有关。人的不良认知或认知缺陷并不是仅仅表现在一时一事上，个体可能经过长期的积累，在人格发展中形成了不良的认知结构。

第二节　心理咨询应用

案例引导 6-2

案例：某初中女生A因心理困扰来到学校心理咨询室寻求帮助，负责接待的B老师恰巧是A的班主任。咨询过程中，B老师温柔、耐心并且充满诚意，令A感觉很有帮助。后来A偶然间在年级办公室门外意外听到B老师与其他几个老师谈论自己，B老师不仅详细介绍A咨询的内容，还不时大声地说笑着。A女生对B老师的愤怒顿时达到了极点，从此彻底失去了对B老师的信任。

问题：该案例中B老师犯了什么错误？作为咨询师在咨询过程中应遵循哪些原则？

一、心理咨询的适用范围

心理咨询的对象主要是在适应和发展上发生困难的正常人。这些人基本健康，但在生活中有各种烦恼、心理有矛盾冲突。在人生各阶段出现的诸如学习、工作、恋爱、婚姻、家庭生活、职业选择等各种心理问题，都属于心理咨询的范围。咨询的目的是帮助来访者更好地认识自己和社会、减轻心理压力、提高适应能力，充分开发潜能、提高生活质量、促进人的全面发展。从事这类咨询的人员除具有扎实的心理学基础之外，还需具有哲学、教育学、社会学、人类学等方面的广博知识。咨询场所一般为学校、社区、企业等非医疗机构。

心理咨询也适用于不同程度的非精神病性心理障碍、心理生理障碍者及某些康复期精神疾病患者的心理指导，以帮助来访者挖掘病源、寻找对策、消除或控制症状、预防复发。从事这类咨询的人员必须经过严格的精神医学和临床心理学训练，咨询场所一般为专门的心理健康机构如综合性医院下设的心理咨询机构、社区心理健康机构以及由专业人员开设的私人诊所等。

二、心理咨询的基本原则

（一）保密性原则

保密性原则是心理咨询中最重要的原则，心理咨询中往往要求咨询师进入来访者的内心世界，常常会触及来访者的隐私，心理咨询师要尊重和尽可能地保护来访者的隐私，不能以任何方式泄露来访者的信息。这既是建立和维持咨访双方信任关系的前提，也是咨询活动顺利开展的基础。如果需要用到当事人的案例作为教学、写书的材料或者进行督导，必须征得当事人的同意，并在案例中隐去当事人的个人基本信息。但是，保密性原则并不是无限度、无条件的，以下两种情况可以例外。

（1）对有明显自杀意图的来访者，心理咨询师不能对其自杀意图做无条件保密的承诺，而应尽快与有关人士联系，尽可能加以挽救。

（2）存在伤害性人格障碍或精神病患者，为避免他人受到伤害，心理咨询师也应做好一些预防工作。

（二）来访自愿原则

心理咨询应以来访者自己有改变的愿望和要求为前提，咨询师不能以任何理由或方式强迫来访者接受或维持咨询，也可称之为“来者不拒，去者不追”原则。

（三）价值中立原则

为确保咨询的客观公正，咨询师在心理咨询过程中应始终保持不偏不倚的立场，尊重来访者的价值准则，不能以任何方式将自己的价值观念强加于对方，不能强求对方服从或改变，不对来访者的观念、行为妄加批评和指责。

（四）时限性原则

心理咨询有一定的时间要求，通常情况下，每次访谈时间在50分钟左右，除非有特殊情况。一般不允许随意更改已经预约的时间，更不能随意延长咨询时间或时间间隔。但有时有些案例比较复杂，咨询可酌情延长面谈时间。

（五）助人自助原则

心理咨询师要明确工作的目的是指导和帮助来访者，使他们自己有能力去解决自己的问题，从而促进来访者的心理成长，而不是为来访者提供要怎么做的具体办法，避免其在生活中对心理咨询师产生心理依赖。

（六）启发性原则

所谓启发性原则是指心理咨询师在咨询过程中，要启发来访者准确地表达所要表达的思想，鼓励他们吐露真情。在咨询过程中，有些来访者心存顾忌，不愿道出全部实情；有些来访者叙述时不着边际，没有重点；还有些来访者表达能力较差，常常词不达意等，这些都会给咨询师的分析和判断带来一定的困难。作为咨询师要善于掌控谈话的方向，创造和谐的气氛消除来访者心中的顾虑；当来访者谈话的内容符合咨询需要时，要及时给予肯定和鼓励；而当谈话内容漫无边际或逻辑混乱时，要注意冷静倾听，从“字里行间”揣摩其真正的含义和话中之话。如拿不准对方含义时，可以用反问的方式帮助来访者抓住主要矛盾，如“您的意思是不是……”“能否再重复一下您刚才说的话？”等等。需要注意的是，启发性原则不可滥用，咨询师不能将自己的意见强加于来访者，甚至“启发”来访者胡编乱造以自圆其说。

（七）综合性原则

心理咨询的综合性原则具有以下三重含义：

1. 心身的综合

人的生理和心理之间往往是相互作用、互为因果的。心理问题常常会伴有许多躯体化的表现，而生理疾病又往往是导致心理问题出现的原因。因此，心理咨询师在咨询过程中对来访者身心之间的关系与相互影响要保持高度的敏感性。在分析来访者心理问题的时候不能忽略其生理因素，要将生理因素和心理因素综合起来看待和分析问题。如果来访者的心理苦恼主要是由生理原因引起的，应建议他求助生物医学帮助，而不是心理学帮助。

2. 原因的综合

每个人都是生理、心理和社会的综合体，因此引起来访者心理问题的原因也应该是这三个因素交互作用的结果。因此，心理咨询师在对来访者的心理问题进行分析、评估和干预的时候，也都应该从这三个角度出发。同时，影响原因如同一个立方体结构，既有横向诸因素的作用，即共时态原因，又有纵向诸因素的作用，即历时态原因，并且这两者是互相交叠在一起的。这就要求咨询师能透过现象看本质，透过表面原因看到深层原因。例如，来访者的情绪困扰常常源自于人际交往方面的障碍，而来访者人际交往方面的障碍又往往可以溯源到来访者原生家庭的不良互动模式。

3. 方法的综合

在咨询过程中，心理咨询师综合地运用各种方法通常比用单一的方法更为有效。咨询师应针对特定的来访者，将各种方法有机地结合起来，以发挥它们的最大效能。综合的方法可以针对人心理的各个方面和不同层面的心理需求。例如，面对一个处于抑郁状态的来访者，心理咨询师在采取来访者中心疗法的基础上，请医生配合使用抗抑郁药物可以有效地控制症状，使咨询更容易进行。

（八）灵活性原则

所谓灵活性原则是指咨询师在不违反其他咨询原则的前提下，视具体情况，灵活地运用各种咨询理论和方法，采取灵活的步骤，以便取得最佳的咨询效果。首先，咨询师应根据来访者所求助问题的性质和程度，考虑使用不同的咨询方法。其次，由于来访者在咨询过程中的不同阶段，其心理问题的主要矛盾不同，故咨询师应考虑采用不同的方法。最后，对于不同的咨询对象也应采用不同的方法。咨询师要充分考虑到每个咨询对象的特殊性，根据来访者的年龄、性别、个性特征、文化背景等选择最适宜的方法。

三、心理咨询的类型

（一）按照咨询对象的数量分类

1. 个体咨询

个体咨询是指心理咨询师与来访者之间一对一的咨询，是心理咨询最常见的形式，可以通过面谈、电话、信函或互联网等途径来进行，其中面谈咨询是最主要的形式。个体咨询具有针对性强、保密性好的优点。来访者可以毫无顾忌地表达自己的真实想法，倾诉内心的秘密，使咨询师能够准确地了解和分析来访者的情况，给予及时的指导和帮助，因而咨询效果明显。缺点是咨询成本较高，需要双方投入较多的时间和精力。

2. 团体咨询

是相对于个体咨询而言的，也称集体咨询或小组咨询，是指将具有同类问题的来访者组成小组或较大的团体，进行共同讨论、指导或矫治。其优点是可以多向交流，咨询效率高，咨询成本低，对某些心理问题的解决效果明显优于个别咨询。缺点是个人深入的问题不易暴露，难以兼顾每个个体的特殊性。

（二）按照咨询的方式分类

1. 门诊咨询

门诊咨询是心理咨询中最常见、最有效的咨询形式，通常在医院门诊或专业心理咨询机构进行，心理咨询师通过与来访者直接面谈，可以进行双向信息反馈，交流比较深入，因而能对来访者的信息有较为全面的了解。其优点是针对性强，了解信息全面，及时有效，保密性强。不足之处是对异地来访者来说不太方便。

2. 电话咨询

电话咨询是心理咨询师通过电话对来访者进行心理学帮助的咨询形式，也是心理咨询的一种常见形式。早期多用于心理危机干预，防止心理危机所导致的恶性事件。现在的电话咨询涵盖面很广，除了处理各种心理危机外，也为其他心理问题提供服务。其优点是方便、迅速、及时，保密性能好。不利之处是通话时间有限，通过电话传递的信息也有限。

3. 互联网咨询

是指心理咨询师借助互联网对来访者进行心理帮助的咨询形式。其优点是方便快捷、隐蔽性好、保密性强，对于那些因受个人身体条件或地域环境的限制而不能直接求助于心理咨询师，以及不愿意面对咨询师的人来说，互联网咨询有其独特的优势。不足之处是双方的真实身份不易识别，容易因信息交流不充分而引起误会及咨询师不在现场易造成影响作用不足等。

4. 信函咨询

是通过书信交流进行心理帮助的咨询方式。此形式适合于路途较远或不愿暴露身份的人。来访者来信提出自己要求解决的问题，咨询师根据其描述的具体情况予以解惑答疑和心理指导。优点是简单方便，可自由支配时间，免去面谈的尴尬。缺点是信息量有限、不能全面深入地了解情况。随着网络的快速崛起，近年选择此方式呈下降趋势。

5. 专栏咨询

是指通过报纸、杂志、广播、电视等大众传播媒介，介绍心理咨询、心理健康的一般知识，并针对公众关心的一些较为普遍的心理问题，进行专题讨论、答疑和现场访谈。严格地讲，这种形式的心理咨询其作用更多的是普及和宣传心理健康知识，而非真正的心理咨询。其优点是影响面广，科普性强，兼具帮助和预防的功能，是其他咨询形式所不能及的。缺点是针对性较差，只能对一些共性问题进行解答，不能对个性问题进行咨询。

6. 现场咨询

是指心理咨询师亲身深入到基层，例如学校、机关、企业、工厂、部队、城乡社区、家庭、医院病房等现场，对广大来访者提出的各种心理问题给予咨询和帮助。这种咨询形式对于一些有共同背景或特点的心理问题有较好的效果，为那些有心理问题但由于种种原因不能到门诊咨询的人提供了方便，可在一定程度上弥补我国咨询人员严重不足的现状。现场咨询的缺点是增加了心理咨询师的工作量，且咨询次数有限。

7. 代诊咨询

上述的几种咨询形式都是当事人个体主动寻求心理咨询帮助。在实际工作中，还有一种特殊情况，真正需要心理咨询的当事人本人，因为种种原因不愿意或者不能直接与心理咨询师沟通，而是当事人的家属或其他有关系者代为与心理咨询师沟通。不同咨询方式优缺点见表 6-2。

表 6-2　不同咨询方式优缺点比较

咨询方式	优点	缺点
门诊咨询	针对性强、了解信息全面、及时有效、保密性强	异地来访者不大方便
电话咨询	方便、迅速、及时、保密	通话时间有限，传递的信息有限
网络咨询	保密、隐蔽、快捷 可借助软件程序对来访者进行心理测评 可全程记录咨询过程	双方真实身份不易识别；易因信息交流不充分而引起误会；咨询师不在现场易造成影响作用不足等
信件咨询	可自由支配时间；免去面谈的麻烦	信息量有限、反馈周期长
专栏咨询	影响面广，科普性强，兼具帮助和预防的功能	针对性差
现场咨询	可弥补我国咨询人员严重不足的现状	增加了心理咨询师的工作量，有次数限制
代诊咨询	可间接了解当事人可能的状况	了解信息有限，咨询效果差

在实际的咨询工作中，以上各种咨询方式常常是互为补充的。许多来访者通过专栏咨询，认识到了自己的心理问题或症状，往往会进一步进行电话咨询、信函咨询、门诊咨询或互联网咨询。有些门诊咨询的异地来访者，回到原来的学习、工作或生活场所后，同样可以通过信函咨询、电话咨询、互联网咨询继续得到咨询师的帮助，而在现场咨询中发现的心理问题较为严重的来访者，则需转到医院进行门诊咨询。由此可见，多种咨询方式的相互配合，有利于心理咨询的广泛开展及咨询效果的巩固与提高。

四、心理咨询的程序

心理咨询并非随意的谈话和聊天，而是心理咨询师针对来访者的问题，依据心理学的规律和技术规范所进行的有序操作过程。心理咨询的一般程序包括以下几个阶段。

（一）问题探索阶段

这是进行咨询的初始阶段，主要有如下任务：

1. 建立良好的咨询关系

良好的咨询关系是咨询成功的基础，因而是咨询过程中极为重要的一个环节。正如美国心理咨询专家拉斯所言："咨询者与来访者之间建立一种坦率、信任的关系，是咨询过程中头等重要的事情，是有效咨询的前提条件。"

2. 资料收集阶段

临床资料是进行心理咨询工作的基本依据，没有它心理咨询就会无从下手。因此，在建立了良好的咨询关系之后，首先要做的第一步就是收集来访者的临床资料。包括一般资料和与来访者心理问题相关的背景资料。资料包括来访者的一般情况（如姓名、性别、年龄、职业、学历、民族等）、主要家庭环境、健康状况（如来访者伴有躯体症状或疾病，还要询问其病史、化验或体检的情况，切实了解来访者的健康状况）、主要生活经历、重大生活事件、幼年成长环境、个性特征、人际关系状况等。

3. 心理诊断

在排除严重精神疾病、躯体疾病（包括神经系统的器质性病变）后做出心理诊断。将收集到的所有资料按出现时间的先后顺序排序，剔除与症状无关的资料，再将与症状有关的资料进行分析后作出心理诊断。

4. 巩固求助动机

咨询者应该适当地向来访者解释心理咨询的目的、原则、方法与效果，并通过鼓励、支持和引导等方式帮助来访者树立咨询的信心。

（二）分析认识阶段

此阶段主要是心理咨询师帮助来访者分析心理问题，包括辨明来访者问题的根源、性质和严重程度；调动来访者配合的积极性；并与来访者共同商定咨询目标，制定咨询计划，设计咨询方案等。

（三）实施咨询方案阶段

这是心理咨询的核心阶段，咨询人员应在建立良好咨询关系的基础上，通过倾听、提问、鼓励和重复等参与性技术和面质、解释、指导、表达等影响性技术，以及咨询师采用的具有针对性的咨询技术，与来访者一起实施咨询方案，从而恢复其心理平衡，解决心理问题，实现学习和成长。

（四）巩固结束阶段

由于心理问题的复杂性和反复性，取得的疗效需要继续加以巩固，这一阶段包括巩固效果和追踪调查两项任务。

1. 巩固效果

告知来访者已基本达到既定的咨询目标，让其做好结束咨询的准备；咨询师与来访者一起做总结性回顾，帮助其从中学习经验；指导来访者巩固已有的进步，并运用到日常生活中，使之能独立有效地适应环境，达到通过咨询学习成长的目的。

2. 追踪调查

可采用填写信息反馈表、约请来访者定期面谈或侧面访问他人等方法，对咨询效果进行确认，以了解来访者能否运用获得的经验来适应环境。

四、心理咨询的常用技术

心理咨询是以解决问题为目的的，这就需要借助一定的方法和技术来实现。心理咨询的方法、技术很多，这里主要介绍咨询中的建立良好咨询关系的技术、参与性技术和影响性技术。

（一）建立良好咨询关系的技术

建立良好咨询关系的技术包括尊重、热情、真诚、共情和积极关注五方面。

1. 尊重

要求心理咨询师发自内心地尊重来访者；平等地看待咨询师与来访者之间的关系，不厚此薄彼、不轻视或奉承来访者；保护来访者隐私无条件地接纳来访者的一切。

2. 热情

咨询师需在咨询过程中表现出浓厚的助人情感，并且是助人愿望的真诚地流露。咨询师需在初次接待时打好热情的基础，在后续咨询中通过倾听和非语言行为表达热情。在咨询中，认真、耐心和不厌其烦是热情的最好表达。

3. 真诚

咨询师以“真实的我”帮助来访者，没有防御和伪装，不把自己隐藏在专业角色下，表里如一、真实可信地置身于与来访者的关系中。

4. 共情

共情指体验他人内心世界的能力。其具体含义包括：第一，通过来访者的言行，深入对方内心去体验他的情感与思维；第二，借助知识经验，把握来访者的体验与其经历和人格之间的联系，更深刻地理解来访者的心理及其问题的实质；第三，运用咨询技巧，向来访者传达自己对其体验和问题的理解，影响对方并取得反馈。

5. 积极关注

咨询师对来访者言语和行为的积极、光明和正性的方面给予关注。要求咨询师善于发现来访者身上存在的积极方面，能够辩证、客观地看待来访者，并帮助来访者也辩证、客观地看待自己。

（二）参与性技术

参与性技术主要包括倾听、提问、鼓励与重复、释义、情感反应、具体化、参与性概述等。

1. 倾听

倾听是心理咨询的关键技术之一，学会倾听是心理咨询的先决条件。因此，倾听是心理咨询的基础。心理咨询条件下的倾听与一般社交谈话中的聆听不同，它要求咨询师设身处地认真听对方讲话，这既是情感沟通的需要，也是掌握了解信息的基础。

倾听也是建立良好咨询关系的基本要求。它可以表达对来访者的尊重，让来访者在一种放松和信任的氛围中宣泄自己的情感。倾听时，咨询师要认真、设身处地的听，不带任何偏见和框架，不做价值评判，对来访者讲述的内容不表示惊讶、厌恶或气愤，给予无条件的尊重和接纳。倾听时不仅要用耳，更要用心。不但要听懂来访者通过言语、表情、动作所表达出来的思想，更要弄清楚来访者在交谈中所省略的和没有表达出来的内容或隐含的意思。倾听时要注意对来访者的讲述给予言语的和非言语的回应。在咨询过程中，有时“听”比“说”更重要，因为只有认真地倾听来访者的叙述，才能发现其问题的症结所在，才能提出解决问题的建议。

2. 提问

提问分为开放式提问和封闭式提问两种形式。前者是以能引发来访者就有关问题、思想情感给予详细说明的提问，后者是以“是”或“否”简单作答的提问。

（1）开放式提问　是咨询中较常用的一种提问形式，通常在会谈初期，资料的收集阶段使用。开放式提问常用“什么”“怎样”“为什么”“能不能”“愿不愿意告诉我……”等形式提问。通常不能用一两个字作答，而是引出一段解释、说明和补充材料。例如：“你为解决这个问题做了些什么呢?”来访者就不能用一两个字作答，而要详细描述自己的想法和行为。咨询师通过来访者的描述能从中了解其日常情绪、行为习惯、人格特征和价值观等信息。

开放式提问必须建立在良好的咨访关系基础之上，否则就可能会使来访者产生被询问、被窥探的感觉，以致发生阻抗。因而在提问时一定要注意提问的方式，提问的语气和语调不能轻浮，也不能咄咄逼人，尤其是涉及某些敏感的隐私问题时更要注意。提问是出于咨询的需要，而不是为了满足咨询师的好奇心或窥探的欲望。

（2）封闭式提问　封闭式提问通常使用“是不是”“对不对”“要不要”“有没有”等提问，而回答也是用“是”或“否”等一两个字简单作答。这类提问不引导来访者提供更多的信息，不扩大话题，而是就提出的问题进行查证。其作用是获得特定的信息，澄清事实，缩小讨论的范围。常用在问题探索阶段，双方已讨论了大量事实的基础上，利用这种技巧来补充、证实一些谈及的资料，比较节约时间，或者当来访者漫无边际地谈其情况、偏离了正题时，可用此技术引导步入正题，终止其叙述。

咨询过程中不可过多地使用封闭式提问，否则会使来访者陷入被动回答中，会压抑来访者自我表达的愿望和积极性，而使之沉默，甚至有压抑感或者被讯问的感觉。因此，必须与开放式提问结合起来使用。

3. 鼓励和重复

鼓励是咨询师以表情、语气强化来访者继续说下去的方式。其作用是咨询师表达自己对来访者的感受，对来访者所谈的话题表示感兴趣，希望来访者将话题继续下去。所用的技巧不外乎点头、微笑，或者说一些肯定、赞同的话，如“嗯”“好”“接着说”“还有吗”等。重复就是咨询师直接复述来访者刚刚陈述的某句话，引起来访者对自己某句话的重视或注意，以明确要表达的内容。以重复技术作为鼓励对方的一种反应，是很有效的方式。它体现了咨询师对来访者所述内容的某一点、某一方面的选择性关注，可以引导来访者的谈话朝着某一方向进一步深入。有些来访者在咨询中的表达令人费解，或与事实不符，或与常理不符，此时咨询师可以应用重复技术来澄清，从而明确来访者真正想表达的内容。通过鼓励和重复技术，咨询师对来访者的理解更加深入、准确，由此促进了咨询的顺利进行。

4. 内容反应

也称释义或说明，是指咨询师把来访者讲述的主要内容和思想加以整理，再反馈给来访者的方式。咨询师选择来访者谈话的实质性内容，用自己的语言将其表达出来，最好是来访者言谈中最有代表性、最敏感、最重要的词语，以便让来访者所诉内容更加明朗化，使来访者有机会再次剖析自己的困扰，重新组织零散的时间及关系，深化会谈内容。采用释义技术还可以检查咨询师是否准确理解了来访者讲述的内容。同时，还能给来访者传递这样一个信息，即“我正专心听你讲话”，以便打消来访者的疑虑，重塑信心。

5. 情感反应

情感反应与内容反应很接近，但有区别，内容反应着重于来访者言谈内容的反馈，而情感反应则着重于来访者的情绪反应，是指咨询师用词语来表达来访者所谈到、所体验到的感受，即有选择地对来访者在会谈中的情绪内容予以注意和反应。它的作用是澄清事件后隐藏的情绪，推动对感受及相关内容的讨论，也有稳定来访者情绪的作用。

咨询师关注来访者谈话中的情绪线索，并做出适当的情绪反应，有助于帮助来访者发现和意识到自己的问题所在，并予以解决。例如，来访者在谈到某个人时所用的情绪性词语，或对某个人所表现出的混合情感和矛盾情感（如既爱又恨）等。总之，咨询师能否对来访者的情感做出准确的反应，关键在于咨询师要真正进入来访者的内心世界，与来访者的情感产生共鸣，这种情感反应有助于加强咨询关系。

6. 具体化

具体化是指咨询师协助来访者详细、准确、清楚地表述自己的观点、所用的概念、体验到的情感或者经历的事件等，使重要的、具体的事实和情感得以澄清。具体化技术可以应用在来访者叙述中出现问题模糊、过分概括或概念不清等混乱、模糊、矛盾、不合理的情况时。咨询师可以通过具体化技术明确对方所要表达的真正意图和来访者的问题所在。例如咨询师问来访者："您可以举个例子吗？""您能具体谈谈当时的情形吗"。

具体化技术需要咨询师一方面澄清具体事实，另一方面要澄清来访者所说的词汇的具体含义。例如咨询师问："您认为自己得了强迫症，那么您所说的强迫症有哪些具体表现？"因为来访者有时对一些专业词汇缺乏真正的理解与认识。具体化技术在一定程度上推动着咨询的有效进行，有时甚至决定了咨询的质量。

7. 参与性概述

参与性概述是指咨询师把来访者的言语和非言语行为包括情感综合整理后，以提纲的方式再对来访者表达出来，相当于内容反应和情感反应的整合。参与性概述可使来访者再一次回顾自己的陈述，并使面谈有一个阶段小结的机会。参与性概述可用于一次面谈结束前，也可用于一阶段完成时，也可用于一般情况下。只要认为对来访者所说的某一内容已基本清楚就可作一个小结性的概述。参与性概述有利于引导来访者有序地探讨自身的种种困扰和咨询者对来访者的思想、感情和价值观等的准确把握。

（三）影响性技术

影响性技术主要包括面质、解释、指导、情感表达、自我开放、影响性概述等。

1. 面质

又称质疑、对质、对抗、正视现实等，是指咨询师指出来访者身上存在的矛盾，如言行不一致、前后不一致等。面质的目的是：①促进来访者对自己的感受、信念、行为及所处境况的深入了解；②促进来访者言行统一；③促进来访者明了自己所具有的能力、优势。在使用面质时需要注意：要有事实依据；避免宣泄个人情绪；避免无情攻击；要以良好的咨询关系为基础；可用尝试性面质。

2. 解释

解释是咨询师根据某种理论来描述来访者的思想、情感和行为的原因、实质等。使来访者从一个新的、更全面的角度来重新面对自己的困惑、自己的周围环境及自己，并借助于新的观念和思想加深对自身行为、思想和情感的了解，产生领悟，提高认识，促进变化。解释有别于释义，释义就是内容反应，是从来访者的参考框架来说明来访者表达的实质性内容，解释是从咨询师的参考框架运用自己的理论和经验，为来访者提供认识自身问题的新思维。

咨询师应具备较高的心理咨询理论修养，针对来访者的实际情况，从理论的高度给予系统地分析和科学地解释。否则，解释就可能会表面化、片面化，或者缺乏说服力，从而影响咨询的效果。此外，解释还应因人而异，对文化水平高、有一定心理学知识、领悟力强的来访者，可以做深入、系统、全面的解释；而对文化水平较低的来访者，则应尽量解释得通俗易懂，少用专业术语，多举例子打比方，以便使来访者易于接受。

3. 指导

指导是影响力最明显的一种咨询技巧，即咨询师直接地指示来访者做某些事、说某些话或者以某种方式行动，其作用在于直接造成来访者的认知、情感、行为，甚至性格改变。指导可分为一般指导和实用技术指导。一般指导主要告诉来访者怎样看待自己的心理问题和心理困惑，如何与咨询师合作共同改进行为、解决问题；实用技术指导包括各种行为疗法的矫正程序、家庭作业、放松训练等。运用指导技术时必须确保指导方向正确，避免误导。同时，指导的目标应具体、明确、易评估、可操作性强，指导用语也应简单明了、通俗易懂。

也有咨询师不赞同采用指导技巧，认为这是将咨询师的意志强加于来访者，他们反对操纵和支配来访者，认为咨询师应避免代替来访者做决定，让来访者自己确定要讨论的问题，而不是由咨询师来提出需要矫正的问题，也不要求来访者执行推荐的活动。但多数心理咨询专业人员仍然经常使用指导技巧，认为它是最直接影响来访者的方法。

4. 情感表达

是咨询师表达自己的喜怒哀乐，这种表达可以针对来访者、咨询师，也可以针对其他事物。它有别于情感反应，情感反应是咨询师反映来访者叙述中的情感内容，而情感表达则体现出咨询师对来访者设身处地的反应，同时也可起到一定的示范作用，促进来访者的自我表达。

5. 自我开放

也称自我暴露、自我表露，是指咨询师暴露与来访者所谈内容相关的个人经验，包括自己的情感、思想、经验等与来访者共同分享。它使来访者感受到咨询师也是普通人，从而缩短咨询师与来访者之间的人际距离，有利于建立和促进咨询关系。同时，咨询师这种开放的态度也为来访者做出了示范，可促进来访者的自我表达。

自我开放一般有两种形式：一种是咨询师把自己对来访者的体验感受告诉来访者。若感受是积极的、正面的、赞扬性的，表达后一般能使来访者感到心情愉快和受到鼓励。若感受是消极的、负面的、批评性的，则这种信息的表达应注意它可能带来的副作用，不能忽视来访者的感受。另一种自我开放的形式是咨询师暴露与来访者所谈内容有关的个人经验。这种自我开放的目的不在咨询师本人，而是借助自我开放表明咨询师理解来访者的问题，促进其更多地自我表达，因而在表述时应较为简洁。

6. 影响性概述

咨询师将自己所叙述的主题、意见等组织整理后，以简明扼要的形式表达出来，即为影响性概述。影响性概述可使来访者有机会重温咨询师所讲过的话以加深印象，咨询师也可通过影响性概述回顾讨论的内容，加入新的资料，强调某些特殊内容，为后续的交谈奠定基础。影响性概述和参与性概述不同，前者概述的是咨询师所要表达的观点，而后者概述的则是来访者叙述的内容。咨询师运用影响性概述，可总结来访者的主要问题、原因及影响，概述自己所阐述的主要观点，让整个咨询的过程脉络清楚，条理分明。因而影响性概述相比参与性概述而言，其对来访者的影响更为主动、积极和深刻。影响性概述既可用于会谈过程中，也可在会谈结束时使用，有时也常和参与性概述一起使用。

第三节　心理治疗

案例引导 6-3

案例：小王，男，33 岁。从小性格就内向孤僻、敏感多疑，做事力求完美。2 年前，邻居因为肝癌病逝，此后小王就总感到右腹隐隐作痛，2 年来总往医院跑，反复查肝功能，做 B 超等检查，没有发现什么问题。但他不能释怀，注意力高度集中在肝脏上，老疑心肝脏不好，还开了许多护肝的药堆着吃，完全像是为肝脏而活着，几乎是把正常生活、工作完全搁置一边，原来一个生龙活虎的小王彻底消失了。

问题：小王出现了什么心理问题？如果您为他做心理治疗，您将如何进行？

一、心理治疗概述及适用范围

心理治疗（psychotherapy）亦称精神治疗。是以一定的理论体系为指导，以良好的医患关系为桥梁，应用心理学的方法，影响或改变患者的感受、认识、情绪及行为，调整个体与环境之间的平衡，从而到达治疗目的。心理治疗自古以来就存在，远在氏族社会就有祭司或巫医在宗教仪式中运用“神灵”的力量为患者治疗的记载。我国的《黄帝内经》中记载：“精神不进，志意不治，病乃不愈”，可以说明当时已经认识到心理治疗的重要性。

现代心理治疗的历史只有百余年。奥地利医师弗洛伊德（Freud. S）于 1900 年首创的精神分析疗法影响深远，成为心理治疗发展史上的一个里程碑。20 世纪 50 年代以后，沃尔普（Wolpe. J）等创立了行为疗法，通过学习理论来治疗神经症状，改变不适宜的行为，使心理治疗的适应证更为广泛。

现代心理治疗应用越来越广，从医学心理学角度来看，能够接受心理治疗的对象主要包括以下几个方面。

（一）综合性医院各科心理问题

1. 非精神病患者

在对躯体疾病患者给予紧急临床处置的同时，对伴随的心理危机也需要同时进行心理治疗，如给予精神支持疗法、松弛疗法等。

2. 慢性疾病的患者

如慢性疼痛患者的行为矫正治疗、康复疗养患者的集体支持治疗等。

3. 心身疾病的患者

针对致病的心理社会因素采取心理治疗可以帮助患者消除或缓解心理应激反应，减轻疾病症状，促进其康复，如对紧张性头痛患者的认知疗法等。还可直接针对疾病的病理过程采取心理学矫正措施，如对高血压患者进行的松弛训练等。

（二）精神类疾病

这是心理治疗在医学临床中应用较早的领域，包括各类神经症性障碍如神经衰弱、焦虑症、抑郁症、强迫症、恐怖症、癔症、疑病症等，以及其他精神科疾病如恢复期精神分裂症、抑郁症等精神疾病。但是，精神病发作急性期、严重的内源性抑郁症、躁狂症、器质性精神障碍、严重反社会人格障碍、严重消极自杀等状况不适宜进行心理治疗。

（三）各类行为问题

各种不良行为包括性心理障碍、人格障碍、过食与肥胖、烟酒依赖、口吃、遗尿、儿童行为障碍、社交恐怖症等，都可以通过心理治疗来进行矫治。

（四）社会适应不良

在社会生活中，当一个人由于未能处理好人际关系或遭受突然的生活事件等原因，可导致适应困难，出现各种心理障碍，表现为自卑、自责、自伤、攻击、退缩、失眠等心理和躯体症状。此时可采取支持疗法、应对技巧训练、环境控制、松弛训练、认知疗法、危机干预等各种心理治疗方法给予帮助。

四、心理治疗的常用技术

（一）支持性心理治疗

支持性心理治疗亦称一般心理治疗法，主要是支持、帮助患者去适应目前所面对的现实。支持疗法是心理治疗最基本的技术，是一种简捷易懂、易学易用、行之有效的治疗方法。

1. 理论基础

患病时由于疾病对人体生理产生的影响，患者容易感到焦虑、担心、害怕，希望疾病能很快治好。这时，他需要外界的帮助，需要得到同情、理解、关心、支持和鼓励，需要了解有关信息和解答各种疑问、顾虑。若满足上述需要，为患者提供支持和力所能及的帮助，就可缓解患者的痛苦，帮助他认识问题、改善心境、提高信心，从而促进身心康复。支持性心理治疗就是在此理论基础上建立起来的。

2. 支持性心理治疗的基本技术

（1）倾听　倾听是心理治疗最基本的技术。倾听就是听患者诉说自己的问题、感受和需要等。治疗者在任何情况下都要善于倾听患者的诉说，这是建立治疗性医患关系、深入了解患者的心理活动、问题与需要的基础。在倾听过程中集中注意力，用“是吗”或“嗯……嗯”等表示你在注意听。同时，可以说“我能理解……”等，适当做出目光注视、点头表示同意等反馈，以表现出对患者的关心和理解，或者给予提示和归纳，如用“你感到……”“你想……”等语句提示或小结，让对方感到亲切、温暖、被接纳、有依靠，使患者被压抑的情感得以表达和疏导，消除思想顾虑，增进信任感，促进治疗性医患关系的建立。

（2）安慰、鼓励与劝导　当某些患者对疾病有过多顾虑和担忧、情绪低落、缺乏自信心，产生悲观失望的消极情绪时，医护人员要善于运用恰当的语言给予患者安慰和鼓励，如用“你的病不算最严重的，很多和您情况类似的都好了”“既来之，则安之”“留得青山在，不怕没柴烧”等语言安慰患者。也可以说“你看起来好些了”“你已经有进步了”“这种药效果很好，你要相信它”等鼓励患者树立信心，要注意结合生活中的具体处境和实际问题给予鼓励最为有效，含糊笼统的鼓励往往作用不大。医护人员也可以借助自己的经历或患者过去成功的实例，让患者认识到对己有利的方面，劝导患者以积极的态度和行为来面对人生。不要鼓励患者去做他实际上办不到的事，这样的鼓励会导致相反的作用，可能挫伤患者的积极性。有时要对患者晓之以理，动之以情，劝导其配合治疗，采取某些必要的行为或改变某些行为，或劝导他遵守某些必要的规定。

（3）解释、建议和指导　对患者常见的问题或疑虑，如诊断、病情严重程度、预后、各种注意事项等要进行合理解释或指导，消除其不必要的顾虑和误解，为患者提供新的思维和方法，有助于患者重新认识问题。治疗者一旦在患者心目中建立起权威，他提出的建议是强有力的。治疗师应根据患者的实际情况提出合理建议，让患者自行选择解决问题的办法，并指导患者实施。

（4）暗示　通过语言或其他途径让来访者听从咨询师的指示，来达到治疗目的的一种心理咨询与治疗方法。通过语言、表情、手势等对来访者造成影响，诱导来访者往好的一面发展，从而解除心理压力，摆脱心理困扰。暗示疗法对消除一些心因性疾病有很好的效果。

（5）保证　在患者焦虑、苦恼时，尤其是处于危机时，给予保证是有益的。做出保证必须在全面了解患者病史和进行必要的检查之后，否则是不负责任的表现。倘若了解信息不全，过早保证而致保证无法实现，患者会对治疗者丧失信任，可使治疗前功尽弃。神经症是施用保证的主要对象。

临床上，支持性心理治疗可以由护士或其他临床工作人员来负责执行，在护理领域当中可以广泛应用。

（二）精神分析疗法

精神分析疗法又称心理分析疗法，由奥地利精神科医师弗洛伊德于 1900 年创立。精神动力学理论主要是从一个人的内心心理冲突等方面来阐述其外在行为表现，弗洛伊德提出了潜意识的冲突-性驱力（libido）、心理防御机制，新精神分析学派则提出了自我发展、社会环境和人际冲突理论等心理学假设。虽然由于文化差异等原因，经典的精神分析疗法在我国未能被推广和应用，但是精神分析疗法的一些思想对当前心理治疗仍然具有重要的指导意义。

1. 理论基础

患者对自己的症状产生的真正原因和意义并不了解，它们存在于潜意识中。通过挖掘潜意识的心理过程可将其“召回”到意识范围内，进而让患者了解症状的真正意义，便可使症状消失。也就是说，通过挖掘患者潜意识中的致病情结或心理矛盾与冲突，把它们带到意识领域中来（即潜意识冲突表面化），使患者对此有所领悟，在现实原则的指导下得以纠正和消除症状，重塑与童年生活冲突有关的人格结构，达到心理健康的目的。

精神分析疗法主要适应证是癔症、强迫性神经症、恐怖症和抑郁症等，禁忌证为偏执型人格障碍、严重的抑郁症、精神分裂症。

2. 精神分析治疗技术

（1）自由联想　自由联想是精神分析的基本技术。在了解患者基本情况后，治疗者让患者在一个安静、光线适当的房间内，躺在沙发床上，鼓励患者回忆从童年起所遭遇的一切经历或精神创伤与挫折，甚至是一些自认为荒谬或奇怪的、不好意思讲出来的想法，治疗师坐在患者身后，倾听他的谈话，通过提问来澄清问题，从中发现与病情有关的心理因素。

（2）阻抗分析　阻抗是患者对治疗的“抗拒”。阻抗的产生是潜意识中本能地阻止被压抑的心理冲突重新进入意识倾向。患者拒绝解释或指点、突然沉默、缺乏情感的表达、姿势不自然、谈论琐事、回避主题、厌烦、频繁地高兴等都可能是阻抗的表现。精神分析理论认为，当患者出现阻抗时，往往正是其心理问题症结之所在，一旦阻抗被认识和消除，治疗便得以向前发展。

（3）移情的处理　在患者沉入对往事回忆的分析会谈过程中，患者可能将治疗者看成是过去与其心理冲突有关的某一人物，将自己对此人的体验、态度或行为方式不自觉地转移到治疗者身上。对治疗师产生爱情、倾慕、憎恨和不信任等强烈的个人情感，这种现象就是移情。对治疗者产生依恋、信任或爱等情感是正移情，产生憎恨、轻蔑或不信任等敌对感情为负移情。由于这种情感是过去纠葛的再现，治疗师由此可了解到患者症状的根源，从而能够有目的地进行治疗。

（4）梦的分析　也称释梦，是心理分析的重要手段。精神分析理论认为梦的内容与被压抑在潜意识中的内容存在某种联系，梦是潜意识欲望的表达，通过对梦的解释可以了解人的动机。弗洛伊德把梦分为两个层次，第一个层次是显梦，即患者在做梦醒来后能回忆出来的梦境；第二个层次是隐梦，是隐藏在显梦后面，或混在其中的，经过“改头换面”

曲折地表现出来的，具有象征意义的某些动机、要求、愿望等等，这些实际上就是做梦的真正动机。释梦应与自由联想同时进行。

传统的精神分析疗法每周会谈 1~2 次，每次 1 小时左右，疗程为 3~6 年，费时且费用高，疗效难以肯定，目前在许多国家都未将其推广应用。

（三）行为疗法

行为疗法，是运用各种行为改变的原理来治疗临床问题的一类心理治疗方法。其代表人物南非精神病学家沃尔普将行为疗法定义为：使用通过实验而确立的有关学习的原理和方法，克服不适应的行为习惯的过程。对治疗产生较大影响的主要有巴甫洛夫的条件反射学习理论、斯金纳的操作性条件反射理论及班杜拉的社会学习理论等。

1. 理论基础

行为疗法的理论基础是学习理论，该理论认为人的行为，不管正常的或病态的，都是通过学习而获得，也可以通过学习而更改、增加或消除。患者的症状即异常的行为或生理功能，也都是个体在过去的生活经历中，通过条件反射作用所习得的，由此设计某些特殊治疗程序，让患者习得的异常行为消除或矫正，建立新的健康行为。

行为疗法的适应证主要为恐怖症、强迫症、儿童心理行为障碍、饮食障碍、成瘾行为、性心理障碍、各类心身疾病等。

2. 常用行为技术及其方法

（1）系统脱敏法　系统脱敏法又称为交互抑制或缓慢暴露法，是由沃尔普创立。系统脱敏分为以下三个基本步骤：①建立恐惧或焦虑的境遇等级层次；②进行放松训练，达到能很快进入松弛状态的水平；③脱敏过程：患者最强烈的焦虑反应被克服即脱敏。具体做法是让患者在肌肉松弛的条件下，从最低层次开始，让患者想象或实地面对产生焦虑的情境，感到焦虑时即进行放松训练，直到不焦虑为止；然后让患者想象或面对下一个等级的焦虑场景，当感到焦虑恐惧时进行放松训练，直到想象或面对该层级场景时不再感到焦虑为止；如此一级一级逐级向上，直到最终克服最高等级的焦虑场景。中途可能有反复，这时可退回到前面的等级或最低的等级，重新开始。系统脱敏可以在治疗环境中通过想象进行，条件允许时也可以通过 VR 技术模拟进行，也可以在治疗师陪同下实地进行。系统脱敏法适用于恐怖症、强迫症、口吃、心理生理障碍和某些性心理问题的治疗。

（2）满灌疗法　也称冲击疗法。是通过让患者较长时间面临他最能产生强烈焦虑或恐惧的情境，不允许逃避，以达消除焦虑和回避行为的行为治疗技术。满灌疗法成功的关键在于找出患者最恐惧的事物或情境，其疗效取决于每次练习时患者能否坚持到心情平静和感到能自制为止，不能坚持到底就难以让患者恢复信心。满灌疗法最适用于恐怖症，如登高恐怖、广场恐怖等。满灌疗法实施时必须注意患者的身体情况，确保患者实施时不会出现躯体的意外，实施时应当有治疗师陪同和救护人员和设备，有癫痫、高血压、心脏病和体质衰弱的患者禁用。

（3）厌恶疗法和内隐致敏法　厌恶疗法是将要戒除的靶行为或症状与某种使人厌恶或惩罚性的刺激（如电击、催吐剂、橡皮圈弹击等）结合起来，建立厌恶性条件反射，达到减少或戒除靶行为出现的目的。常用于治疗酒依赖、药物依赖、吸毒、儿童不良习惯、性欲倒错（如同性恋、恋物癖、窥阴癖等），以及其他冲动性或强迫性行为障碍。应该注意，给予的厌恶刺激必须要有足够的强度使患者产生心理上的痛苦或厌恶反应，且持续时间较长，否则难以见效。治疗时间以不良行为消失为止。厌恶疗法由于会人为造成患者的痛苦，不符合现代医学伦理学的理念，已基本被废弃使用。当以不愉快的想象取代上述惩罚性的身体刺激，经多次结合重复后，适应不良性行为同这种想象建立了条件化联系，从而促使不良行为消退，这种方法称为想象厌恶疗法，也称内隐致敏法。

（4）放松疗法　又称放松训练、松弛疗法，它是一种通过训练有意识地控制自身的心理生理活动、降低唤醒水平、改善机体紊乱功能的心理治疗方法。放松有助于调节紧张、焦虑和不安，消除疲劳，稳定情绪，起到治疗疾病的作用。较常用的方法有肌肉放松训练、呼吸放松训练、想象放松训练、自主训练。

（5）生物反馈疗法　生物反馈疗法是通过现代电子仪器，实时记录人体内生理信息，并转换为声、光和数字等反馈信号，治疗师指导受试者根据反馈信号，进行自我认识和自我改造，学习有意识地调节和控制自身不随意的生理功能活动，达到放松身心和防治疾病的目的。生物反馈疗法主要依靠自我训练，仪器监测反馈训练只是初期帮助自我训练的手段，此后大部分靠自我练习。此疗法是放松治疗与生物反馈技术的结合，实际上是一种通过自我暗示与自我催眠的手段，达到自我调节不随意的内脏活动及其他功能的疗法。其训练目的明确、直观有效、指标精确，患者无任何痛苦和副作用。据国内有关报道证实，生物反馈疗法对多种与心理应激有关的心身疾病都有较好的疗效。

（6）其他　其他行为疗法包括逐级暴露、参与示范、自我管理技术、观察学习法、代币券法、强化疗法等等。

（四）认知疗法

认知疗法（cognitive therapy）是20世纪70年代在美国发展起来的一类新兴的心理治疗方法。

1. 基本原理

认知过程是应激事件到行为和情感的中介；适应不良行为和情感与适应不良性认知有关；治疗的关键在于修正扭曲的认知而不是适应不良的行为和情感。通过认知和行为技术可找出并纠正这些认知，使患者的心理障碍逐步好转，从而纠正适应不良行为。

认知疗法治疗抑郁性障碍、焦虑性障碍及饮食障碍等的疗效较为满意。

2. 认知疗法的基本方法

认知疗法发展很快，种类也多，近年来国内外常用的认知疗法如下：

（1）Beck的认知转变法　Beck是认知转变法的创始人。他在研究抑郁症治疗的临床实践中创建的认知疗法，是美国使用最多的心理治疗方法。他提出了情绪障碍认知理论。Beck 发现，在抑郁症患者中普遍存在认知歪曲，因此，他认为心理障碍治疗的重点应该是改变患者的不良认知模式，鼓励患者监察其内在因素，从而减轻或消除功能失调性活动。

Beck 归纳了在认知过程中常见认知歪曲的五种表现形式：①任意的推断，即在证据缺乏或不充分时便草率地做出结论；②选择性概括，是根据个别细节而不考虑其他情况便对整个事件做出结论；③过度引申，是指从个别事件出发引申做出一般性的结论；④夸大或缩小，是对客观事件的意义做出夸大或缩小的评价；⑤“全或无”的思维，即要么全对，要么全错，把生活看成非黑即白的单色世界，没有中间色。

（2）艾利斯的理性情绪疗法　理性情绪疗法（rational-emotive therapy）是由美国心理学家艾利斯于 1955 年创立。其基本观点是：非理性或错误的思想、信念是情感障碍或异常行为产生的症结。艾利斯理性情绪疗法的主要内容和方法是 ABC 或 ABCDE 模式，艾利斯将治疗中的有关因素归纳为：激发事件（activating event）-信念（belief）-结果（consequence）-辩论（dispute）-效果（effect）。Ellis 认为个体对激发事件的歪曲信念造成了各种适应不良的情绪和行为，通过治疗者与患者对非理性信念进行辩论，使患者在治疗中学习到合理的思维方式，以理性信念面对现实生活，最终取得改变负性情绪和不良行为的疗效。

（五）来访者中心疗法

来访者中心疗法是由罗杰斯开创的基于人本主义理论、以患者为中心、非指导性的心理治疗方法。该疗法是人本主义疗法中的主要代表。

1. 理论基础

任何人在正常情况下都有着积极的、奋发向上的、自我肯定的无限的成长潜力。如果人的自身体验受到闭塞、被压抑、发生冲突，使人的成长潜力受到削弱或阻碍，就会表现为心理病态和适应困难。如果创造一个良好的环境使他能够和别人正常交往、沟通，便可以发挥他的潜力，改善其适应不良行为。

2. 来访者中心疗法的技术

来访者中心疗法倡导非指导性治疗，不讲究技巧。但也并非完全没有技巧。除了倾听让来访者畅所欲言外，关键的还在于帮助来访者宣泄情感，很少使用影响性技巧。例如罗杰斯在治疗时为了避免操纵患者，在交谈时往往只是简单地点点头或口里“嗯”“啊”应着，似乎是在说：“好，请继续说下去，我正在听着。”

在来访者中心疗法的治疗过程中，治疗师需要做到的是：①无条件的积极关注患者；②尊重和接纳患者；③真诚而主动地倾听；④同感，即治疗师必须跳出自己的“参照系”，进入患者的“参照系”，用患者的眼光看待问题；⑤观察患者的行为、说话所用的词汇、患者的语调和面部表情、手势、坐姿等。来访者中心疗法强调患者应自己找出更好地应付现实矛盾的途径和解决现实生活问题的方法；强调患者的主观世界，心理治疗师应设身处地地理解患者的内心世界和愿望，将注意力集中在患者的思维与情感上；强调治疗者和患者之间的相互关系应该是一种平等的“朋友”关系。治疗时施治者耐心倾听患者诉说，“固执”地不给予指导，让患者在充分表达和暴露自己的过程中，领悟和体验到自己情感与自我概念的不协调，从而自我改变，走向心理健康。

任务小结

心理咨询和心理治疗都注重建立良好的人际关系，所遵循的指导理论相同，主要有精神分析理论、行为主义理论、人本主义理论和认知理论等。两者虽存在差异却又保持一致，共同服务于有心理需求的人，达到帮助其成长的目的，进而维护人类的心理健康，因而在实际的工作中很难将两者截然分开。心理咨询的对象主要是在适应和发展上发生困难的正常人，同时也适用于不同程度的非精神病性心理障碍、心理生理障碍者，以及康复期精神病患者的心理指导。心理咨询的类型多种多样，按照咨询对象的数量，可分为个体咨询和团体咨询；按照咨询的方式，又可分为门诊咨询、电话咨询、互联网咨询、信函咨询、专栏咨询、现场咨询和代诊咨询。心理咨询要达到良好的效果，咨询师必须遵循保密性原则、来访自愿原则、价值中立原则、时限性原则、助人自助原则、启发性原则、综合性原则和灵活性原则，并掌握心理咨询的基本技术包括参与性技术与影响性技术等。

知识点自测

一、名词解释

1. 心理咨询　2. 心理治疗　3. 潜意识　4. 本我　5. 操作性条件反射
6. 社会学习　7. 认知理论　8. 共情　9. 开放式提问　10. 内容反应
11. 情感反应　12. 参与性概述　13. 面质　14. 自我开放　15. 暗示
16. 自由联想　17. 满灌疗法　18. 厌恶疗法

二、选择题

1. 心理咨询主要在哪个意识层面上进行（　　）
A. 意识　B. 前意识　C. 潜意识　D. 无意识
E. 下意识

2. 当来访者言行不一致或前后言语不一致时，此时最适宜使用的咨询技术为（　　）
A. 解释　B. 面质　C. 指导　D. 倾听
E. 提问

3. 当咨询师使用面质技术指出来访者身上存在的矛盾时，以下做法中不正确的是（　　）

A. 以良好的咨询关系为基础　　B. 使用尝试性面质
C. 以事实为依据　　D. 避免宣泄个人情绪
E. 对来访者进行无情的攻击

4. 心理治疗的适应证包括（　　）
A. 脑卒中　　B. 急性精神病发作
C. 躁狂发作　　D. 性变态
E. 冠心病

5. 与患者交谈中，倾听的作用是（　　）
A. 获取信息　　B. 理解患者实际要表达的内容
C. 让患者表达自己　　D. 建立良好的咨询关系
E. 以上均是

6. 斯金纳进行的动物行为实验研究称为（　　）
A. 杠杆动作研究　　B. 经典条件反射　　C. 奖励惩罚研究　　D. 操作条件反射
E. 本能反应

7. 精神分析把无法被个体感知的心理活动称为（　　）
A. 催眠状态　　B. 潜意识　　C. 前意识　　D. 消失的意识
E. 意识

8. 贝克认为认知是情绪和行为反应的中介，这一观点是指（　　）
A. 不同的情绪反应导致不同的认知评价，然后引起不同的行为反应
B. 不同的行为导致不同的认知评价，然后引起不同的情绪反应
C. 不同的生活事件导致不同的情绪和行为反应
D. 生活事件经过个体的认知评价导致相应的情绪和行为反应
E. 不同的情绪和行为反应，导致不同的认知

9. 行为治疗的目的是（　　）
A. 纠正不适应的认知模式　　B. 改变不适应的行为模式
C. 重现童年期的心理冲突　　D. 发挥个人的潜能
E. 顺应身体的不适

10. 护士在与患者沟通的过程中，发现患者表达不明确，护士对某些问题有疑问时，采用下列哪种沟通技巧最好（　　）
A. 改变认知　　B. 集中焦点　　C. 接纳　　D. 核实自己的感受
E. 倾听

11. 经典条件反射把环境刺激对个体行为的促进作用称为（　　）
A. 强化　　B. 消退　　C. 有效　　D. 泛化
E. 后天学习

12. 饮酒后感到“烦闷解除”，逐渐形成了饮酒的嗜好，这属于（　　）
A. 惩罚　　B. 消退　　C. 正强化　　D. 负强化
E. 习惯形成
13. 下列不属于精神分析人格理论的内容是（　　）
A. 自我　　B. 本我　　C. 潜意识　　D. 超我
E. ego
14. 罗杰斯认为儿童自我不协调的原因是（　　）
A. 条件性积极关注所致　　B. 理想的我与现实的我距离接近
C. 无条件性积极关注所致　　D. 潜能发展的阻碍
E. 本我与超我不协调
15. 下列心理治疗不属于行为治疗的是（　　）
A. 厌恶疗法　　B. 满灌疗法　　C. 自由联想　　D. 系统脱敏
E. 代币法
16. 来访者中心疗法不主张（　　）
A. 发展来访者主观能动性　　B. 对来访者明确诊断
C. 促进来访者成长　　D. 治疗师与来访者是平等“角色”
E. 释放来访者真正的自我

三、问答题

1. 简述心理治疗和心理咨询的基本原则。
2. 简述心理咨询和心理治疗的关系。
3. 简述心理咨询的注意事项。
4. 简述精神分析理论的意识理论。
5. 简述精神分析理论的人格结构理论。
6. 简述操作性条件反射的原理。
7. 简述社会学习理论。
8. 简述罗杰斯的自我概念。
9. 简述艾利斯的 ABC 理论。
10. 常用的参与性技术有哪些？
11. 常用的影响性技术有哪些？
12. 简述精神分析治疗技术。
13. 简述系统脱敏疗法的实施步骤。
14. 简述生物反馈疗法的原理。

实训项目

陈女士，从高处摔下，造成轻微的脑部损伤，导致她视线不清、眩晕、恶心，并伴有严重头痛。她不得不住进医院，不能照顾5岁的女儿，不能工作，也不能做家务。她感到充满内疚感，尽管这次意外并非她的错，她还是责怪自己不小心出了意外导致家庭受累。自从她头部受伤后，这种沮丧就一直缠绕着她。一天，护士耐心地倾听了陈女士的倾诉，对她的感受深表理解，并给予了安慰和开导，陈女士听了后情绪有所好转。

请分析：

1. 护士是通过什么方法对患者实施心理护理？
2. 说说这种方法的主要技术。

第七章

患者心理

内容导读

1. 掌握　患者角色适应不良的表现；患者的心理需要及常见的心理变化；不同患者的心理特点及心理护理。

2. 熟悉　患者角色概念及特征；患者求医行为的原因、类型、影响因素。

3. 了解　患者的遵医行为。

随着医学模式的转变，护理工作的性质和范畴都发生了巨大的变化，护理工作的重点也由原来的“以疾病为中心”转变为“以人的健康为中心”。作为一名合格的护士，应该了解患者的权利、义务及心理需求，理解不同年龄患者的心理活动特点，这样才能在工作中有的放矢、科学有效地开展优质的心理护理。

第一节　患者角色和患者行为

案例引导 7-1

案例：患者，王某，女，31 岁，因发现右下肺阴影入院，诊断为肺癌。患者住院当天认为诊断错误拒绝治疗，坚持要回家照顾年幼的儿子，经支气管镜检查确诊后，患者变得郁郁寡欢，经常落泪，失眠，不爱活动。

问题：什么是患者角色？该患者出现了哪些类型的角色适应不良？

一、患者角色

（一）患者角色的概念

1. 角色的概念

角色（role）是戏剧学的术语，指演员扮演的剧中人物。20 世纪 20—30 年代被引入社会心理学后成为社会心理学的专门术语，指个体在多种人际关系网络中的地位和身份。处于社会中的个体要承担多种角色，每一种角色因社会要求的不同而具有各自的特征和相应的权利及义务，在实现权利和义务的过程中，个体需要表现出符合社会期望的行为与态度模式。

2. 患者角色

患者是指患有疾病、处于病痛中的人。患者角色也称为患者身份，是一种特殊的角色。每个人都有成为患者的可能，一旦被医师和社会确认为患者，就获得了患者角色，便会被期望表现出与患者角色相应的心理和行为。

美国社会学家 Parsons T（1951 年）在《社会制度》一书中提出患者角色具备四种角色特征。

（1）免除或部分免除社会职责　患者可以从常规的社会角色中解脱出来，免除或部分免除其原有的社会责任和义务，免除的程度取决于疾病的性质和严重程度。例如，急危重症患者可在较大程度上免除父亲、工人、丈夫等角色职责。

（2）患者一般不需要为患病承担责任　病原微生物侵入机体不是患者所愿意的，同时患病后患者不能靠主观意愿治愈，而只能处于一种需要得到帮助的状态。因此，患病是超出个人控制能力的一种状态，护士不应责怪患者为什么患病，而应尽可能地使他从患病状态中解脱出来，恢复原来的健康状态。

（3）患者有接受治疗、恢复健康的责任　患病不符合社会对个人的期望，患者需要为治疗疾病付出努力，包括配合医疗护理工作和尝试独立处理自己日常的生活问题等。

（4）患者有寻求医疗帮助的责任　患者患病时应该寻求他人的帮助，包括医护人员的帮助和社会的支持等。

（二）患者角色的适应

患者的角色不是与生俱来的。很多患者在角色转变的过程中会出现不适应的问题。个体能否从社会常态顺利过渡到患者角色，对疾病的康复有着很大的影响。因此，护士必须正确评估患者角色转变中存在的问题，并找出原因，针对性地进行心理护理，帮助患者尽快适应患者角色。常见的患者角色适应不良可表现出以下几种行为方面的改变。

1. 角色行为缺如

指患者不能进入患者角色。医师明确诊断后，患者不承认自己患病，或者否认疾病的严重程度，怀疑医师诊断有误，这种“否认”是一种常见的心理防御机制，这时候患者往往会感到悲观、绝望，否认疾病的存在，拒绝接受治疗或采取等待、观望的态度。例如有些癌症患者在确诊后会拒绝承认患病，不愿意配合医护人员进行治疗。

2. 角色行为冲突

指患者角色与其常态下的社会角色发生冲突而引起的行为矛盾，患者心理主要表现为焦虑不安、烦恼甚至恐惧、痛苦。原有社会角色的重要性和紧迫性及患者的个性特征影响心理冲突的激烈程度。如一位需要住院手术治疗的女性患者，虽然意识到疾病的严重程度，但是不能接受患者的角色，因为家中有幼子需要照料，一旦住院，她的母亲角色将不能履行，因此会有烦躁、焦虑、悲伤、抑郁等情绪反应。

3. 角色行为减退

患者适应患者角色后，出于某些原因，又不得不重新承担本应免除的社会角色，承担常态社会角色下的义务和责任。如某些仍需要继续治疗的患者因为经济拮据等原因，不得不中断或放弃治疗，重新工作。

4. 角色行为强化

指患者因为患病导致自我能力降低，对家庭和社会的依赖性增强。常见于患者从患者角色向社会角色转化时，虽然病情已趋于好转，但患者仍安于患者角色，自信心降低，对自我能力产生怀疑。如久病住院的患者康复或即将出院时，不愿意离开医院，表现为依赖、退缩，对恢复正常的生活没有信心，仍需要他人的帮助，生活不想自理。

5. 角色行为异常

指患者虽然知道自己患病，但长期忍受病痛的折磨后产生悲观、失望、愤怒等心理冲突从而导致行为异常，如罹患不治之症的患者对医护人员产生质问、辱骂、殴打等攻击性语言和行为。

二、患者行为

患者在角色转变和适应的过程中，随着心理的变化会出现相应的行为，作为护士应当了解患者在就医过程中可能出现的行为及原因，分析其影响因素，满足患者的心理需要，促进患者的康复。

（一）患者的求医行为

求医行为指的是患者感到躯体或心理不舒适时寻求医护人员帮助的行为。

1. 导致求医行为的原因

（1）生理需要　器质性或功能性疾病导致患者不舒适而影响社会生活常常是导致患者求医的重要原因，如疼痛、外伤等。

（2）心理需要　患者出现心理问题后常会表现出焦虑、恐惧、抑郁等不良情绪，严重时会引发心身疾病和精神障碍等，为了缓解不良情绪带来的不适，恢复正常的工作和生活，患者也会产生求医行为。

（3）社会需要　患有传染病、精神病等的患者会对社会人群产生现实的或潜在的危害，因此，社会或公共卫生机构必要时会对此类患者采取强制求医的行为。

2. 求医行为的类型

采取求医行为的可能是患者本人，也有可能是他人或社会，根据患者求医的自主性，可将求医行为分为主动求医行为、被动求医行为和强制求医行为。

(1) 主动求医行为 主动求医行为指的是当患者感觉患病或不适时，为治疗疾病而自觉寻求医护人员帮助的行为。大多数患者的求医行为属于主动求医行为。

(2) 被动求医行为 被动求医行为指的是患者自身无能力求医，而由患者家属或他人代为求医的行为。如昏迷患者、婴幼儿等。

(3) 强制求医行为 强制求医行为是指患者本人不愿意求医，政府卫生行政部门或患者的监护人为了维护患者和社会人群的健康和安全而强制要求患者求医的行为。如精神障碍患者、对毒品依赖严重的患者、需要强制隔离的传染患者等。

3. 影响求医行为的因素

患者患病或感到不舒适后，会不会采取求医行为，受到多方面因素的影响，如患者的年龄、经济状况、患者对疾病和症状的认知、心理体验、就医的便捷程度及社会经济状况等，主要有以下三个方面。

(1) 患者对疾病和症状的认知 在影响求医行为的诸多因素中，患者对疾病和症状的认知是最主要的因素。在求医之前，人们一般会对自身疾病的状况及严重程度进行一个简单的判断，一般来说，认为疾病越严重，对自身的安全伤害越大，其求医的可能性也就越大。

患者对于疾病和症状的认知主要来源于两个方面：一是症状的特点，主要包括症状的严重程度、强度、部位、持续时间、对正常社会生活的影响等。二是患者的心理社会特征，如患者的个性特征、受教育程度、宗教信仰、社会文化背景等都会对患者在疾病和症状的认知上产生影响。通常敏感、易受暗示的人比独立性强的人更容易重视自身疾病，求医率更高；受教育程度高的患者对于疾病会有更加充分的认识，能够意识到防病治病、维护健康的重要性，其求医率更高。

(2) 医疗保健服务方面的因素 医院的级别、医护人员的技术水平、服务态度等都会影响患者的求医行为，例如护士的护理水平不高，对患者的态度恶劣，这些不愉快的经历会造成患者心理的伤害，直接影响到患者以后的求医行为。

(3) 社会经济因素 社会经济的发展可以带来物质水平的提高，促进医疗卫生事业的发展，并通过教育和媒体宣传促使人群对自身健康更加关心，在感觉身体和心理不适时能够及时求医。

(二) 患者的遵医行为

遵医行为是指患者遵从医护人员开具的医嘱或护理，进行检查、治疗及预防疾病复发的行为。遵医行为在患者的就医过程中是非常重要的，医护人员对于患者诊治疾病的顺利进行、临床疗效取得以及康复的实施都与患者的遵医行为有着密切的关系。只有患者与医护人员密切配合，良好遵医，才能尽早康复，实现预期的治疗护理效果。

1. 遵医行为的类型

（1）完全遵医行为　患者就医后，完全配合医护人员的指导和安排，做好治疗和护理的行为。

（2）不完全遵医行为或不遵医行为　患者就医后，不能全面地遵从医护人员的安排，甚至拒绝配合治疗护理，称为不完全遵医行为或不遵医行为。

2. 影响遵医行为的因素

影响患者遵医行为的因素有很多，了解这些因素，有助于改善医患和护患关系，使患者更好地保持遵医行为。常见的原因主要如下：

（1）疾病因素　疾病的种类、严重程度、强度等都会影响到患者的遵医行为。一般来说，急、危、重症患者遵医率较高，轻症、慢性病患者不遵医的情况较多。

（2）患者因素　主要包括患者的年龄、性别、职业、受教育程度、社会地位、经济收入状况、生活习惯、个性心理特征、对疾病的认知状况等都会影响患者的遵医行为。例如，患者对疾病相关信息的掌握程度高，遵医行为的发生率也相对较高；易受暗示和依赖性较强的患者也更容易遵医；医护人员提出的治疗方案需要改变原有的生活习惯，患者的遵医率可能会降低。此外，老年人、婴幼儿由于不理解或记不清医嘱，其遵医行为也会下降。

（3）医患、护患关系　有研究表明，患者的不遵医行为与患者对医护人员不满意、不信任有关。患者与医护人员接触的时间、频率、交流方式及护患模式对患者遵医行为的影响大于患者自身因素对遵医行为的影响。因此，护理人员在护理过程中，应多与患者沟通、交流，在操作时尽量避免给患者带来不必要的痛苦，这样才能建立良好的护患关系，提高患者的遵医行为，促进患者的康复。

（4）治疗与护理方案因素　当患者对于医护人员的治疗和护理方案不明了、不认识、不理解时，就不能真正领会医护人员的意图。也会产生盲目或抵触心理，进而影响到遵医行为。因此，护理人员应该重视护患之间的互动，让患者及其家属参与治疗护理方案的制订，使其能够真正理解和接受医嘱。另外，对于患者不能理解治疗护理方案，甚至表现出不耐烦时，护理人员应该尽可能耐心地向患者及其家属解释，消除患者的疑虑和抵触心理，促进患者遵医。

第二节　患者的心理需要和心理变化

案例引导 7-2

案例：2020 年 2 月，受新型冠状病毒肺炎疫情影响，144 名在华俄罗斯人从武汉被接回国内后，被送到了西伯利亚森林的一处疗养中心过上了为期 14 天的“隔离生活”。疗养中心内备有生活所需用品，甚至每天有四次水果供应。尽管外人认为隔离14天非常枯燥无味，他们当中不少人“苦中作乐”，通过社交平台上传自己健身、吃饭的视频，在线聊天。有些人自行改造起隔离者专用的绿白条纹长袍，凹造型自拍。还有人直播隔离区的环境。据报道，他们在隔离期间均“自我感觉良好”。

问题：隔离期的患者有哪些心理需要？如果您被隔离，您会有什么样的心理变化？

一、患者的心理需要

个体在健康状态下，能依靠自己满足各种需要。在患病期间，个体的需要会随着疾病的发展转归而发生变化。因此，护士必须熟悉患者的心理需要及发生改变的规律，了解哪些特殊需要会对疾病产生影响，并提供针对性的护理，满足其心理需要，促进患者的康复。

（一）患者心理需要的基本内容

1. 生理的需要

患者在患病后饮食、排泄、呼吸等方面的生理需要都会受到影响，这些需要是人类最基本、最低层次的需要，是其他需要产生的基础，如果这些需要不能满足，患者的生命将受到威胁。因此，护理人员应该尽可能地满足患者基本的生理需要，促进患者的舒适。

2. 安全的需要

个体的安全需要通常表现为：个体所受威胁越大，自我保护能力越差，安全需要就越强烈。患者在患病时由于受到生理病痛的折磨，感觉到生命安全受到威胁，尤其在住院期间，对于医院环境和医护人员的不熟悉，对疾病诊断和治疗的未知，对治疗和护理效果的担心，对各种检查和治疗的恐惧和焦虑会加重患者的不安全感。作为护士，必须了解患者的安全需要及引起患者不安全感的原因，采取各种措施帮助患者提高安全感，使患者产生信任感，如在患者入院后尽快帮助患者及其家属熟悉医院环境和参与治疗护理的医护人员；提供恰当的疾病及诊疗信息，耐心地解答患者的各种问题和疑虑；在执行各项操作时动作轻柔、不粗暴，技术过硬，并在操作过程中及时与患者沟通交流；严格执行无菌操作，预防院内感染；为患者提供安全的住院环境，防止发生意外等。

3. 归属的需要

患者患病住院后，会离开熟悉的工作生活环境，进入陌生的医院环境，极易产生孤独感。在医院环境中，患者有迫切与周围人建立感情和关系的需要，希望得到新群体的接纳和认可，渴望被医护人员重视、关心和照护，期待有“患难与共”的人际氛围帮助他们战胜疾病、排遣孤独。因此，除了日常的护理工作外，护士不仅要主动关心患者，还应多与患者沟通交流，让患者体会到护士的关爱，还要帮助患者加强与其他病友的沟通，在病房内营造温馨和谐、互相关心的氛围，使患者之间可以沟通信息，互相鼓励，消除患者的孤独感，增强患者配合治疗与康复的信心，满足患者爱与归属的需要。

4. 尊重的需要

个体患病后由于受到疾病的影响，个体的生活自理能力可能会受到影响，一些疾病还有可能需要患者经常暴露隐私部位来配合医护人员的治疗和护理，这些极易导致患者自我评价降低，自尊严重受损，觉得自己是家人和社会的拖累、负担，对尊重的需要显得非常强烈。护理人员在参与治疗和护理工作的过程中，要注意保护患者的隐私。尊重其人格，尤其在操作前要和患者做好沟通解释，尊重患者的知情同意权，对患者做到态度亲切、称呼有礼，切忌用替代性称呼来称呼患者。良好的护患关系建立在相互尊重的基础上，只有和患者多沟通交流，多关心爱护患者、尊重患者，才能赢得患者的尊重，建立起和谐的护患关系。

5. 信息的需要

患者在住院期间迫切需要了解自身疾病的相关信息，如患者需要知道自己患的是什么病，患病的严重程度，会发生什么变化，预期治疗结果如何。医护人员的专业水平和工作能力如何，疾病的诊断和治疗方案是什么样的，尤其是需要手术的患者，非常关心“是谁主刀”，医术是否高明，打算怎么做手术，用什么样的麻醉方式等等。此外，在住院期间，患者还想了解家人的生活、工作情况，工作单位的信息。

护士应该了解患者随着疾病发展和转归出现的各种需要，并且给予适当的满足和帮助，使患者从心理、身体、社会各个方面都能够获得最大的舒适。

（二）患者心理需要的基本特点

与正常人群相比，在医院环境下患者心理需要有其特殊的特点和规律。

1. 需要内容的错综复杂性

根据马斯洛的需要层次理论，人的需要由低层次到高层次可分为七种，可见机体的需要本来就是多维、多层次、多内容的。在疾病状态下，患者除了饱受病痛的折磨外，还要面对陌生的医院环境、医护人员，要配合医护人员进行各项治疗和护理，在这个过程中，患者的安全感、归属感、被尊重的需求等会交替出现，呈现出心理需要的错综复杂性。

2. 主导需要的不稳定性

在患病期间，患者的主导需要会随着病情的变化和治疗护理的进展而发生变化。当病情严重时，生理和安全的需要就变得尤其突出；当病情趋于稳定时，爱与归属、尊重的需要就会迅速上升；当病情处于转归期时，信息需要又处于主导地位。

3. 心理需要的特异性

尽管患者的心理需要有一定的共性，但是每个患者也有其独特的主观认知和经历背景，因此在日常的护理工作中，护士要考虑到患者的个体差异性，有针对性地开展心理护理，给患者提供最优质的护理服务。

二、患者常见的心理变化

个体在患病后，受到生理功能变化的影响，不仅心理需要发生变化，认知、情感、意志行为等心理活动也会发生一系列的变化。心理变化发展到一定程度会形成心理问题，甚至引起人格特征的改变，护士必须掌握患者心理变化的特点，尽早干预并给予适当的心理调试，促进患者的康复。

（一）认知的变化

1. 感知觉异常

个体在正常状态下主要将注意力集中在工作学习上，心理活动多指向外界事物，患病后患者告别正常的社会角色转入患者角色，将注意力全部集中在自身和疾病，感知觉的指向性、选择性、理解性和范围都会发生变化，可能产生以下几种异常。

（1）感受性提高　一方面患者对周边环境的感受性提高，如对声音、光线、温度等刺激特别敏感。另一方面患者由于对自身躯体的过分关注导致对呼吸、心跳甚至体位的敏感度都会增强，出现一些奇特的不适，如患者夜间难以入眠，觉得病房声音太吵、被子太沉、枕头不舒服等。

（2）感受性降低　有些患者在患病后会出现感受性降低，比如觉得医院的饭菜“味同嚼蜡”、食之无味等。

（3）时空知觉异常　一些患者在住院期间会出现感知错乱，分不清上、下午，感觉时间过得非常慢，尤其是病情反复迁延，疼痛的患者会有度日如年的感觉；还有些患者空间知觉错乱，感觉床铺摇晃，天旋地转。

（4）幻觉　有的患者甚至会出现错觉或幻觉，如部分截肢患者在截除手术后会觉得有一个虚幻的肢体，近30%的患者报告能感觉到幻肢疼痛。

2. 记忆异常

由于疾病本身和应激的作用，许多患者会出现不同程度的记忆力减退，如脑器质性病变等。主要表现为患者不能准确回忆病史，不能正确记住医嘱，甚至不能记住做过的事，说过的话。

3. 思维异常

受到疾病及相关因素的影响，患者的思维能力也受到不同程度的损伤，主要表现为分析判断能力减退，猜疑心理明显。有些患者决策时非常草率、武断，不能有效采纳医护人员的意见，有些患者犹豫不决，无法作出正确决定，完全由家属代理等。因此。护士对待患者一定要耐心细致，尽可能地给患者解释，并有计划有目的地训练患者，帮助其恢复正常思维的能力。

（二）情绪的变化

大量的研究报道表明，患者的情绪往往被负性反应所主导，面对未知和潜在的危险，饱受病痛折磨的患者几乎都会表现出焦虑、抑郁、恐惧、愤怒等不良情绪。护士必须了解患者负性情绪的特点及出现的原因，并给予适当的心理护理措施，解除患者心理上的痛苦和不适。

1. 焦虑

焦虑是临床患者最常见的情绪反应。引起患者焦虑的原因很多，如对疾病的病因、性质和不良后果的不明确；疾病的诊断不明确、疗效不显著，症状反复迁延；对亲人的牵挂、对经济的担忧等。焦虑在患者候诊，等待确诊、手术、侵入性治疗和检查前，尤其是目睹危重患者的抢救过程或死亡的情景时表现得最为明显。在生理上表现为交感神经系统的功能亢进，症状主要为烦躁不安、感觉过敏、震颤、心悸、出汗、血压升高、呼吸困难、厌食恶心、腹部不适等。患者的焦虑一般可分为3类。①期待性焦虑：面临即将发生但又未能确定的重大事件时的焦虑，常见于尚未明确诊断或初次住院的患者，以及不了解自身疾病性质和预后的患者；②分离性焦虑：与熟悉的环境和人分离所产生的焦虑，患者患病后与原来的环境和自己的亲人分开，便会产生分离感，常见于与照顾者有较强依恋关系的儿童或老年人；③阉割性焦虑：自我完整性受到破坏或威胁所产生的心理反应，常见于行手术切除某脏器、器官或肢体的患者。

焦虑普遍存在于患者当中，适当的焦虑有助于患者适应角色，关注自身健康，是一种保护性反应。护士应该学会区分焦虑的程度，对中重度焦虑给予及时的干预，并以足够的耐心加以引导，帮助患者疏泄紧张和焦虑，消除焦虑给疾病康复带来的不良影响。

2. 恐惧

恐惧是个体由于某种明确的、具有危险的刺激源所引起的负性情绪。恐惧与焦虑不同，焦虑的对象是不确定的或有潜在威胁的事物，而恐惧有非常明确的对象，是现实中已经存在的人或者事物。引起患者恐惧的原因有很多，常见的如医院特殊的氛围，有危险性的特殊检查和治疗，疾病导致的躯体部分残缺或功能丧失，手术等。机体在恐惧时可出现心率和呼吸加快、尿频尿急、血压升高、颤抖、出汗、说话时声音发颤或音调改变等，并可能伴发逃避行为。

针对患者的恐惧情绪，护士应认真分析导致患者恐惧的原因，给患者适当的解释和安慰，提高患者的安全感，帮助患者克服恐惧。

3. 抑郁

抑郁是以情绪低落、兴趣缺乏等情感活动减退为主要特征的消极情绪状态，常与现实或预期的丧失有关。常见的原因包括身患重病、严重的器官功能丧失、长期饱受病痛折磨或久病不愈、患病后形象严重受损等。另外，抑郁情绪的产生还与患者的人格特征、性别、家庭因素等社会因素有关。一般来说，抑郁常见于女性患者、有抑郁家族史的患者、酗酒或面临应激的患者。行为上主要表现轻重不等的消极压抑、悲观失望、心境低沉、自我评价低，对周围事物兴趣减退、反应迟钝，食欲、性欲减低，睡眠减少，严重者有自伤或自杀行为。

抑郁情绪会导致不良的身心症状，使病情加重，降低机体的免疫力，重度抑郁还会出现自杀行为，抑郁状态还会妨碍患者之间及患者与医护人员的交流，导致患者的社会支持减少。在临床护理工作中，护士应及时发现患者的抑郁情绪，进行心理干预或指导，鼓励家属提供积极的社会支持，严重的抑郁患者应请专科医师进行治疗干预和药物治疗，防止患者自杀。

4. 愤怒

愤怒是指个体在追求目标时遇到障碍、愿望受阻时出现的一种负性情绪反应。导致患者产生愤怒的原因很多，比如患者得知自己患病又治疗无望，患者久经病痛折磨疗效不理想，医护人员的服务态度恶劣，医护人员的技术水平与患者的期望水平差距过大，医院管理混乱导致患者投诉得不到有效解决等，这些因素常常使患者产生愤恨甚至是敌意。行为常表现为烦躁紧张、易激惹、行为失控、吵闹哭泣、心率加快、血压升高等。愤怒时常伴随着攻击行为，表现为言谩骂、殴打医护人员和家属，或对自身进行惩罚、伤害等。

从心理适应的角度来看，愤怒可以缓解患者内心的紧张和痛苦，但有时会造成医患、护患关系的紧张，甚至会影响医疗护理措施的顺利进行。因此，医院除了要加强管理，提高医护人员的技术水平，提升服务水平和质量之外，护士应该多与患者沟通，对于患者出现的负性情绪进行适时的疏导，缓解患者内心的紧张和痛苦。

（三）意志行为的变化

患病后，不仅疾病本身，诊疗过程也会引起患者的不适与痛苦。对于患者而言，治疗过程也是一个为达到康复目的而进行的意志活动，在这一过程中患者会产生意志行为的改变。一些患者会出现意志的变化，如在治疗的过程中丧失信心，遇到困难就动摇、妥协，对自己的行为无自制和调节力，脆弱、易激惹，或盲从、缺乏主见；还有些患者在患病后由于得到家人和医护人员无微不至的照料，加上疾病的影响导致自理能力下降，对自己日常生活和治疗都不能胜任，产生依赖心理，事事依赖他人；甚至出现退化行为，表现出与年龄和社会角色不相符的行为举止，如故意呻吟、哭泣甚至喊叫来引起他人的关爱。护士不应迁就姑息患者的依赖和退化行为，而应帮助患者重新燃起战胜病魔的勇气和信心，积极调动患者在参与治疗和护理过程中的主动性，促进患者早日康复。

（四）人格特征的变化

一般来说，人格是具有一定的稳定性的，不太可能随着时间和环境的改变而轻易变化。但是，在某些特殊情况下，如慢性迁延性疾病、恶性肿瘤、截肢、毁容等对患者正常的社会生活影响非常大，导致患者的自尊心、自我价值感降低，从而引起患者人格发生改变；某些脑部器质性疾病也会导致患者人格发生改变，如长期癫痫发作的患者往往表现出自私、易激惹、攻击且极端凶狠的人格改变。

任务小结

患者患病后会进入患者角色，并伴随着一系列的角色适应和心理行为问题。患者角色适应不良包括角色行为缺如、角色行为冲突、角色行为减退、角色行为强化、角色行为异常。患者求医行为受到生理、心理、社会因素的影响，分为主动求医、被动求医、强制求医。患者的遵医行为受到疾病因素、患者因素、医患护患关系因素、治疗护理因素的影响。患者患病后会出现认知、情绪、意志行为、人格的改变。作为护士，应该理解不同患者的心理活动特点，在护患交往过程中建立良好的护患关系，实施优质的心理护理。

知识点自测

一、名词解释

1. 患者角色　2. 角色行为冲突　3. 角色行为强化　4. 被动求医行为

二、选择题

1. 患者的角色适应不良不包括（　　）

A. 角色行为缺如　　B. 角色行为冲突

C. 角色行为突出　　D. 角色行为强化

E. 角色行为减退

2. 患者角色的特征不包括（　　）

A. 免除或部分免除社会职责　　B. 患者一般需要为患病承担责任

C. 患者有接受治疗、恢复健康的责任　　D. 患者有寻求医疗帮助的责任

E. 患者需要配合医疗护理工作和尝试独立处理自己日常生活问题

3. 患者否认疾病的存在，拒绝接受治疗或采取等待、观望的态度属于哪种角色适应不良（　　）

A. 角色行为冲突　B. 角色行为缺如　C. 角色行为减退　D. 角色行为强化

E. 以上都不是

4. 医生判断患者已经康复，但患者本人认为自己还需要住院治疗，属于（　　）

A. 角色行为冲突　B. 角色行为缺如　C. 角色行为减退　D. 角色行为强化

E. 以上都不是

5. 人在社会中扮演多种角色，其行为应随时间、环境不同进行调整，这是（　　）

A. 角色期待　B. 角色转换　C. 角色冲突　D. 角色矛盾

E. 角色强化

6. 患者入院后，不顾病情继续坚持写论文，患者的行为属于（　　）

A. 角色行为异常　B. 角色行为异常　C. 角色行为冲突　D. 角色行为减退

E. 角色行为缺如

6. 患者男，61 岁，刚刚从岗位上退休下来，被诊断患有肝硬化合并腹水，他承认有病，但他仍想完成某本书的写作任务，甚至搬到办公室住，废寝忘食而忽略了治疗。该患者的行为属于（　　）

A. 角色行为强化　B. 角色行为异常　C. 角色行为冲突　D. 角色行为减退

E. 角色行为缺如

7. 男，55 岁，工程师。因膀胱癌入院准备接受手术治疗。在术前准备期间，患者一方面希望尽快恢复健康而配合各种检查和治疗，另一方面又担心自己主持的工程项目出现问题而自行离院回单位开会。这种患者的角色的状态属于（　　）

A. 角色行为强化　B. 角色行为异常　C. 角色行为适应　D. 角色行为缺如

E. 角色行为冲突

8. 下列关于护患关系特点的表述错误的是（　　）

A. 护士应保持情感的中立性　B. 双方目的的一致性

C. 人格尊严、权利上的平等性　D. 医学知识和能力的对称性

E. 护患矛盾存在的客观性

三、问答题

1. 简述患者角色的特征。

2. 如何帮助角色行为缺如的患者进行角色适应？

3. 简述求医行为的类型。

4. 简述患者的需要。

5. 患者情绪反应包括哪些？

实训项目

某女性，48 岁，某乡镇企业负责人。5 个月前被确诊为乳腺癌并接受了手术治疗。术后患者仅休息了 2 个月，便全身心投入了工作，同患病前一样从事日常工作，参加各种会议和活动。对于自己身体的康复情况并不重视，不按要求到医院复查，也不愿再接受任何其他的治疗。

分析：该患者患病发生何种角色适应障碍？您会如何帮助她？

第八章

临床心理护理

内容导读

1. 掌握　心理护理的概念、目标、原则。临床心理护理的特点、要素。

2. 熟悉　临床心理护理实施的过程。临床心理护理的实施形式。临床心理护理与整体护理的关系。

3. 了解　国内外临床心理护理实施现状。

现代护理模式要求护理工作者以护理对象为中心，为其提供生理、心理、社会、文化等全方位的整体护理。心理护理是整体护理的核心内容，心理护理质量的高低决定着对患者护理质量的高低。因此，护理人员学习并掌握心理护理的有关理论是有效开展心理护理、实现现代护理模式总体目标的重要前提和关键所在。

第一节　心理护理概述

案例引导 8-1

案例：患者，女，34 岁，患宫颈癌。医护人员应家属要求对其隐瞒病情。但她偶然知道病情后，情绪很不稳定。护士告诉她，病情正在好转，各项指标逐渐恢复正常，现在医疗技术发达，很多患者经过及时治疗，病情得到控制，甚至能够重返工作岗位。听到这些后，患者逐渐平静下来，配合治疗。

问题：护士是如何让该患者接受现实、配合治疗的？

一、心理护理的概念

（一）概念

心理护理（psychological nursing）是指在护理过程中，护士通过各种方式和途径，运用心理学的理论和技能，积极地影响患者的心理活动，帮助患者获得最佳身心状态。

心理护理的概念有广义和狭义之分。广义的心理护理，指不拘泥具体形式，给患者心理活动以积极影响的护士的一切言谈举止。狭义的心理护理，指护士主动运用心理学的理论和技能，按照程序、运用技巧，影响或改变患者的行为和心理状态，消除或缓解患者的心理压力，将患者的身心状态调控至最佳水平的过程。

（二）心理护理的意义和作用

（1）有助于满足患者的心理需要，消除不良的心理反应和不利心理社会因素的影响，防止疾病发展。

（2）有助于帮助患者尽快地进入角色，更好地适应新的环境和人际关系，从而为早日康复创造条件。

（3）有助于建立良好的护患关系，增进患者对护理人员的信任和配合，促使各种治疗和护理措施的顺利进行。

（4）有助于调动患者的积极性，增强战胜疾病的信心，从而更好地发挥护理手段的疗效。

二、心理护理的目标

可分为阶段性目标和最终目标。阶段性目标是建立良好的护患关系，护患之间实现有效沟通，使患者在认知、情感和行为方面逐步发生有益的改变，促使患者适应不良状况得到改善；最终目标是促进患者自我接受能力与自我完善水平的发展，提高建立人际关系和社会适应的能力。具体目标如下：

（一）营造良好的心理环境

创造有利于患者身心康复的医疗环境，是心理护理的首要举措。良好的心理氛围是做好各项护理的必要前提，不仅可以减少患者不良心理反应的发生，还能够减轻或消除患者已有的不良心理反应，有利于保持患者的心理稳定状态。

（二）满足患者的合理需求

对患者心理的了解和掌握是护士实施心理护理的重要前提。护士应当借助心理学的工具和手段，根据患者的不同特点，主动了解患者的需要，并帮助其解决问题。引导和帮助患者保持良好的心理状态，是心理护理的基本目标。

（三）消除患者的负性情绪

早期识别并采取有效措施消除患者的负性情绪，尽早恢复或建立积极情绪，是心理护理的关键目标。护士心理护理的重要任务之一就是帮助患者积极应对疾病的痛苦、环境的改变、生活的改变等不良刺激，从根本上预防心理问题的发生。

（四）提高患者的适应能力

提高患者的适应能力是心理护理的最终目标。护士通过科学地应用心理护理的理论和技术对患者提供有效的心理援助，调动患者的主观能动性，帮助患者认识自己的不足之处，提高应对能力，从而在将来的生活中能更好地应对各种环境刺激。

三、心理护理的原则

心理护理是心理学知识在临床护理实践的具体应用，是护士将心理学理论与护理实践紧密结合，研究和解决患者疾病过程中出现的各种心理问题的过程。科学实施心理护理应当遵循以下五个原则：

（一）服务原则

护理工作是护士为患者提供健康服务的过程。心理护理作为护理工作中的重要部分，与护理工作一样具有服务性。护士要应用医学、护理学、心理学及相关学科知识启迪患者，为患者提供关心和支持，满足患者的合理需要。

（二）平等原则

心理护理的过程中，护患双方是一种相互平等的关系。在护理过程中，护士应当以真诚友善的态度对待患者，履行告知等各项义务，尊重他们的权利和人格，视患者如亲人，一视同仁，公平对待。患者应对护士的工作予以尊重和配合。

（三）尊重原则

护士提供心理护理时，不能因患者的民族、性别、职业、地位、地位、文化程度、财产状况等不同而区别对待，而应当真诚热情、态度诚恳，切忌以轻慢、冷漠的态度对待患者，伤及患者的自尊。

（四）自理原则

自我护理又称自理，是 Orem. E. T（1971 年）提出的护理理论，自理的定义可理解为：人为了自己的生存、健康及舒适，所进行的自我实践活动。良好的自我护理是心理健康的标志之一。护士应突出患者的主体作用，强调患者自我努力的重要性，帮助和引导患者以平等的地位参与到自身的医疗护理活动中，这将有助于满足患者的自尊，增强自信心。

（五）保密原则

患者有要求保密的权利。护理人员则应秉着职业操守，遵守诺言，注意保护护理对象的隐私，严守私密，不随意向外人泄漏，这是有效进行心理护理的前提。

四、心理护理的主要实施形式

临床心理护理的实施形式可以根据不同的方法进行分类。

（一）个性化心理护理与共性化心理护理

根据患者心理问题的特征分类，可将心理护理分为个性化心理护理与共性化心理护理。

1. 个性化心理护理

目标明确，针对性较强，解决患者个性化的心理问题。要求护士准确了解患者在疾病过程中表现的不良心理状态，及时采取个性化的有效对策。如针对创伤后截肢患者的痛不欲生等突出心理问题，迅速解除患者的严重情绪障碍。

2. 共性化心理护理

目标不十分明确，针对性不太强，用来解决患者的共性心理问题，要求护士善于归纳和掌握同类患者心理问题的共性规律，对患者潜在的、随时可能出现的心理问题提前干预，防止严重心理失常的发生。如门诊患者的心理护理，住院患者的心理护理等均属于共性化心理护理的范畴。

患者心理问题的共性化和个性化是相对的，共性化问题可以含有个性化特征，个性化问题又具有共性化规律。所以，护士在进行心理护理时，既要把握患者心理的一般规律，又要根据文化背景、社会环境及个性特点的差异，准确把握患者的人格特征，细致体察患者的主观感受，提供个性化的心理护理。

（二）有意识心理护理与无意识心理护理

1. 有意识心理护理

是指护士自觉地运用心理学的理论和技术，以设计的语言和行为，实现对患者的心理支持、心理调控或心理健康教育的过程。如规范化的指导语、有益的暗示、积极的鼓励等，要求实施者接受过专业化培训，具备心理护理的主动意识。

2. 无意识心理护理

又称“广义的心理护理”，是指客观存在于护理程序的每一个环节中，随时可能影响患者心理状态的一切言行举止。无论护士本身能否意识到，都可能对患者心理状态产生积极或消极的影响效应。“良言一句三冬暖”，护士良好的言谈举止，可以使患者产生轻松、愉快的情感体验，从而使患者的身心状态保持在适宜的水平，因此，要求护士随时注意个人的言行举止，促进患者的身心早日康复。切忌随意言行导致对患者身心的不利影响。

无意识心理护理，是临床心理护理工作的基础，为进一步开展有意识心理护理，取得良好的心理护理效果提供了前提和保证。

无论哪种形式的心理护理，也只是理论水平层面的区分，在临床心理护理实施过程中是难以绝对分开的，通常要综合运用多种形式的心理护理手段，使患者维持在最佳心理状态。

五、心理护理与整体护理的关系

随着整体护理模式的建立，个体心理状态对其躯体健康具有直接、重要影响的观念已经被普遍接受，心理护理被广泛应用于临床护理实践中，并且逐渐凸显出重要作用。

（一）整体护理促进了心理护理的纵深发展

整体护理是一种系统化的科学工作方法，是指以人为中心，以现代护理观为指导，以护理程序为基础框架，并且把护理程序系统化地运用到临床护理和护理管理中去的指导思想。它确立了以人为中心的理念，明确了护理的目的是使患者身心达到最佳状态。在这种思想指导下，心理护理的重要地位凸显，心理护理的理论水平、实践技能、作用效果都得到了显著提高。因此，整体护理模式的推行促进了心理护理的纵深发展。

（二）整体护理明确了心理护理的基本任务

整体护理的目标是根据人的生理、心理、社会、文化、精神等多方面的需要，提供适合患者的最佳护理。因此，心理护理的基本任务就是要运用心理学的理论和技术，及时发现患者的心理问题，控制不利因素，使其保持在最佳状态，促进身心早日康复。

（三）整体护理规范了心理护理的实施程序

整体护理关注护理程序，对患者实施全方位的护理。按照护理程序评估、诊断、计划、实施和评价五个步骤实施临床心理护理，改变了心理护理以往的随意化、简单化及经验化的做法，逐步走向规范化、标准化及科学化。

（四）整体护理提高了心理护理的质量标准

整体护理要求“一切以患者为中心”，把患者的满意度作为评价护理质量的重要标准。心理护理作为整体护理的重要组成部分之一，其质量效果的评价也由传统的经验性描述发展为科学化数据，促进了心理护理的质量水平的提升。

（五）心理护理是整体护理的核心组成部分

心理护理是系统化整体护理的一个重要组成部分，是对患者的心理反应进行有计划的、系统的护理，是综合的、动态的，具有决策及反馈功能的过程。随着社会的发展，人们的心理压力增大，心理护理的重要性与日俱增。临床实践证明，患者心理状态的好坏直接影响着自身的健康水平，从而决定了心理护理在整体护理中的核心地位。护士为患者或健康人群提供健康教育、心理支持、心理咨询或危机干预，可以预防或减轻其身心健康的损害，有助于保持良好的身心状态。

（六）心理护理在整体护理中具有独特功能

心理护理与一般的思想教育不同，侧重于运用心理学的理论和方法，致力于建立良好的护患关系，调控患者的不良情绪状态，解决患者的心理问题。

（七）心理护理贯穿于整体护理的全过程

心理护理必须与其他护理方法共同贯穿于整体护理的始终，才能充分发挥其促进患者身心全面康复的功能。

（八）心理护理与整体护理中其他方法的区别与联系

1. 区别

心理护理与其他护理方法的主要区别：两者关注的核心问题、交互影响、工作机制、对护士的要求均有不同（表 8-1）。

表 8-1　心理护理与其他护理方法的比较

项目	心理护理方法	其他护理方法
核心问题	更关注与“增进和保持健康”密切相关的心理学问题	围绕着“增进和保持健康”的中心
交互影响	更强调社会环境与个体健康之间的交互作用	强调物理环境对个体健康的影响
工作机制	较多地通过激发个体自身内在潜力，以心理调节等方式，充分调动其主观能动性以实现较理想的健康目标	较多地借助外界条件或客观途径，以生物、物理、化学、机械等方式去帮助患者实现较理想的健康目标
护士要求	对护理专业基础知识和心理学理论技术均有较系统、较深入地掌握	对疾病与健康相关的专业护理理论知识扎实，实践经验丰富，基本掌握心理学的基础知识

2. 联系

（1）实施对象相同均为患者和（或）健康人群。

（2）理论范畴相同两者同属于整体护理的新型模式。

临床心理护理的具体实施，既可以与其他护理方法同时开展，也可以独立进行，但是不能脱离其他方法独立存在。心理护理的作用体现在护患交往的点滴细节之中，只有在护理工作的各个环节中与其他方法有机结合，才能充分发挥作用。

在整体护理中。如果护士只有娴熟的护理理论和专业技术，而没有心理护理消除或减轻患者的不良情绪，就很难取得满意的护理效果。心理护理在整体护理中具有不可替代的作用。实施心理护理有利于护士自身素质的不断提高，促进整体护理的开展。

第二节　心理护理程序

案例引导 8-2

案例：患者，女，34 岁，大学教师，已婚，育 1 子。诊断为乳腺癌晚期骨转移。既往体健，无家族史，性格好强，闻此诊断反应强烈，断定是医师弄错了。后去多家医院就诊，仍然被诊断为乳腺癌晚期。患者情绪低落，几天来不言不语，有自杀倾向。

问题：请写出对该患者的心理护理程序。

护理程序的概念最早由20世纪50年代美国护理学者提出，现已被广泛应用于护理活动的各个领域。心理护理程序是护理程序在心理护理实践中的具体应用。使用护理程序的目的是为护士进行临床心理护理提供一个结构框架，对做好临床心理护理工作具有重要的指导意义。

一、心理护理程序的定义

心理护理是系统化整体护理的一个重要组成部分，因此需要依从于护理程序的框架规范实施，使心理护理更具有计划性、条理性、可行性。心理护理程序是指按照护理程序的工作方法进行心理护理的过程，通过心理护理评估、确立心理护理诊断、制订心理护理计划，实施心理护理干预和进行心理护理评价五个步骤完成对患者的心理护理。

二、心理护理评估与诊断

（一）心理护理评估

心理护理评估是实施心理护理的第一步，对患者的心理状态进行及时、准确的评估是心理护理的基础，通过全面、系统、客观地评估，明确患者的心理状态，找出存在的心理问题及其原因，为下一步的心理护理奠定基础。当护士对患者进行心理社会评估时，患者是否愿意透露心理社会情况取决于护士在沟通过程中的诚恳态度、护士有效的沟通技巧、患者对护士的信任度、护士的专业知识水平。

1. 目的

心理护理评估的目的是建立基础资料，寻找心理问题的病因，为制订护理措施提供依据；了解病情变化，为制订治疗方案提供依据；了解患者的心理特征，为选择心理护理方法提供依据；了解治疗反应，为评估护理行为提供依据。

2. 方法

主要方法有观察法、访谈法。条件允许时，还可以应用问卷调查法、心理测验法、个案分析法等。

3. 范围

（1）基本资料　包括性别、年龄、职业、民族、婚姻状况、社会地位、经济状况、受教育程度、既往疾病史等。

（2）遗传因素　患者是否有心理行为方面问题的家族史。

（3）其他　生命体征、营养代谢、睡眠休息、排泄功能、水电解质平衡、发病时间、诱因、伴随症状和体征等。

（4）感知和认知　个体对健康状况的感知情况，包括语言沟通、意识水平、思维记忆、仪表行为等。主要评估障碍出现的时间、频率及与其他精神症状的关系、个体的智力水平、个体对自我状态和周围环境的认知能力。

（5）情绪状态　包括情绪和情感，如喜悦、悲伤、愤怒、失望等。常见的情感障碍可表现为情感状态、情感稳定性、情感协调性的异常等。主要评估个体情感反应的强度、性质、诱发因素等。

（6）意志活动　意志障碍指个体的意志过程在主动性、目的性、协调性等方面有异常，可表现为意志增强、减弱和缺乏，如固执、盲目自信、缺乏目标、计划等。

（7）行为表现　精神运动性兴奋表现为言语、行为明显增多，反之则称为精神运动性抑制。

（8）心理社会因素　社会功能体现个体的社会适应状态，主要包括个体的生活自理能力、角色适应能力、承受应激能力、人际交往能力等多方面。

（二）心理护理诊断

心理护理诊断是心理护理程序的第二个步骤，是在心理评估的基础上对所收集的资料进行分析判断，从而确定服务对象的心理问题及引起心理问题的原因。

护理诊断是护理学发展到一定阶段的产物，自 20 世纪 70 年代美国护理界提出并确立护理诊断以来，护理诊断的发展十分迅速，分类系统也在不断完善并日趋成熟。

北美护理诊断协会（NANDA）对护理诊断的定义如下：“护理诊断是关于个体、家庭或社区对现存的或潜在的健康问题或生命过程的反应的一种临床判断，是护士为达到预期结果选择护理措施的基础，这些结果是应由护士负责的。”截至目前北美护理诊断协会已制定了以患者反应模式为依据进行分类的 201 项护理诊断，其中约 2/3 的护理诊断描述的是心理、社会方面的健康问题。

我国于 1995 年 9 月由卫生部护理中心召开首次全国性护理诊断研讨会，建议在我国医院中使用 NANDA 认可的护理诊断。我国护理专家葛慧坤对心理护理诊断做如下定义：“心理护理诊断是对一个人生命过程中心理、社会、精神、文化方面的健康问题反应的陈述，这些问题属于心理护理职责的范畴，是可以用心理护理方法解决的。”

我国有学者在学习、参照北美护理诊断协会有关内容的基础上，本着一要对临床护理工作具有实际指导意义，二要适合我国的国情，三要易被我国广大护理工作者所理解、接受的宗旨，筛选出目前我国临床常用的九个心理护理诊断，现介绍如下。

（1）无效性否认　无效性否认是指个体有意或无意地采取了一些无效的否认行为，试图减轻因健康状态改变所产生的焦虑或恐惧。

（2）调节障碍　调节障碍是指个体处于不能改善和调整其生活方式或行为，以使其适应健康状况变化的状态。

（3）语言沟通障碍　语言沟通障碍是指个体在与人交往过程中，使用或理解语言的能力处于降低或丧失的状态。亦即个体表现出不能与他人进行正常的语言交流。

(4) 自我形象紊乱　自我形象紊乱是个体对自身身体结构、外观、功能的改变，在感受、认知、信念及价值观方面，出现心理混乱状态。

(5) 照顾者角色障碍　照顾者角色障碍是指照顾者在为被照顾者提供照顾的过程中，所经受的或可能将经受的躯体、情感、社会和（或）经济上的沉重负担状态，照顾者感受到难以胜任照顾他人的角色。

(6) 预感性悲哀　预感性悲哀是指由于感知个人或家庭可能发生的丧失（人物、财物、工作、地位、理想、人际关系、身体各部分）而引起的情感、情绪的低沉状态。

(7) 精神困扰　精神困扰是指个体的信念或价值系统发生紊乱的状态。

(8) 焦虑　焦虑是患者面临不够明确的、模糊的或即将出现的威胁或危险时，所感受到的一种心理进展状态。

(9) 恐惧　恐惧是患者面临某种具体而明确的威胁或危险时所产生的一种紧张害怕的体验。

三、心理护理计划的制订

(一) 定义

心理护理计划是针对心理护理诊断提出的护理问题而制订的具体措施，是护理人员在对个体现存的或潜在的心理行为问题及其相关因素进行评估和诊断的基础上，进一步确定护理目标，并选择适用于个体的具体心理技术的过程。

心理护理计划是心理护理程序的第三步，它以护理诊断为依据，制定个性化护理计划，改善患者消极情绪和行为问题，达到解决心理问题的预期目标。是护士直接对患者实施心理护理的行动指南，护士可以按照心理护理计划指定的内容有条不紊地进行心理护理工作。

(二) 制订心理护理计划的步骤

制订心理护理计划共有四个步骤：排列心理护理诊断的顺序；确定预期目标；制订护理措施；撰写护理计划。

1. 排列心理护理诊断的顺序

个体的心理护理诊断往往有多个，排列心理护理诊断顺序就是将列出的护理诊断或问题按其重要性和紧迫性排出先后顺序，一般分为首优、中优、次优问题，护士按照这个顺序列出心理护理计划。

(1) 首优问题　是指对生命威胁最大，需要立即采取行动予以解决的问题。如情绪低落，有自杀的可能时，需要马上进行保护和心理干预。

(2) 中优问题　是指虽然不直接威胁生命，但对服务对象的身心造成痛苦，严重影响服务对象健康的问题。如焦虑、恐惧引起反常行为，影响社会功能，并引起一系列的生理反应，也需要引起护士的重视。

（3）次优问题　是指个人在应对发展和生活变化时所遇到的问题。如调试障碍、角色困难、精神困扰等，这些问题虽然不会带来安全威胁和严重的生理反应，但依然重要，同样需要护士给予帮助，使问题得到解决，以便服务对象达到最佳心理状态。

首优、中优和次优的顺序在心理护理过程中不是一成不变的，而是随着患者病情的变化而变化。当患者威胁生命的问题得到解决，生理需要得到满足，首优问题得以解决后，中优或次优问题可以上升为首优问题。

一般应首先解决现存的心理护理问题，但是当潜在的心理护理诊断和合作性问题比现存问题重要时，就需要上升为首优问题。

2. 确定预期目标

心理护理预期目标也称预期结果，是指服务对象通过接受护理照顾，期望能够达到的心理状态或行为的改变，也是心理护理效果评价的标准。

心理护理预期目标按时间可分为短期目标和长期目标。短期目标是指在较短的时间内（几天、几小时）能够达到的目标，适合于住院时间较短、病情变化快者。例如“一天后，服务对象能自觉、有效地配合检查、治疗、护理”“服务对象在一个小时的交谈后能说出引起焦虑的原因”等都是短期目标。长期目标是指需要相对较长时间（数周、数月）才能达到的目标，可分为两类：一类是需要护士针对一个长期存在的问题采取连续性行动才能达到的目标，另一类是需要一系列短期目标的实现才能达到的目标。

心理护理预期目标的陈述方式为：主语+谓语+行为标准+条件状语。

3. 制订心理护理措施

（1）心理护理措施的定义和分类　心理护理措施是帮助患者实现心理护理目标的具体实施方法。护士应针对护理诊断，结合患者的具体情况，运用知识和经验制订护理措施。护理措施分为独立性护理措施、合作性护理措施、依赖性护理措施。独立性护理措施是指护士不依赖医嘱，运用心理护理知识和技能可独立完成的护理活动，例如提供健康教育和心理支持、合理饮食指导等。合作性护理措施是指护士与其他医务人员（如心理医师、心理咨询师、社会工作者等）共同合作完成的护理活动，例如与营养师一起为患者制订饮食计划，与心理咨询师一起帮助患者认知重建。依赖性护理措施是指执行医嘱的护理活动，例如遵照心理医师的医嘱给药。

（2）制订心理护理措施的注意事项　①应具有科学依据。护士应按照循证护理的原则，选取最佳证据，综合临床经验，结合患者实际情况，选择制订护理措施。②应有针对性。结合护理诊断与预期目标，针对患者心理问题的原因，提供个性化的心理护理服务。③应切实可行。制订心理护理措施既要考虑医院的实际情况，也要符合患者的实际需要。④保证患者的安全。为患者提供心理护理服务的过程中，应当循序渐进，确保患者安全。

⑤应具体细致。⑥鼓励患者参与。鼓励患者参与制订护理措施，有助于患者更好地理解、接受和配合心理护理活动，从而获得最佳的心理护理效果。

4. 撰写心理护理计划

撰写心理护理计划是将心理护理计划以规范的文字书写，一般包括护理诊断、预期目标、护理措施和评价四个栏目。

为了简化心理护理计划的书写工作，一些单位制定了“标准心理护理计划”。标准心理护理计划是根据临床实践经验，为相近的一类心理护理诊断提供预期目标的评价标准和基本护理措施，是一种较为详细和全面的心理护理指南。标准心理护理计划通常由仔细研究过文献及有丰富经验的临床护理专家在总结经验的基础上制订，并设计成表格。护士可以以此作为参照，去制订自己所负责服务对象的个性化心理护理计划，包括选择符合患者个体情况的心理护理诊断、预期目标、相应的心理护理措施以及评估结果等，从而为患者提供全面的、高质量的心理护理。

四、心理护理计划实施

（一）定义

心理护理计划实施是心理护理程序中的关键步骤，是为达成心理护理目标而将心理护理计划中的内容付诸行动，解决服务对象心理问题的过程。

（二）主要工作内容

在心理护理计划实施之前，需要做好充分的准备。明确要做什么、由谁去做、怎么做、何时做。在实施过程中，主要的工作内容如下。

1. 继续收集资料

实施心理护理计划的过程，是继续收集资料的最佳时机。护士在对服务对象进行沟通交流、行为矫正、认知重建时，可以进一步了解其生理、心理的变化动态，及时调整、修改和补充心理护理计划的内容。

2. 实施心理护理措施

实施心理护理措施是执行心理护理计划的重要环节。应注意根据服务对象的情况合理分配时间和精力，区分轻重缓急。对于连续执行的心理护理措施，应做好口头或书面交接班。服务对象对某些措施有异议时，应及时通过讨论达成一致。

3. 做好心理护理记录

心理护理记录是把服务对象的生理、心理动态变化和实施效果加以整理和记录，既可反映出心理护理效果，又可为下阶段工作做准备。

4. 修订和完善心理护理计划

在实施阶段，护士每天要书写心理护理计划，根据患者心理动态变化，修订和完善心理护理计划，以保持其客观性和准确性。

（三）心理护理措施实施的注意事项

护士实施心理护理措施时应注意：①创造舒适优美的环境；②建立良好的护患关系；③尊重患者的人格；④充分发挥患者的主观能动性；⑤争取患者亲友的配合；⑥促进患者间良好的交流；⑦保守秘密。

五、心理护理的效果评价

心理护理评价是指护士在实施心理护理计划的全程及计划结束之后，对服务对象认知和行为的改变及健康恢复情况进行连续、系统的分析和判断。通过与预定的护理目标进行比较，来确定心理护理的效果。它是心理护理程序中的重要环节，贯穿于心理护理活动的全过程。

（一）评价方式

1. 阶段性、过程性评价

美国护理协会建议，在心理护理的实施过程中，可以间隔一定的时间采用 S、O、A、P、I、E 方式对心理护理的实施效果进行阶段性评价，并及时调整心理护理计划。S（subjective data）是患者心理问题的主观反映；O（objective data）是患者心理状态或问题的外在表现；A（assessment）是护士采取各种方式对患者的心理状态进行评估；P（plan）是根据评价的结果重新制定护理计划；I（intervention）是制订护理措施；E（evaluation）是对实施的结果进行评价。

2. 终末性、结果性评价

在心理护理措施全部完成后，评价护理效果。

（二）评价过程

心理护理评价一般分为以下五个步骤。

1. 确立评价标准

评价标准的确立一般要求以计划阶段所确定的预期护理目标为指导，制定切实可行的量化评价标准。因此，要求护理目标必须具体、准确、可操作性强。

2. 收集资料，并与标准比较

在目标陈述中规定的期限到来后，列出实施心理护理措施后患者的反应，继而将反应与原制定目标进行比较，以观察目标是否达到，最好能采用评估时同样的患者资料，用量化的方式进行比较，评价心理护理的效果。

为评价预期目标是否达到，护士应在实施护理计划后收集服务对象的相关主、客观资料，以便与评估时的情况进行比较。护士应明确收集资料的人员、时间、形式、工具。

3. 总结评价结果，评价目标是否实现

总结心理护理的效果，衡量目标实现与否，评价结果可能会出现以下情况：目标全部实现、目标部分实现、目标未实现、患者出现了新的心理问题。

4. 分析目标未完成的原因

对未完成的或部分完成的护理目标，护士应分析其原因，一般常见的原因有以下几个方面。

（1）基础资料是否准确、充分，评估是否全面。

（2）护理诊断是否准确，患者病情有无变化，是否要修订和补充原有诊断。

（3）护理目标是否明确、合理、具体、切合实际。

（4）护理措施是否得当，是否有效实施。

（5）患者的态度是否积极，是否配合。

（6）是否征求和采纳其他专业人士的意见和建议。

（7）选择的评价方式是否合适，能否反映及评价心理护理的效果。

（8）患者是否有新的心理问题。

5. 重新修订护理计划

护理计划不是一成不变的，而需要根据患者情况的变化而不断地进行调整。根据评价结果，重新评估患者的状态，收集有关的资料，根据收集的资料，重新修改护理计划，然后再实施，评价结果，开始新一轮的护理程序。因此，心理护理程序实际上是一个循环往复、不断改进、螺旋上升的过程。

任务小结

心理护理是指在护理过程中，护士通过各种方式和途径，积极地影响患者的心理活动，帮助患者在其自身条件下获得最适宜的身心状态。护士为患者实施心理护理时应遵循服务原则、平等原则、尊重原则、自理原则、保密原则，按照护理程序的步骤——评估、诊断、计划、实施、评价进行心理护理。

知识点自测

一、名词解释

1. 心理护理　2. 无效性否认　3. 自我形象紊乱　4. 照顾者角色障碍

二、选择题

1. 心理护理的原则不包括（　　）

A. 服务　　B. 尊重　　C. 保密　　D. 组织

E. 自理

2. 下列（　　）不是共性化心理护理实施的范畴

A. 手术患者的心理护理　　B. 急症患者的心理护理

C. 乳腺癌患者的心理护理　　D. 门诊患者的心理护理

E. 溃疡患者的心理护理

3. “护士的微笑，胜过一剂良药”指的是（　　）

A. 有意识心理护理　　B. 无意识心理护理

C. 个性化心理护理　　D. 共性化心理护理

E. 以上都不是

4. 下列问题属于开放式提问的是（　　）

A. “你经常失眠吗？”　　B. “这件事让你感到困惑吗？”

C. “这件事让你有什么感受？”　　D. “你喜欢绿色吗？”

E. 以上都不是

5. 个体对存在的或感知到的身体结构、外观或功能的变化有负性的反应（如羞辱感、窘迫感、厌恶感或内疚感）属于护理诊断中的（　　）

A. 预感性悲哀　　B. 自我形象紊乱　　C. 无效性否认　　D. 调节障碍

E. 以上都不是

6. 以下哪项不是我国常用的心理护理诊断（　　）

A. 无效性否认　　B. 抑郁　　C. 调节障碍　　D. 语言沟通障碍

E. 自我形象紊乱

7. 以下哪项不是心理护理的实施形式（　　）

A. 有意识心理护理　　B. 无意识心理护理

C. 个性化心理护理　　D. 共性化心理护理

E. 自我心理护理

8. 以下哪项不是心理护理的目标（　　）

A. 护患之间实现有效沟通　　B. 患者认知发生有益改变

C. 患者自我完善水平发展　　D. 社会关系更加和谐

E. 患者合理需求得到满足

三、问答题

1. 简述心理护理的目标。

2. 简述心理护理和整体护理的关系。

3. 简述心理护理的程序。

制定心理护理计划

刘先生，男，30 岁，未婚，是一家外企人力资源部经理。因胸闷、心前区隐隐作痛 4 天就诊，经心电图、冠状动脉造影等相关检查，被诊断为“冠心病”而住院治疗。住院期间情绪低落、烦躁不安、悲观失望，自暴自弃，精神颓废。刘先生说话语速很快，他自诉“自己性格急躁，事事争强好胜，凭着自身能力和出色表现进入了管理高层。虽在外企工作收入高，生活得十分滋润，但压力也很大。工作以来，他从未准时下过班，时常晚上还要加班，眼见同事之间的竞争让人不进则退，又不甘落于人后，便不惜一切代价与别人一争高低”。现在检查出来患有冠心病。感到身体无法使自己实现愿望，对前途悲观失望。

1. 讨论问题

（1）提出合适的心理护理诊断；

（2）给心理护理诊断排序；

（3）制定护理目标；

（4）根据护理诊断制定护理措施。

2. 分成若干小组进行讨论。

3. 每组派代表汇报本组讨论结果。

第九章

临床心理护理应用

内容导读

1. 掌握　急危重症患者、慢性病患者、手术患者、自杀患者、残障患者、危机事件后创伤患者的心理护理措施。

2. 熟悉　急危重症患者、慢性病患者、手术患者、残障患者、危机事件后创伤患者的心理特征。

3. 了解　自杀患者的心理过程。

不同疾病由于疾病的性质不同，可使个体产生不同的心理困扰。因此，在临床护理过程中，护士应根据不同患者的心理特征，运用专业的心理护理知识和技能，去改变他们不良的心理状态及行为方式，促进其早日恢复健康。

第一节　急危重症患者的心理护理

案例引导 9-1

案例： 患者王某，男，32 岁，因黑便、心慌气促 3 天入院，入院时血压 90/60mmHg，卧床状态下心率 120 次/分。血红蛋白 90g/L，红细胞 3.0×10^{12}/L。诊断为“上消化道大出血”。医生嘱患者禁食禁水，卧床休息，鼻导管吸氧，床旁监护，静脉补充能量和液体。在 1 小时内王某按呼叫器 5 次。第 1 次要求量血压，第 2 次主诉口唇干燥，第 3 次要求喝水，第 4 次询问能否下床上厕所，第 5 次要求使用进口药物。

问题： 王某存在哪些心理问题？如何实施心理护理？

急危重症患者是指起病急、病情重，需要紧急抢救的患者，以中毒、外伤、各种脏器功能衰竭急性发作为主，如急性心力衰竭、大出血、休克、脑疝和意外造成的严重躯体损伤等。患者因面临生命危险，处于高度应激状态，往往会出现复杂的心理反应。因此，护士在迅速、及时、有效配合抢救的同时，要善于察其颜，观其色，随机应变，运用心理护理程序，给予患者有针对性的心理干预，提高抢救成功率，促进其康复。

一、急危重症患者的心理特征

由于病势凶险，患者对疾病缺乏认识，心理承受能力不足，因此其心理反应剧烈而复杂，患者的心理特征也随疾病进程而表现不同，具体主要有以下特征。

（一）情绪冲动

情绪冲动常见于新入院的患者。由于急骤发病，对可能发生的严重后果缺乏心理准备，多数患者出现大呼小叫、情绪易激惹、发脾气等行为，甚至因一些小事与医护人员或其他患者发生冲突，导致医患和护患纠纷。此时，护士应尽量给予患者体谅和理解，及时化解矛盾。

（二）恐惧和焦虑

恐惧和焦虑发生在治疗前期。患者以为性命危在旦夕，常出现恐惧、焦虑、紧张不安。尤其是进入 ICU 的 1~2 天，由于病情危重，加之 ICU 内抢救设备繁多，抢救氛围紧张，患者更容易出现明显的恐惧与焦虑。

（三）否认

约 50%的患者在进入 ICU 的第 2 天出现否认的心理。这类患者往往自认为平时身体健康，对疾病严重性认识不足，否认自己有病或认为自己病情轻不需要入住 ICU，在第 3~4 天达到高峰。这是一种保护性心理防御反应，短期可以缓解患者过度恐惧与焦虑的情绪，但是如果长期存在否认心理，则会导致患者角色行为缺如，不利于疾病治疗与康复。

（四）孤独和抑郁

孤独和抑郁常于患者进入 ICU 5 天之后出现，表现为消极压抑、悲观沮丧、自我评价降低、常常感到孤立无助，严重时出现自杀倾向。约 1/3 的患者会出现这些情绪。

（五）愤怒

愤怒主要表现为吵闹哭泣、烦躁、行为失控、敌意、寝食难安等。主要原因为：由于意外受伤，导致疾病而感觉委屈和愤怒；患不治之症，抱怨命运不公平感到愤怒；持续剧烈疼痛，难以忍受而愤怒。

（六）意志减弱

意志减弱主要表现为患者角色行为强化、独立性下降、依赖性增强，自我约束力减弱。这是由于在 ICU 等特殊的环境里，一切治疗护理均以医护人员为主，患者较少考虑如何发挥自身主观能动性。当病情明显好转，可以转出重症 ICU 时，有些患者却担心疾病再次复发而不能得到及时救护，不愿意撤离 ICU。

二、急危重症患者的心理护理

（一）心理评估

通过观察、访谈、心理测评等方法评估患者心理状态及心理问题，了解其意识及情绪状态、感知能力、社会支持状态、应对方式和既往心理健康状况，并评估疾病对患者今后生活、学习、工作的影响。

（二）心理健康教育

对意识清醒的患者要介绍疾病对其生理、心理、社会角色等方面的影响，说明在治疗过程中可能出现的心理反应，并解释负性情绪对治疗及康复的不良影响。教导患者识别焦虑、抑郁、否认等心理反应，帮助其积极应对失眠、疼痛等问题。有效利用社会支持系统，建议亲友多支持、鼓励患者，在家属探视后，护士应主动向家属询问患者反映出的心理问题，尽量满足患者的心理需求，共同努力为患者康复提供帮助。

（三）心理护理措施

1. 稳定情绪

负性情绪容易降低患者的免疫力，影响其康复，因此稳定患者情绪是护士首要的工作任务。

（1）热情接待　护士应主动向患者介绍主管医师护士的情况、ICU 的环境和入住 ICU 的必要性和暂时性，使患者熟悉环境并接受 ICU 监护治疗。同时注意应用语言和非语言沟通技巧，向患者或其家属询问病情时应态度礼貌、诚恳、自然。进行抢救和护理时做到沉着、冷静、有条不紊。

（2）加强护患沟通　护士应避免在患者面前谈论病情，更不能有暗示患者病情危重的语言，如“这么重，怎么办？”等，也不要谈论以往救治失败的案例。

（3）合理安排家属探视　病情允许时，安排家属短时间探视，嘱咐家属在患者面前要镇定，尽量避免流露悲伤情绪，交流内容不涉及治疗费用问题，多谈及正面信息，缓解患者心理压力，促进病情好转。

2. 心理支持

给予患者强有力的心理支持，鼓励其合理宣泄情绪。如对自杀未遂的患者，不要嘲讽和讥笑，对肢体伤残者，要关爱和鼓励，针对患者的愤怒，应给予充分的理解，真诚对待，对于长期否认的患者，应耐心解释，鼓励其接受患病事实，结合认知疗法，帮助患者纠正认知偏差，采取积极的应对策略。

对于病情稳定的患者，要告知其已渡过危险期，需要转到普通病房继续接受治疗，并以诚恳的态度解释普通病房也有良好的抢救条件及周到的护理服务，使其消除顾虑。在病情允许的条件下，可逐渐减少患者在 ICU 受到的特殊照顾，鼓励其参与护理计划的实施，促进自理模式的建立。

3. 优化监护环境

要尽量创造舒适、优美、安全的治疗环境，减少对患者的不良刺激，促其早日康复。监护室在安装照明灯时，应避免在患者头部的正上方安装强光源。在患者视野内安置日历及钟表，保持其时间观念。将干预性操作安排在白天患者清醒时进行，如果必须在夜间进行操作时，先向患者解释，以免患者从睡眠中惊醒。夜间将监护仪、呼吸机等仪器的报警音量调低，将噪声降至最低。

第二节 慢性病患者的心理护理

案例引导 9-2

案例：患者李某，女，65 岁，因患 2 型糖尿病 2 年，加重 1 周入院。患者精神萎靡，紧张焦虑，自觉肌肉经常不自主地跳动，头晕心悸，夜间入睡困难。经检查：空腹血糖 11. 3mmol/L，餐后 2 小时血糖 14. 2mmol/L。护士与其交谈，李某说："我也不知道为什么心情这么不好，总是失眠，还不如死了算了。"经过调整降糖药，血糖控制不理想，情绪也无改善。

问题：患者出现了什么心理问题？如何实施心理护理？

慢性病是指身体结构及功能改变，病程≥3 个月，无法彻底治愈，并需要某种程度的卫生保健处理的所有疾病的概括性总称。符合慢性病的疾病有慢性气管炎、肺气肿、糖尿病、恶性肿瘤、精神病、遗传性疾病、高血压、脑卒中、冠心病等。

慢性病因起病缓慢，病程长，反复发作，疗效不显著等特点，对患者学习、生活、工作、心理产生长期的不良影响，严重影响患者的生存质量。因此，护士应对慢性病患者进行心理干预，促进其潜能的发挥，提高其生存质量。

一、慢性病患者的心理特征

慢性病患者需要承受长期的疾病折磨，经历漫长的病程，所以往往出现极为复杂的心理问题。又因社会文化背景、心理素质等因素的不同，个人心理反应有很大差别，表现不一。

（一）震惊

慢性病诊断早期易发生震惊。疾病诊断会使患者感觉到危机来临，打乱甚至中断了原有的生活和工作计划，严重者变得不可能实现。患者往往表现为震惊，对疾病不知所措，行为不受控制，心理活动与现实情境分离等现象。

（二）主观感觉异常

慢性病患者将注意力转向自身，感觉异常敏锐，甚至对自己的心跳、呼吸、胃肠蠕动的声音都能听到，心中总想着自己的病，而对其他事物很少关心，这容易被别人误解为自私或懦弱。

（三）情绪反应

1. 抑郁

可在整个病程中间歇出现。因慢性病长期迁延不愈，使患者丧失部分或全部劳动力，事业发展受阻，经济收入下降，家庭生活受影响。因此，患者表现为忧心忡忡，悲观失望，沉默不语，愁眉苦脸，怨天尤人，对治疗及生活缺乏信心，甚至产生厌世的念头。调查显示，近1/3的住院患者报告至少有中等程度的抑郁，脑卒中、癌症、心脏病患者及伴发多种慢性病患者经常发生抑郁。

2. 孤独寂寞

主要出现在病程较长又缺少亲人陪伴的患者，这类患者性格内向，少言寡语，亲朋好友很少来探视，使其感到非常孤独寂寞，可能出现情绪低落，终日无所事事，卧床不起等。

3. 敏感、多疑

患者会因疗效不理想而变得敏感、多疑，看到医护人员低声谈话，就以为是在谈论自己的病情，对医护人员和亲友的好言相劝也常半信半疑，甚至无端怀疑医护人员给自己开错了药、打错了针。这种异常心理不仅会对医患关系起破坏作用，也不利于患者安心养病。

4. 紧张、焦虑

是慢性病患者最常见的心理问题。患者因对自己所患疾病、疾病严重程度以及预后不了解，同时因疾病久治不愈，以及经济上的沉重负担等导致其出现紧张、焦虑情绪。主要表现为烦躁易怒、失眠多梦、度日如年。有的患者格外关心自己的疾病，经常向医务人员寻根问底，或向其他病友“取经”，或查阅大量资料，期盼特效治疗方法，希望疾病迅速获得痊愈。

（四）角色强化

由于不断受到亲人和医护人员的关怀与照顾，患者会变得被动、依赖性增强，情感变得脆弱，甚至幼稚，像个孩子似的，总希望别人多照顾、多探视、多关心自己。长期安于“患者角色”，心理更加脆弱，出现社会退缩、回避行为。

（五）药物依赖心理

患者长期服用药物治疗，当需要换药或停药时，会产生紧张心理，担心疾病复发，而拒绝换药或停药。

二、慢性病患者的心理护理

（一）心理评估

1. 心理应激评估

相关测评工具包括生活事件量表、应对方式问卷、社会支持评定量表和职业倦怠量表等。

2. 心理特质评估

常用量表有卡特尔 16 项人格因素问卷、艾森克人格问卷和 A 型行为问卷。

3. 心理状态评估

相关测评工具包括抑郁自评量表、焦虑自评量表、症状自评量表、生活满意度评定量表和总体幸福感量表。

4. 认知能力评估

比较成熟的测评工具包括霍尔斯特德–奈坦神经心理成套测验、威斯康星卡片分类测验和认知能力筛查量表等。

（二）心理健康教育

护士在收集患者基本情况的基础之上，制定心理健康教育计划，采用灵活的教育形式，如视频、专题讲座、个别辅导、座谈等，由浅入深地向慢性病患者讲解疾病的发生、发展及预后等知识，教会患者进行慢性病的自我管理，并及时进行效果评价。

（三）心理护理措施

1. 心理支持

对于初次发作者，护士应采取支持性心理治疗方法，通过解释、支持、鼓励、疏导等方法消除其恐惧。对于病程长，反复发作者，护士应创造舒适安全的环境，用安慰性语言与患者沟通，主动介绍先进的医疗设备及经验丰富的专家，帮助患者建立治疗及康复的信心。

2. 调整认知与行为

研究显示，干预认知与行为可以改善一些慢性病的预后。

（1）理性情绪疗法　引导患者正确认识疾病，帮助其改变不合理信念，重建合理的认知系统，实施自我控制，明确自己对治疗效果负有责任。

（2）放松训练　可通过呼吸训练、肌肉松弛、想象放松等方法降低患者交感神经的活动，使身心处于松弛状态，缓解紧张、焦虑等负性情绪。此外，要求患者将松弛反应泛化到日常生活中，结合行为演练、运动锻炼，如体操、游泳、散步等，矫正患者的不良行为。

3. 情绪管理

帮助患者学习辨识和觉察自己的情绪变化，懂得处理焦虑、抑郁、恐惧等负性情绪，教会患者自我调控技术，培养其积极乐观的情绪，使患者能够正确应对疾病带来的不利影响，提高应激管理能力，从而提升其生存质量。

4. 音乐疗法

良性的音乐能提高大脑皮质的兴奋性，可以改善人的情绪，激发人的感情，振奋人的精神。对失眠多梦的患者选择抒情优美的乐曲，如春江花月夜、二泉映月等；对头晕、疲乏无力的患者选择轻松愉快的乐曲，如彩云追月、大海等；对紧张、烦躁的患者选择柔和宁静的乐曲，如天鹅湖组曲、舒伯特小夜曲等；对情绪低落的患者选择活泼明快的乐曲，如春来了、步步高等。音量应控制在60~70dB（分贝）。

5. 社会支持

良好的社会支持有利于患者适应疾病状况，提高治疗依从性，促进康复。

（1）亲友支持　对慢性病患者尤为重要。家庭给予的经济支持、情感支持、关心照顾可增强患者抗病的信心。因此要了解患者的亲属、朋友圈，选择与其关系最密切，对其影响最大的亲友进行宣教，争取他们的合作，使之对患者产生积极的影响，恢复患者的生活信心。

（2）病友支持　有意识地收集康复较好的患者的资料，让病友间分享其成功抗病的经验，相互支持、鼓励，这种相似经历者之间的榜样示范更容易让患者受到鼓舞，树立战胜疾病的信心。

（3）团体支持　鼓励患者培养兴趣爱好，参加一些社会活动，指导患者参加心理支持和健康教育小组活动，以满足其心理需求。此外，一些社会团体，如癌症社会支持团体、糖尿病社会支持团体等，也是慢性病患者的重要资源之一，参加这些社会支持团体有助于改善患者的健康状况及生存质量。

第三节　手术患者的心理护理

案例引导 9-3

案例：患者周某，女，离异，计划3个月后再婚。在体检时确诊为乳腺癌，拟行乳腺切除术。患者极度焦虑，虽有父母支持鼓励，她还是很担心手术后癌症继续扩散，担忧手术所产生的破坏性影响会使计划的婚姻尚未开始就结束。她所能想到的最糟糕的事情就是孤苦伶仃，没有人陪伴地度过余生。

问题：周某出现了什么心理问题？应如何进行心理护理？

手术作为广泛应用的有创性治疗手段，无论大小对患者来说都是一种紧张性刺激。手术过程中出现的组织损伤、出血、疼痛，术后功能丧失或各种并发症，以及因手术带来的经济损失、社会角色功能及生活质量的改变，都是严重的心理应激源，可直接影响手术效果及康复。因此，护士应当了解手术患者的心理特征，实施有效的心理护理，减轻或消除患者的负性心理，使其顺利度过手术期，获得最佳康复。

一、手术患者的心理特征

（一）手术前患者的心理特征

手术前，多数患者出现紧张、焦虑、恐惧及睡眠障碍等心理反应，表现为忧心忡忡，坐卧不安，失眠多梦；过度焦虑者还可出现心悸、气促、发抖、意识模糊等身心反应。少数患者会找出借口故意拖延手术或拒绝手术的现象，更有甚者在术前立遗嘱。患者产生这些心理特征的原因如下：

1. 信息缺乏

患者因缺乏相关知识，担心术中疼痛，害怕发生手术意外，对手术效果信心不足，甚至想到死亡而顾虑重重、恐惧和焦虑。

2. 手术经验

患者曾经历过失败的手术，当年手术不愉快的心理体验可能重现，加重其焦虑。

3. 信任度低

对医护人员过度挑剔、怀疑其医疗水平或由于医护人员有过不当的言行举止，导致患者的不信任，也可使患者产生焦虑和恐惧。

4. 其他原因

担心手术费用较高难以负担，担心手术影响家庭生活、工作、学习等。

手术类型不同所引起的患者心理反应也不尽相同。严重外伤患者在实施急诊手术时，因面临死亡威胁，出于强烈的求生欲望，对手术的焦虑、恐惧退居次要地位，往往能以合作的态度接受手术。但择期手术的患者，虽入院初期盼望手术，但随着手术日期临近，对手术的恐惧与日俱增，在术前晚达到最高峰，即使服用催眠药也难以入睡。

（二）手术中患者的心理特征

手术中患者的心理反应主要为紧张、恐惧和不安，这与手术室紧张严肃的环境气氛、患者对手术过程的惧怕及对生命安危的担忧有关。如在局部麻醉、椎管内麻醉手术中，由于患者一直处于清醒状态，他们可以清晰地听到手术中金属器械的碰击声、医护人员的谈话声，即使看不到手术情况，也能从身体内脏的牵拉感、手术室工作人员的对话及电视中的手术场面去猜测自己切口和出血情况，想象病情的严重程度及手术进展情况，这些往往会使患者惶恐不安，感觉不适，影响手术效果。因此，护士应注意术中的微小变化对患者心理状态的影响，尽量减少不适当的话语，避免对患者造成不良的心理暗示。

（三）手术后患者的心理特征

1. 意识障碍

患者表现为理解困难、激动不安、出现错觉或幻觉，甚至可发生意外伤人或自伤等。

2. 轻松感

接受大手术后的患者一旦从麻醉状态清醒后，意识到自己已经安全，会出现危险解除后的轻松感，并非常渴望从医护人员的话语中得知自己手术效果如何的信息。

3. 抑郁

部分患者度过手术危险期后，可能产生悲观失望、自责自罪的心理反应，尤其是一些患者得知由于手术引起部分机体生理功能丧失和身体形象改变，暂时不能再担任原有社会角色、生活不能自理、经济负担加重、手术效果低于期望值时，会出现一系列不良心理反应，表现为睡眠障碍、食欲减退、易激惹等，这些对手术预后均有负面影响。

4. 感觉异常

主要指持续的疼痛感。在患者手术成功且伤口愈合良好的情况下，如果疼痛持续存在，且不能用躯体情况解释时，需考虑为术后不良心理反应的可能。

5. 精神疾病复发

有抑郁症、焦虑症等精神疾病的患者，可能因不能承受手术的应激和压力，导致精神疾病复发。

二、手术患者的心理护理

（一）心理评估

了解患者对所患疾病及手术方式的认知、情绪、社会支持状况、既往心理健康状况以及手术对患者的预后、工作、学习、生活的影响程度。同时评估患者术前、术中、术后的心理状态，有无紧张、焦虑、恐惧、睡眠障碍、抑郁等问题。

（二）心理健康教育

帮助患者分辨常见的负性心理，如紧张、焦虑、恐惧、抑郁等，指导患者利用有效的社会支持系统，提高对负性心理的防御能力，应对手术治疗带来的心理压力。

（三）心理护理措施

1. 手术前患者的心理护理

（1）提供相关信息　手术前主动向患者介绍手术的必要性、术前检查的目的、麻醉方式、手术过程、可能发生的手术并发症及应对措施、主治医师的业务水平，提供以往手术成功的病例信息。尤其需要对手术的安全性做出适当的保证，强调患者的有利条件，减轻其对手术的顾虑。但应避免患者盲目乐观及对手术效果的期望值过高，使其术后产生心理落差。

（2）心理干预　术前焦虑较为严重的患者，可根据具体情况实施心理干预。①放松训练：这是减轻术前焦虑和术中不适感最常用的方法，包括呼吸放松、渐进式肌肉松弛训练、想象放松法和自主训练。②示范法：患者通过学习其他患者克服术前恐惧，取得最好手术效果的实例，调动其术前战胜焦虑的积极心理因素。可采用播放视频或现身说法的方式进行，最好在示范前后各安排一次护患沟通，以便评估患者对这些方法的掌握程度及效果。③心理暗示法：护士通过正性暗示来提高患者安全感，降低其焦虑及恐惧的程度。④认知行为疗法：患者对手术的认识直接影响到术前焦虑反应的程度，护士应帮助患者正确认识疾病和手术，提高患者治疗的依从性，减轻或消除焦虑。

（3）社会支持　积极了解患者的家庭关系、社会背景及经济状况，向家人及朋友提供相关疾病知识的健康教育，鼓励并指导他们在精神、情感、经济等方面给予大力支持，使患者获得温暖、信息和力量，减轻负性心理反应。同时，护士在接待患者时要热情，应耐心与患者沟通，尽可能多地告知患者有关手术的信息，收集他们的意见和要求，了解其手术动机、心理反应及应对方式，建立良好的护患关系。

（4）创造舒适的环境　保持病房安静，床单整洁、舒适、安全，空气新鲜、光线柔和、温湿度适宜，以保证患者充分地休息和放松，减轻心理应激反应的程度。必要时按医嘱给予抗焦虑、镇静催眠药物。

2. 手术中患者的心理护理

（1）克服对手术室的恐惧感　患者进入手术室后，护士应热情接待，亲切问候，主动介绍手术室环境、术中配合方法、麻醉师业务水平。保持室内安静整洁，床单无血迹，并适当遮挡手术器械，减少对患者的不良刺激。

（2）避免不良语言的刺激　医护人员谈话应轻柔和谐，遇到意外时须沉着冷静，切忌惊慌失措，大喊大叫。对局部麻醉或椎管内麻醉的患者，医护人员应避免说出对患者有消极暗示的话语，如：“比想象中的严重”“大出血，止血困难”“血压怎么这么低”等，更不能谈论与手术无关的闲话或窃窃私语。

（3）适时进行反馈和沟通　手术过程开始、结束或变更手术方式时，应向清醒的患者解释，减轻患者的恐惧心理。护士应始终陪伴患者，发现患者紧张或焦虑时可指导其深呼吸、安慰及鼓励患者。

3. 手术后患者的心理护理

（1）及时反馈手术信息　护士应加强巡视，与患者建立相互信赖的关系。患者麻醉苏醒后，应立即告知手术顺利完成并达到预期目标，让患者得知自己已成功渡过手术难关，并鼓励患者积极配合术后治疗护理及功能锻炼。如果手术不顺利或病灶未切除，在家属知情同意的情况下，必要时可采取保护性医疗措施，避免与患者沟通手术的具体情况，避免患者出现消极、悲观情绪。

（2）积极处理术后不适　护士应从患者的表情、姿势等非语言行为中观察疼痛等不适情况，积极采取措施，如听音乐、看电视、放松技术等方法分散患者注意力，减轻其不适。

（3）心理疏导　了解患者的心理状态，鼓励其合理表达，尽量满足其合理需要。术后出现焦虑、抑郁等负性情绪的患者，护士应积极与患者沟通以查找原因。对于期望值过高而产生心理落差、悲观、失望的患者，护士应指导患者根据自身的病情特点、手术情况、手术后检查情况来正确评价疗效，理解疾病与治疗的个体差异性，通过对比自身手术前后的变化，体会病情改善的愉快感受。

（4）做好出院心理准备　对于即将出院的患者，由于其各方面功能尚未完全恢复，护士应进行出院后饮食、心理调适、自我锻炼、定期复查等方面的健康教育，帮助患者做好出院的心理准备。对于手术效果较差、预后不佳的患者，不要太早告诉其真实情况，避免给其带来沉重的心理打击。因手术引起身体残缺（如截肢）、部分生理功能丧失（如卵巢切除）、生活习惯改变（如造口）的患者，护士要加强心理支持，帮助他们树立生活的信心。角色行为强化者，护士应帮助其正确认识疾病的转归，鼓励其参与自我护理，教育家属不要在患者面前过于关注病情，和患者一起制订活动计划，调动其主动性，帮助患者转换角色，顺利出院。

第四节　特殊患者的心理护理

案例引导 9-4

案例：郑某是某大学在读硕士研究生，其导师霍某大量占用郑某的个人时间，要求郑某帮他做家务，洗衣服，买饭等，还多次要求郑某喊他爸爸，承诺郑某毕业时会推荐他去美国深造。可是随着毕业季的临近，霍某想郑某留下来读他的博士，威胁郑某不要离开。尽管郑某找了一份工作，但是霍某让郑某签了一份协议，规定即使工作了，也要继续为他服务。因其毕业、找工作、出国都受到霍某的控制。郑某感到十分绝望，万般无奈之下，某天早上，郑某在宿舍楼跳楼自杀。

问题：如果郑某出事前找您寻求帮助，您会怎么做？

一、自杀患者的心理护理

自杀是指个体结束自己生命的有计划的行为。据 WHO 统计，自杀已成为第五位死亡原因，仅次于心脑血管疾病、恶性肿瘤、呼吸系统疾病和意外死亡。自杀为家庭和社会造成的心理和经济的影响无法估量，每一位自杀者或自杀未遂者至少有 5 位亲近的人受到牵连，使他们为此悲痛和烦恼。因此，护士应通过细心的观察和评估，早期发现有自杀倾向的个体，及时进行干预，防止其发生意外，减轻家庭和社会的负担。

（一）自杀患者的心理过程

采取自杀行动之前，自杀者在心理上要经过三个阶段：

1. 第一个阶段：自杀动机或自杀意念的形成阶段

当患者遇到挫折或打击时，无法接受所面临问题又无新的计划或构想，因无尽的悲观、失望、无助将其压垮，甚至出现精神崩溃，感到生活毫无意义，为摆脱痛苦，逃避现实，可能会形成自杀动机与自杀意念。患者遭遇重大失败，将失误、失败或受到的批评都归结为自己的错误，并产生强烈的罪恶感和自责心理，过度的自罪自责心理会引发抑郁，严重者可能寻求自杀。患者遭遇重大人际冲突，希望通过自杀引起别人的重视或改变他人态度，让他人因此受到良心的谴责，永远感到内疚、后悔，也可能会产生自杀动机与自杀意念。

2. 第二阶段：心理矛盾冲突阶段

自杀动机产生后，求生的本能可能使自杀者陷入一种生与死的矛盾冲突之中，难以最终作出自杀决定。自杀者会经常谈论与自杀有关的话题，预言、暗示自杀，或以自杀威胁别人，从而表现出直接或间接的自杀意图。如果在行为方面，患者明显减少同亲人或朋友的交流，退缩或独处日益明显，送出自己珍贵的东西，酗酒或吸毒，或工作、学习成绩下降，常常失眠，食欲减退等，就应将其视为自杀者发出的求助信号，此时若能及时得到他人关注，并找到解决问题的办法，自杀者很可能减轻或消除自杀的企图。但若人们秉持“常喊要自杀者其实不会自杀”的观念，忽略欲自杀者发出的信号，将会痛失救助良机。

3. 第三阶段：行为选择或平静阶段

自杀者似乎已从困扰中解脱，不再谈论或暗示自杀，情绪好转，抑郁减轻，显得平静。周围的人以为其心理状态已好转，放松警惕，但这往往是自杀态度已坚定不移的一种表现，需引起高度重视。当然也有可能是自杀者心理状态好转的表现。

（二）心理护理

1. 心理评估

评估自杀的风险因素，如自杀家族史，是否曾发生过自杀，经历的重大生活事件，重大心理创伤与疾病等；自杀的征兆，如言语、情绪或行为的异常。

2. 心理健康教育

帮助患者认识到自杀行为给自己和家人带来的伤害，使其摆脱心理压力，正确对待生活中的逆境，教会其正确的生活方式，并教会患者进行自我心理护理。

3. 心理护理措施

（1）解除心理危机　护士应耐心倾听自杀者的诉说，了解其内心感受，以开放包容的态度接受自杀者的抱怨、失望、拒绝和对帮助的矛盾心理，不排斥或试图否认任何自杀念头的“合理性”，共同与患者分析自杀的原因，探讨可以帮助的方法和途径。

（2）观察异常行为　护士要悉心观察患者在自杀前出现的有意或无意的异常行为，如独处、沉默寡言、生活无规律、情绪极度低落等，及时发现并采取果断的措施，如立即实施心理疏导、解救和阻止，安排家属 24 小时寸步不离地陪伴患者，给予特级护理，使其处于安全环境。

（3）重建社会支持系统　由于患者发生自杀行为与家庭、婚姻、工作等社会文化因素密切关联，因此护士应争取其家庭、社会、单位的理解和支持，鼓励家庭社会支持系统共同给予患者强有力的身心支持、经济支持，改善其心理状态，增强生活的信心和勇气。若发现有自杀倾向者，可与其讨论自杀问题，让其说出自己的困难及自杀计划，以便疏导其情绪，提前采取预防措施。

二、残障患者的心理护理

案例引导 9-5

案例： 海伦·凯勒 1 岁多时因病丧失视力和听力。长大后，海伦脾气十分暴躁、桀骜不驯，是一个十分难管的孩子。7 岁时，家里为她请来了一位教师——安妮·莎莉文。安妮·莎莉文老师十分有爱心，她首先了解了海伦如此躁动的原因，是因为父母不忍看她做错事都是因为残疾的原因，所以不忍心惩罚她，还给她糖吃。所以安妮首先纠正她父母的错误教育方式，并且与她建立互信的关系，再耐心的教导海伦手语。一天，老师在海伦的手心写了 water 教她这个词，但海伦总是把“杯”和“水”混为一谈。到后来，海伦不耐烦了，把老师给她的新陶瓷洋娃娃摔坏。但老师并没有放弃，她带着海伦走到水井边，要海伦把小手放在水管下，让清凉的水滴在海伦的手上。接着，老师又在海伦的手心写下 water 这个字，写了好几次，从此海伦就牢牢记住了这个词，再也不会搞错了。海伦后来回忆说：“不知怎的，语言的秘密突然被揭开了，我终于知道水就是流过我手心的一种液体。”经过努力学习，海伦突破了识字关、语言关、写作关，先后学会了英、法、德、拉丁、希腊 5 种语言，出版了 14 部著作，成为了美国著名的作家、教育家、慈善家、社会活动家。

问题： 海伦的案例说明了残疾人一般存在什么样的心理问题？从老师帮助她的方法上，您获得了什么启示？

在国际通用的定义中，残障分为三个层次：失常、失能和残障。失常是指身体器官失去一部分或精神不正常，造成不完整；失能是指身体和精神失去功能，使活动受到限制；残障，狭义上指障碍，这些障碍造成生活活动不方便，或无法扮演称职的角色，广义上包括身体、精神、社会、文化残障等。康复心理学认为，人体功能的正常运转，不仅依赖于生物机体功能良好。更有赖于心理社会因素的平衡。因此，要促进残障患者全面康复，应综合考虑残障患者的文化背景、经济情况、职业等因素，促进其心理社会功能的康复。

（一）残障患者的心理特征

1. 情绪障碍

一些患者情绪抑郁、沮丧、意志活动减退、失去康复信心、对生活没有打算，对未来绝望，严重者会有厌世和轻生的行为。患者还可由于疼痛等躯体不适产生烦躁、绝望情绪。身体的残缺及功能的障碍使患者易出现自我封闭，不愿参加社交活动，自卑、自责、羞愧、空虚、自身的无价值感、孤独感、焦虑、悲观甚至自暴自弃，从而影响其社会角色适应、家庭地位及社交能力。

2. 依赖

表现为患者不重视自我调节训练，在治疗和康复过程中缺乏主动性，过分强调自己的患者身份及角色，对医务人员和家属过度依赖，不利于其及时康复。

3. 固执

有的残障患者可能受偏见、人格特点、特殊地位等因素影响，固执己见，遇事不听他人劝告，打乱医生护士的康复护理计划。

4. 宿命观

一些残障患者认为疾病或残障是命中注定的，常将疾病或残障与“祖宗不积德”“自己做错事”等相联系，有的甚至自卑、自责，失去康复的信心及与疾病抗争的勇气。

（二）残障患者的心理护理

1. 心理评估

评估患者人际交往、情绪体验、认知效能、适应能力和自我认识等方面。

2. 心理健康教育

帮助残障患者面对现实，重建合理认知；教会患者如何与自己不合理的信念辩论。

3. 心理护理措施

（1）心理支持　护士应尽快开展心理危机干预，设法转移患者的注意力，鼓励其与病友交流，积极参加一些行之有效的娱乐活动和简单的康复训练，以缓解其负性情绪，使患者看到康复的希望。此外，医护人员在患者面前要保持镇静，与其交流时态度应自然亲切、充满自信心，使患者得到良好暗示，树立康复的信心。

（2）情绪疏导　向患者讲解伤残的性质及预后，及时提供其疾病好转的良性信息，减轻其心理负担。鼓励患者倾诉心中的苦恼与烦闷，使其感到被理解，改善情绪障碍。此外，向患者及家属提供相关政策和法规，使其了解寻求援助的办法和途径，增强重返社会的信心。

（3）建立有效的社会支持体系　提倡家属、同事、朋友乃至全社会关心、尊重残障患者，避免对其不闻不问，更不能嘲讽、厌恶和歧视。残障患者生活、就业能力差，非常需要生活必需品和基本的医疗条件以维持正常生活，因此，应完善社会保障及公共设施，为残障患者的生活提供便利。

三、危机事件后创伤患者的心理护理

案例引导 9-5

“5.12”大地震之前，赵梅（化名）是某学校的后勤人员，收入不算高，但生活还算稳定，13 岁的儿子国平（化名）就在她所在的学校读书。她的丈夫是一位木匠，经常外出打工，一家三口的生活过得平淡但很踏实。地震那天下午，丈夫背着木匠工具，正沿着山路赶着回家，突然感到地动山摇，无法控制身体平衡的他，从山坡上掉下去，无论怎样挣扎，都无法让自己停止滚动。就这样，在迷糊中不知过了多久，他的手机响了，是妻子赵梅打来的，求生本能给了他一丝力气，在电话里告诉了妻子自己的状况。在得知丈夫的遭遇后，赵梅立即狂奔了 20 多里地，在山谷中、草从里四处寻找，终于找到了奄奄一息的丈夫。她当时也不知道从哪里来的力气，竟然背起丈夫走了一段路，累了，想求救，四处一个人影都没有，真是呼天天不应，喊地地不灵。绝望中，她拖着丈夫的身体往家走，走了大约 10 里地，遇到了一辆三轮车。车主赶忙把他们俩扶上车，拉往医院。不幸的是，在路途中，由于失血太多，丈夫不治身亡。丈夫没了，工作没了。赵梅万念俱灰。她怎么也想不通，这样的厄运怎么会降临到自己的头上。从此，她整天把自己关在家里，整整 40 天没有走出过家门。生性活泼的儿子，也似乎变了一个人。他不再唱跳，不再出去跟伙伴玩耍，也无心读书、做功课，整天闷闷不乐。

问题：如果您去为赵梅做心理干预，您将怎么做呢？

危机事件是指人们无法预料而突发的带有一定危险性的事件，如地震、海啸、恐怖袭击等，具有突发性、紧急性、高度不确定性、影响的社会性和决策的非程序化的特征。创伤是指物理、化学、机械和生物等因素造成的机体损伤。如果不能得到很快控制和及时缓解，危机事件常常成为非常严重的应激源，导致人们在认知、情感和行为上出现功能失调及社会功能的混乱，出现心理危机综合征。因此，护士应积极开展危机事件后创伤患者的心理干预，减轻其创伤后的不良心理反应，避免出现创伤后应激障碍。

（一）危机事件后创伤患者的心理特征

1. 早期患者的心理特征

（1）情绪休克　即心因性木僵状态（不言不语、双目视而无睹，对人漠不关心、呆若木鸡）和心因性朦胧状态（茫然，对周围环境不能够清晰地感知）。由严重的应激反应所致。患者若神志清楚，常可表现为出人意料地镇静和冷漠，反应阈值提高，反应速度迟钝，强度减弱，答话简单，对治疗的反应也平淡，有时可以持续数天。情绪休克是一种心理防卫机制，可以减少因焦虑和恐惧而造成的过度心身反应。但注意患者“安静”的行为，并不意味其伤势轻，更不意味其没有心理困扰。

（2）紧张惊恐　危机事件多为突发性，患者由于缺乏心理准备，无亲属陪伴，加之陌生的环境，严肃紧张的医务人员，外伤所致的剧烈疼痛，易产生紧张不安、惊恐等情绪。

（3）庆幸和自责　在死亡的威胁解除时，患者产生劫后余生的庆幸，但对于目睹亲友死亡，自己却无能为力的患者来说，则常常会感到内疚和自责。

（4）悲痛无助　面对亲人死亡、躯体受伤、痛失家园等强烈的心理刺激，患者的悲痛情绪往往难以自抑。同时，由于躯体受伤、与家庭成员分离，部分患者必须全部或部分依赖医护人员满足基本生活需求而产生无助感。

（5）焦虑抑郁　部分患者因躯体功能障碍，失去自理能力及工作能力，担心难以支付医疗费用，害怕被家庭和社会抛弃，容易出现焦虑抑郁等情绪。

（6）愤怒敌视　患者处于强烈的应激中，可能产生自怨自艾的心理，埋怨上天不公，出现烦躁、不信任医护人员、无端发怒等情绪，严重者甚至毁物、伤人、自伤。

2. 恢复期患者的心理特征

（1）社会功能受损，依赖性增强　处于恢复期的部分患者心理难以恢复正常，表现为生活能力、人际交往能力下降，社会角色功能紊乱等。同时，由于患者希望得到医护人员额外的同情、关注与支持，产生依赖性增强。

（2）颓废绝望　因受到诸多负面因素的影响，如永久性肢体及面部伤残，患者难以接受，会出现自暴自弃，甚至萌生轻生念头。

（3）创伤后应激障碍　由异乎寻常的威胁性或灾难性心理创伤导致患者延迟出现或长期持续的精神障碍。表现为闯入性的反复重现创伤体验、噩梦、持续性的警觉状态、麻木、回避、选择性遗忘、对未来失去信心等。

（4）自我成熟　患者在创伤的修复过程中若能接受外界的引导，并尝试自我调整，最终可以积极乐观的人生态度获得前所未有的人生体验，接纳自我，实现自我成长。

（三）危机事件后创伤患者的心理护理

1. 心理评估

包括生理健康水平、心理健康水平和社会资源等。

2. 心理健康教育

教会患者家属正确应对应激相关障碍的方法，帮助其学习疾病知识，使家属理解患者的痛苦和困境。协助患者合理安排工作生活，恰当处理人际关系，并教会家属帮助患者恢复社会功能。

3. 早期患者的心理护理措施

（1）重新建立安全感 危机事件发生后，应使患者尽快脱离现场。提供舒适安静的环境，尊重患者，允许保留自己的空间。为了缓解患者的精神压力，护士在处理问题时，应沉着果断，技术娴熟，态度镇定。同时，护士应严守职业道德，尽量避免社会关注对患者造成的二次伤害。

（2）心理支持 护士要态度和蔼，注意倾听，鼓励患者回忆自己心理创伤所致应激障碍和适应障碍，发作时的感受和应对方法，接纳患者的负性情绪。用支持性言语帮助患者度过困境，并且辅导其有效地应对困难。帮助患者列出可能解决问题的各种方案，并协助分析各方案的优缺点，优化其应对方式。

（3）强化社会支持体系 应鼓励家属、亲友多关心、支持和安慰患者。此外，社会各界的热心援助、心理工作者得当的干预、政府部门的关怀，均可缓解患者心理压力，促其早日康复。

4. 恢复期患者的心理护理措施

（1）帮助患者重树生活信心，减轻社会依赖 积极引导患者互相关心、关爱他人，使其意识到自己的社会价值。对于依赖心理明显的患者，护士应冷静客观地对待，鼓励其倾诉想法，使其感受到被理解，认识到过度依赖无益于恢复健康，从而逐步减轻对他人和社会的依赖。

（2）对症护理 ①对于创伤后躯体障碍的患者，护士应为患者提供情感宣泄的条件，与其共同讨论面临的问题及解决方案，发挥其社会支持系统的功能，鼓励其与其他患者进行交流，并指导患者合理使用运动锻炼等方式对躯体障碍进行康复，调节心理状态。②对于创伤后应激障碍的患者，护士需配合心理医师或精神科医师应用有效的心理治疗方法，如暴露疗法、认知疗法和小组疗法等，减轻患者的症状，降低其心理困扰，必要时使用药物治疗。

知识链接 9-1

心理弹性

美国心理学会将心理弹性定义为个体面对逆境、创伤、悲剧、威胁或其他重大压力时的良好适应过程，即对困难经历的反弹能力。正常环境下的成人暴露于隔离和潜在的高破坏性事件，仍能相对稳定，虽然受到失眠、注意力不集中等的干扰，但总体的生理心理功能基本保持正常，能在创伤后体验到一些积极情感变化。护士应从多角度入手，使个体心理弹性被激发，积极应对逆境，变得更坚强，获得成功的幸福体验，达到促进其心理健康的目的。

任务小结

近年来，在临床各类患者中，心理问题日益突出，因此对患者的心理护理就显得格外重要。本章重点介绍了急危重症、慢性病、手术、自杀、残障、危机事件后创伤患者的心理特征和心理护理的方法，并详细分析了心理问题产生的原因，运用心理护理的识知和技能为患者进行有效的心理护理。护士应敏锐灵活地掌握患者的心理特征，预见性地开展心理护理。

知识点自测

一、名词解释

1. 情绪休克　2. 心理弹性　3. 药物依赖　4. 音乐疗法

二、选择题

1. 下列不属于慢性病患者心理特征的是（　　）

A. 抑郁　　B. 敏感多疑　　C. 紧张焦虑　　D. 角色缺如

E. 过度依赖

2. 急危重症患者初入院的1~2天，最典型的心理特点是（　　）

A. 焦虑、恐惧　　B. 否认　　C. 孤独、愤怒　　D. 依赖

E. 自我形象紊乱

3. 手术患者术前最常见的心理反应是（　　）

A. 担忧、焦虑　　B. 抑郁、无望　　C. 敌对　　D. 愤怒

E. 否认

4. 下列关于手术后患者的心理护理说法不正确的是（　　）

A. 及时向患者告诉手术成功的消息，安定患者的情绪，增强恢复阶段的信心

B. 安慰、解释、疏导

C. 广泛的社会支持，从个人的、家庭的、团体和社会的不同水平进行

D. 增强患者的依赖

E. 对手术后的并发症进行细致的解释

5. 患者，女，59岁，丧偶8年，现独居，办事无主见，常顺从别人。1个月前行胃癌切除术，术后出现情绪低落，兴趣下降，独自流泪，有轻生之念。这种情绪反应为（　　）

A. 焦虑　　B. 抑郁　　C. 恐惧　　D. 痛苦

E. 愤怒

6. 某神志清醒、正接受紧急救治的急性心肌梗死患者，目睹医护人员镇定自若的神情和井然有序的救治，依然表情焦急、紧张不安。此时该患者的最主要情绪反应可能是

(　　)

A. 过度焦虑　　B. 严重抑郁　　C. 高度镇定　　D. 极度烦躁

E. 创伤后应激障碍

7. 患者，女，26岁，因交通事故造成多处骨折，疼痛，出血较多，意识清醒，送入医院急救，对此患者，护士首先要做的是(　　)

A. 陪伴、鼓励　　B. 启迪疏导、帮助患者摆脱困扰

C. 创造良好的康复环境　　D. 稳定患者生命体征，增强患者安全感

E. 帮助患者适应医院环境

8. 某患者拒绝医生有关癌症诊断，先后就诊许多医院，来证实自己没有病。该患者的心理状态是(　　)

A. 否认　　B. 压抑　　C. 焦虑　　D. 恐惧

E. 强迫

9. 癌症患者听到癌症的诊断后，出现心理反应的一般顺序是(　　)

A. 否认期，愤怒期，抗争期，抑郁期，接受期

B. 愤怒期，否认期，抗争期，抑郁期，接受期

C. 抑郁期，否认期，抗争期，愤怒期，接受期

D. 抗争期，否认期，抑郁期，愤怒期，接受期

E. 接受期，否认期，愤怒期，抑郁期，抗争期

10. 患者男，75岁。因脑出血进行手术已有数小时。家属焦急地问病房护士："手术怎么 还没有结束啊，我很担心!"此时最能安慰家属的回答是(　　)

A. "假如手术有问题，医生会通知您的。"

B. "这样的病情手术风险本来就很大，您就别催促了。"

C. "您的心情我能理解，我现在打电话了解情况后再告诉您。"

D. "这种手术的时间就是很长，您去手术室门口等着吧。"

E. "对不起，我不清楚手术的情况。"

三、问答题

1. 简述急危重症患者的心理特征。

2. 简述慢性病患者的心理护理措施。

3. 简述手术患者术前焦虑的主要原因。

4. 简述残障患者的心理特征。

实训项目

患者，女，38岁，已婚，某中学教师，父母均为教师。患者衣着整齐，焦虑面容，

举止不安。其从小性格内向、胆小，怕接触人。上小学由妈妈带教，初中由爸爸带教，吃住学由父母一包到底。长大后变得细心谨慎、多愁善感、自卑，自理能力差，遇到困难和疾患就不知所措。3个月前，学校一位患糖尿病10多年的老师突然眼底出血提前病退，她心有余悸，自行上医院体检，得知自己被确诊为糖尿病后十分苦恼，想不通为何糖尿病会偏偏找着她。

自述："我近3个月来经常紧张不安、焦虑，担心会发生眼底出血、尿毒症、昏迷等。平时讲课时，讲着讲着就不知道讲到什么地方了，晚上躺在床上碾转反侧，久久不能入睡。整日提心吊胆，不能像以前一样工作，上3天班就得休息一天，与同事交往减少，听到与"糖"有关的话题，就心神不定，局促不安，设法躲开。总是想自己有糖尿病真糟糕，病重了怎么当老师；丈夫怎能与一个患者生活一辈子；自己不行了父母怎么办。就诊于某医院，服降糖药效果不佳，医生说我情绪不好影响血糖。"

请你分析：

1. 该患者出现了哪些心理问题？
2. 该患者的心理问题有哪些影响因素？
3. 如何对其进行心理护理？

第十章

护士职业心理的形成与维护

内容导读

1. 掌握　掌握护士职业心理有关的概念及相关知识。
2. 熟悉　护士职业心理素质的培养内容和途径。
3. 了解　护士身心健康自我维护的策略。

随着人类健康需求的快速发展，社会对护士的要求越来越高，社会对“好护士”的评价也不再局限于护士的专业知识和技能，而更看重其是否具备良好的职业心理素质，这不仅是护理心理学学科理论的重要组成部分，也是护理专业人才的培养目标，更关系到护士的身心健康维护以及良好护患关系的建立。探析护士职业人格的形成过程以及影响因素，明确护士职业心理素质培养的要求与途径，维护护士职业心理健康，不仅关乎护理心理学自身的学科发展，也是为了满足社会发展进步的需要。

第一节　概　　述

案例引导 10-1

案例：刘护士，女，35 岁，心血管内科工作，性格内向，对工作追求完美，是优秀护士，家中有生病的父亲要照顾，女儿上小学三年级。当事人在工作的同时坚持护理本科的成人教育学习，近期感到工作力不从心、工作效率降低，情绪烦躁易怒。

问题：1. 刘护士的职业压力有哪些？
2. 影响刘护士心理健康的内在因素是什么？
3. 护士心理健康的自我维护方法有哪些？

在特定的职业环境中，个体逐渐形成较稳定的能胜任该职业的角色人格及行为模式，即职业角色适应。护士的职业角色适应由护士个体通过与护理环境之间相互作用而实现。

并逐渐形成护士职业的角色人格。

一、角色人格与护士角色人格

（一）角色与角色人格

1. 角色

“角色”一词原本是戏剧艺术中的专用名词，指演员在舞台上按照剧本的规定所扮演的某一特定人物。后来有研究者把“角色”概念正式引入社会心理学的领域，逐渐形成社会角色的理论。社会角色（social role）代表个体在社会团体中的一种身份或位置，如教师、律师、医师等均属于某种职业，也可视为一种社会角色。社会的职业多种多样，个体在某一时期内可能同时扮演多个角色，每个角色都有其特定内涵，个体的行为模式也受制于其角色特征。护士职业有其特殊的工作对象、范畴和职责，因而护士角色属于特殊的社会角色。护士也应具有特殊的角色行为，一旦从事护士职业，就需遵循社会对其职业行为的评判标准。

2. 角色人格

指具有某种社会特定地位的人们，共同具备并能形成相似角色行为的心理特征总和，即指人在某种特定、重复的社会经历中，形成较固定、具有共同性的人格特征。某职业角色特征决定了从业者应具备该职业特定的人格倾向和行为模式。良好的角色人格一经形成，往往有助于个体确立合理的职业观，形成自觉的职业行为，也有利于其在复杂的社会环境中显现积极的处世态度和较强的心理承受能力。

（二）护士角色人格

1. 护士角色人格

特指从事护士职业的群体，共同具备并能形成相似的角色适应性行为的心理特征总和。其中“适应性”要求从事护士职业的个体必须具有适应护士职业的行为特征。

2. 护士角色人格的特征

（1）护士角色人格具有职业特异性　不同个体从事护士职业前，可能存在性别、年龄、受教育程度、家庭背景及生活经历等诸多差异，一旦从事护士职业，个体与工作环境的相互作用过程中，会逐渐形成相似的、护士职业所特有的人格，如“耐心、爱心、同情心和责任心”“良好的人际交往能力”等。

（2）护士角色人格以职业经历为前提　个体一生中会扮演不同的社会角色，如女性从少女、青年到人妻、人母、祖母，需实现女性不同年龄段角色间的转换，扮演好每个新角色都需要有逐渐学习和适应的过程。护士职业角色人格的形成不可能一蹴而就，需要个体在职业实践中不断体验、巩固、发展和完善，且需较长时间。如新护士初到急诊室，面对争分夺秒的紧急抢救，紧急情况下可能因高度紧张而致护理技术操作走样，但参与多次急救历练，便能沉着冷静、行为迅速并操作有序。

（3）护士角色人格与个体人格相辅相成　个体选择职业时，会倾向于选择与自己性格特点相符的职业。如感情丰富、富于想象者倾向于选择作家、艺术家等职业；喜欢冒险、乐于竞争者倾向于选择运动员、企业管理等职业；保守刻板、脚踏实地者选择财会、档案工作等。通常，个体人格与所从事职业人格较接近者，可较快地适应职业角色要求，即护士角色人格与个体人格相辅相成。如女性的温柔、细腻、感情丰富及善解人意等个体人格，都是护士角色人格的基本构架和元素。因此，个体人格是职业角色人格的基础和前提，职业角色人格是个体人格的拓展和完善，两者相辅相成，互为促进。

第二节　护理职业心理素质的培养

案例引导 10-2

案例： 2002—2003 年，中国发生 SARS（严重急性呼吸综合征，非典）疫情，在疫情初期，广东省一些医院没有采取严密到位的防护措施，导致部分医护人员被感染。当时张积慧是广州市第一人民医院 SARS 临时病区护士长，她清晰记得第一次接收 8 个“非典”患者时的情形。当患者被送到张积慧所在的病房时，张积慧喊护士出来接患者，但喊了几声没有人出来接。张积慧当天负责协调，没穿隔离衣。未穿上防护服的她只得和另一个护士长冲上去，与 SARS 患者零距离接触。事后，当天值班的护士告诉她，听到召唤时，她们几个护士一下心慌了，脚软得站不起来，脑子一片空白。

然而 1 个月后，这些当初“腿软”的护士让张积慧着实感动。到了轮岗的时候，一线女护士拒绝到二线休息，她们说：“那些轮换上来的护士，消毒、隔离什么都要从头来，我们好歹都做了将近 1 个月，熟手了，有经验了，就让我们继续做下去吧。”就是这些可爱的医护人员给了张积慧无限勇气和信念：“非典的时候不怕死，以后也不会怕死。”说这话时，张积慧的眼睛满含泪水。

问题： 1. 护士应该有怎样的心理素质？

2. 护士的职业心理素质应在哪些方面培养？

“护士角色人格”更通俗的表述形式便是众人熟知的“护士职业心理素质”。提供必要的职业心理素质培养是促进个体职业角色发展的外部条件。根据心理素质的结构特征，结合护士职业的特点，对护士进行职业心理素质的培养，能加速合格护士的成长进程。

护士职业心理素质的培养应当根据护士职业的工作性质，结合临床对护士的要求，以心理素质的结构内容为依据，从心理能力、心理品格、心理动力、自我适应能力、环境适应能力 5 个方面有计划有目标地进行。

一、护士职业心理素质的培养内容

（一）心理能力

1. 敏锐的观察力

敏锐的观察力是护士准确掌握患者生理和心理变化的重要条件。临床很多疾病的发生、发展是复杂多变的，在不同患者身上也表现不一，如果护士对患者采取漠视的态度就不能及时发现病情变化，有可能延误救治。另外，临床中的急、危、重症患者因为有特级护理、一级护理要求容易引起护士注意，但是普通患者发生病情突变时，如果护士缺乏敏锐的观察力，就很难抓住抢救时机。

当然，敏锐的观察力需要在临床实践中不断培养，而且也要学会用“心”去看，这就需要专业知识的积累加上经验的总结。护士应通过观察从患者身上获取各种信息。除了对患者生命体征的观察外，还应包括对患者皮肤颜色、面部表情、行为举止、哭泣声、叹息声、呻吟声、咳嗽声等各方面的观察，从而准确判断患者的生理及心理需要，并预计可能会发生的问题，有助于减少护理差错事故，保证护理工作的安全性。

2. 准确的记忆力

护理工作同时面对多个患者。每位患者的治疗方案和护理措施不尽相同，而且随病情的变化也需不断调整，因而护士在临床中经常接触的信息是多种药物的名称、剂量、给药途径、不良反应及患者的姓名、床号、病情、护理操作规程等。如果没有良好的记忆能力，很容易出现护理差错，轻则延误治疗，重则造成严重的医疗事故。

良好记忆能力的培养很重要，护士应该总结护理工作中所涉及的各类记忆内容，分门别类探索规律，寻找记忆窍门，如常用护理操作流程图、常用剂量单位卡片、护士口袋本等都是为方便临床护理工作而采取的好办法。同时，护士要在记忆的准确性上下功夫，护理管理部门要将常用数据、标准、观察内容列为新护士考核标准。

3. 良好的注意力

注意力主要包含广阔性、集中性、稳定性、分配和转移等品质，也是护士应具备的重要的心理能力。从注意的广阔性来讲，要求护士做到“眼观六路，耳听八方”，将复杂的工作环境和繁杂的工作内容“尽收眼底”；从注意的集中性来讲，要求护士能聚精会神地做好各项护理操作，而不被其他无关信息所干扰；从注意的稳定性来讲，要求护士能沉着稳重地长时间为患者做好某项护理；从注意的分配来讲，要求护士在做某些操作时能边处置、边谈话、边观察、边思考，能对患者做好整体的护理；最后从注意的转移来讲，要求护士在做好每一项工作的基础上，做到工作与工作之间分清楚、互不干扰，有些护士一次输液不成功，就会接二连三出现穿刺失败，原因就是不具备灵活的转移能力。

4. 独立的思维能力

现代的护理观认为护士需要独立思维的能力。虽然医嘱是医师思维的结果，一般来说，应该合乎客观规律，但人的思维有局限性，如缺乏临床经验的医师开的医嘱可能并不适合患者，如果护士只是单纯地执行医嘱，很容易在盲目中出现差错。

当然，独立的思维能力也不是以自我为中心的妄自推断，而是在以分析判断医师思维的前提下，考虑到患者的实际情况，在病情动态的变化之中，用评判性的思维方式去看待具体问题，独立分析，然后提出自己的观点。只有具备这一点，才能掌握护理工作的主动权，逐渐提高护士在临床工作中的地位和作用。

（二）心理品格

心理品格是指导个体做出正确行为的性格倾向等特性，一个人如果没有良好的心理品格，即便拥有渊博的知识、超常的智力，也会一事无成。而护士品格的塑造，不仅依靠职业教育、榜样示范，还需要在临床护理实践中不断地完善和提高。护士良好的品格表现为忠于职守，对工作有高度的责任心；待人真诚，严于律己，做到自尊、自信、自强；对患者有爱心和同情心，对所有患者一视同仁；脚踏实地、实事求是、办真事、讲真话、清正廉洁、不收受红包等。

（三）心理动力

为满足社会对护理工作越来越高的要求，护士应具有进取精神，不断学习，提升自我，在用理论知识武装自己的基础上，逐渐培养顽强的意志力，发挥自身的巨大潜能，这是出色完成护理工作的内在推动力。另外，爱岗敬业、无私奉献、利他精神等积极情感也是必备的心理动力，护士只有真正做到以患者为中心，为患者着想，才能以饱满的热情投入到繁忙而又紧张的护理工作中。

（四）自我适应能力

自我适应能力包括稳定的情绪及协调的身心状态。护士具有稳定的情绪既可以使自身充满活力，又能为患者树立良好的榜样，帮助患者唤起对生活的热爱，增强战胜疾病的信心。协调的身心状态能提高护士承受挫折的能力，合理地应对各种应激事件，做到激情不露、纠缠不怒、急事不慌、危事不惊。自我适应能力的提高需要护士以心理学知识来指导自己，学会换位思考，学会做自我心理的调节，学会控制自己的情绪，这样才能以愉快的心情和饱满的精神状态投身于临床工作中。

（五）环境适应能力

环境适应能力是指个体认识环境及处理个人与环境关系方面的能力。护理环境多变，人际关系亦甚为复杂，这就要求护士不断调适自我，学会放松，不管处于多复杂的环境中都能很快适应。同时，需具备良好的人际交往能力，不断积极和主动地加强与环境之间的融合，建立和谐的人际关系，表现出具有较高适应能力的护理专业行为。

二、护士职业心理素质的培养途径

护理工作的特殊性，对护士的职业心理素质提出了具体要求，职业心理素质的形成不是“一蹴而就”，需要有其适合的培养内容和培养途径，目前护士职业心理素质的培养途径主要落实在职业教育和自我管理两个方面。

（一）职业心理素质的教育

1. 职业价值观教育

我国恢复高等护理教育 30 多年来，护理人才的专业技术、综合素质水平等都得到了显著的提高，然而当今社会对护士的传统观念和社会偏见依然存在。以致出现了“职业的高发展目标”与“社会的低期望值”之间的矛盾，加之市场经济等社会因素的复杂影响，对护士的心态产生不利的导向作用，少数护士对职业前景出现明显的困惑和动摇，个体无法认同护士职业的社会价值，反过来又极易产生消极的职业态度。护生在校学习期间正是人生观、价值观确立的关键时期，因而学校应把职业态度与价值观的教育纳入护理专业教育的总体规划中。

2. 培养目标的分层教育

目前国内护理教育有中专、大专、本科、硕士、博士的多层次教育，护理人才的培养应该与教育层次相匹配，实施“分层教育与培养”，为不同层次特点的护生提出不同的目标与计划，以减少培养的盲目性。本科护生更容易产生较多的职业价值困惑感，承受的社会压力也较大，单纯的正面宣教反而容易误导护生去过多地关注社会上的负面评价，陷入消极的职业心态。因而，对本科以上层次的护生，要以帮助其更多地认识职业优势，争取更大程度的自我实现为教育的切入点。

3. 可操作性的模拟教育

发达国家的职业行为模拟教育开展的较早且普遍，护生在正式进入护理情境前，一般需反复经过规范的模拟化角色扮演训练，以矫正不良的行为习惯。此类职业行为培训已为我国借鉴并逐步推广，主要形式有以下几方面。

（1）职业仪容的强化训练　护士较好的仪容有利于自身时刻保持良好的精神状态，并可在患者面前树立良好的职业形象。职业仪容的强化训练主要包括得体装束、职业微笑等培训，重在护士的表情、妆容、穿着、形体等方面。

（2）言谈举止的规范训练　主要帮助护士熟练掌握与他人交往时的距离保持、礼貌姿态、谈话技巧等，懂得与不同患者相处的基本原则及交往策略，帮助护士重点防范言谈举止的“职业禁忌”。

（3）情绪调控的技巧训练　运用心理学的知识培养学生保持良好的心境，学会正确的情绪表达方式，掌握适合自身的情绪调控技术，如放松训练、注意力转移、情绪宣泄等。

（4）模拟情境的适应性训练　可理解为一种角色扮演，关键在于设置一些可能造成护生职业困惑或心理受挫的模拟化情境，通过护生的角色扮演和教师的指导及总结，帮助其增强职业信心，激发内在动力，并提高其对各种复杂多变的应激情境的应对能力，较好地把握未来职业生涯的处置方法。

4. 现实形象与理想目标的符合教育

学校往往倾向于职业教育的正面宣教，护生大多对职业理想充满憧憬，而对职业现状的不足缺乏了解，在进入临床后出现理想与现实的极大反差时，毫无心理准备，有明显的受挫感。因而教师应把理想与现实两种职业形象清晰地呈现在学生面前，因势利导，帮助护生分析出现职业形象反差的主导因素，思考如何以积极的心态接受并适应这种转变。

（二）职业心理素质的自我管理

职业心理素质的发展伴随从业个体职业生涯的全过程，相对于职业心理素质教育这一外在因素，从业者个体的内在因素对护士职业心理素质的影响更加深入和持久，其中很重要的一点就是做好自我管理。自我管理属于管理学的范畴，指个体主动调控和管理自我的心理活动和行为过程。自我管理不仅是一种管理行为的过程，更体现为一种能力，是个体对自身的生理、心理和行为各方面自我认识、自我感受、自我监督、自我控制、自我完善等方面的能力。

知识链接 10-1

完成重要的生活目标往往需要很长的时间，但如果你能做好时间管理，会让你做事更有效率，也会给你减少一些压力，还能提供一个工作和娱乐的平衡点。

管理专家斯蒂芬·柯维创造了一个四象限的时间矩阵，如表 10-1 所示，并区分了计划的紧急性。“重要事情”是指那些和你的生活理想和目标直接相关的事情；“紧急事情”是指那些需要马上行动的事情。

表 10-1　柯维的时间管理

	紧急的	不紧急的
重要的	明天要交的英语论文，今天要交的数学作业，今天要把钱存到银行里	2 周后的生物考试，这周末的学习小组，打电话回家
不重要的	有人打电话来问一些琐碎的问题	看电视节目，看报纸，玩电子游戏

个体的自我管理能力虽然受到自身及环境等因素的制约，但总体来看，是随个体年龄的增长、知识水平的增加、社会阅历的不断丰富而逐步提高的。护士的工作性质比较特殊，个体的自我管理能力在工作实践中的提升空间较大，因而掌握恰当的自我管理策略和方法，对其良好职业心理素质的培养起到至关重要的作用，主要涉及以下几个方面：

1. 珍视人生机缘，做好时间管理

人生讲求机缘，个体在就业之路上与某个或某些职业的结合，不妨将其理解为一种人生机缘。珍视此人生机缘者，必将以满腔热血投入其工作中，尽最大潜能发挥自己的能力，施展自身的才华，获得成功的概率增加，自尊心和自信心也将得到极大的满足。反之，对职业心生厌烦、心有抵触的个体，不懂得珍惜来之不易的工作，缺乏职业热情和工作动力，难以静心思考本职业的发展空间及个人的职业人生规划，必将在职业生涯中满盘皆输。

2. 设定人生计划，做好目标管理

目标管理是由“现代管理学之父”彼得·德鲁克提出的，是使职业人士变被动为主动的主要手段。确定目标知易行难，制定者必须结合自身实际，仔细揣摩、推敲，尽量将目标制定得具体、可操作性强，才会有实现的可能。护士的教育层次不同，职业经历不同，相应的自我管理目标也应因人而异。

3. 建立职业认同，信守职业承诺

职业认同是人们对职业活动的性质、内容、社会价值和个人意义等熟悉和认可的程度，是个体做好本职工作、达到目标的心理基础，也是自我意识的逐渐发展的过程。职业承诺是基于对职业的情感反应而产生的个体与其职业间的心理联系，反映对职业认同和职业投入的态度。有研究显示，护士的职业承诺包括护士对职业的情感承诺、规范承诺、经济成本承诺、情感代价承诺和机会承诺五个方面，其中前两者属于主动承诺，后三者属于被动承诺。

4. 借助内外资源，做好压力管理

对护士来讲，压力可来自于多方面，如繁重的工作，紧张的生活节奏，复杂的人际关系等，这些压力如果不想办法解决，势必日趋沉重，出现疲劳、倦怠感，影响心理健康。

第三节　护士身心健康的自我维护

案例引导 10-3

案例：张护士，女，26 岁，ICU 重症监护室工作，平素性格外向。工作时间性格较内敛，态度严谨，工作表现突出。近日一重症患者家属，因无法理解治疗方案与医护人员（包括张护士）发生纠纷，医院领导给予相关医护人员批评教育。张护士顿觉压力倍增。此外，张护士与其男友近期感情出现裂痕，心情较为沮丧，因此其近期感到情绪烦躁易怒，工作力不从心、工作效率严重降低。

问题：1. 影响张护士心理健康的内在、外在因素分别是什么？

2. 张护士可以采取的自我心理健康维护的措施有哪些？

护士不仅应具备良好的职业心理素质，并且要有健康的生理和心理状态，这是为患者提供优质护理的前提条件。护士人群身心健康的维护是护理教育者和护理管理者应有的共识和注意解决的重要课题，更需要护士个体积极参与其中，做好自我维护。

一、影响护士身心健康的因素

（一）外在影响因素

1. 工作本身带来的压力

临床护理工作时间相对较长，任务较繁重，尤其是急诊、ICU 等科室，重症患者较多，工作量较大，容易产生疲惫感。另外，护士的工作之一是执行医嘱，直接与患者接触，必须承担相应的责任，感觉到的压力更大。

2. 工作环境带来的压力

护士在每天的工作中，接触的是形形色色的人群，人际关系甚为复杂，难免出现人际冲突。此外，社会发展的需求对护士的要求越来越高。每天除了繁重的工作外，还要不断学习补充知识，提高教育层次水平。这样在本职工作的基础上，又无形增加了大量的额外负担，导致护士出现精力不足、头晕眼花、精神疲惫等现象。

3. 社会环境带来的压力

当今社会对护士职业仍存在很大的偏见，护士的辛勤劳动往往很难得到社会的尊重和认可，经济收入方面与社会其他阶层相比又存在一定的差距，容易造成心理上的不平衡，难以保持积极的工作情绪。

（二）内在影响因素

1. 职业心态

很多护士经常抱怨“干临床太苦、上夜班太累”，有些护士甚至提前了“不上夜班、脱离临床”的期望年龄，这些都是对护士职业的不良态度。国内外大量的研究表明，护士个体存在程度不同的身心健康不佳，主要源于自身职业心态的偏差。不具备良好的心态，很难全身心投入护理工作并将护理职业作为奋斗终生的事业，也无法以积极的心境面对并解决各种压力。

2. 职业价值

职业价值是对职业付出的回报价值，或者说是对职业付出的满足感。如果个体认同护士职业的社会价值，确立了正确的职业价值观，在临床实践活动中，就能产生满足感，更努力地主动适应护士职业角色。反之，若个体的职业选择是被动的，或者个人不认同护士职业的社会价值，那就无法获得内在的职业发展动力。

3. 认知评价

认知评价是多种应激理论模式共同强调的重要概念。是个体对所遇到的生活事件的性质、程度及危害性做出的估计。不同个体对同一压力事件做出的认知评价不同，产生的应激反应也不同。如面对急诊患者的冲动性言行，护士甲认为患者是存心找茬，便无法自制地与患者争吵，这样非但不利于问题解决，还会殃及护患双方的身心健康，而护士乙则站在患者的角度思考问题并将其视为紧急情况下患者或其家属的一种反应，因而会以平常心来看待，并有利于问题的解决。

4. 人际适应能力

社会上的个体不是孤立存在的，每个人都需要与他人交往，难免会出现人际冲突或矛盾，或多或少地影响到身心健康。尤其对护士职业来讲，人际关系极为复杂，只有人际适应良好的个体，才能保持和谐的人际关系，广交朋友，并帮助自己解决各种压力。而人际适应能力较差的个体，极易与他人产生冲突，遇到困难时也不得不独自应对，很容易积蓄压力，诱发严重的心理问题。

二、护士身心健康自我维护的策略

（一）优化职业心态，优先职业需求

1. 避免不合理的职业比较，优化职业心态

有些护士往往与美国等发达国家的同行进行比较，发现国外护士享受较高的福利待遇，而对自身的境遇感到不满，然而国外护士的收入却显著低于该国其他高级白领人群，如医师、律师等，但她们的民众信任度却数年名列前茅。由此看来，单纯以收入作为职业境遇的衡量标准并不全面，要想提高职业地位，就要充分认同护士职业，满怀热情的投入工作，真正做到为患者着想，这样才能赢得对方的尊重和信任。

2. 积极认知评价，优先职业需求

在满足自身职业需求的时候，难免会出现个人需要与他人需要或整体需要之间的冲突。如同一个科室多个护士同时申请继续教育学历，但科室因工作安排暂时不能满足所有申请者，未申请成功者势必出现失落之感，如果一味强调自身需要未得到满足而无法接受现实，便会产生强烈的挫折感，而若能以平常心看待，积极地从其他途径提升自身的职业素养，便不会因求学不成而深感受挫，同时也会及时查缺补漏，发现自身的问题所在，从而有益身心健康。

（二）主动人际沟通，营造和谐氛围

在医疗机构成员的内部，护士应积极主动的与其他医师、护士、麻醉师、营养师等医疗卫生专业人员进行交流，以达到相互之间的信任、理解和支持，以此营造团结共进的人际氛围。在医疗机构成员外部，护士还需与患者、家属等积极沟通，主动创造“双赢”的氛围，既帮助患者达到适宜的身心状态，又有助于自身的身心健康。

人际沟通能力的提高，不单纯在临床工作中磨炼，还依靠一定的社会活动。护士可定

期参加科室及医院举办的集体性娱乐活动，如知识竞赛、演唱会、职工运动会、集体出游等文体活动形式，这种轻松愉快的氛围一方面有助于放松心情、缓解压力；另一方面也有益于增进彼此感情交流。护士个体应把握好机会，积极训练自己的人际交往能力和语言沟通能力，营造和谐的人际关系。

（三）加强自我调节，创设积极心境

保持积极乐观的情绪和愉快开朗的心境是全身心投入护理工作的前提条件，也是有效应对各种压力的重要保证。护士工作面临诸多压力，如不能良好的应对，就会产生焦虑、烦躁等不良情绪甚至危害身体的健康。当一个人无法面对压力时，可适当地寻找社会支持，如向朋友倾诉苦恼，可以达到情绪的宣泄，朋友的安慰和鼓励也可使自身产生安全感和希望。

（四）做好自我评估，寻求专业支持

专业支持是专业人员对自己的帮助，当一个人所面临的问题非常严重，以致产生了剧烈的身心反应，而且不能靠个人的心理调节和有效的社会支持来帮助自己摆脱困境，便应当寻求这种帮助。寻求专业性心理帮助，要把握好时机，不要等到心理问题成堆、个人陷入崩溃边缘时才去寻求帮助。另外，各种心理咨询机构正在涌现，参差不齐，应对不同机构的专长领域有所了解，选择适合自己的心理咨询机构和咨询专业人员。

任务小结

本章介绍了护士角色人格的形成与发展，护士角色人格的要素特质。其中，护士职业心理素质的培养主要从心理能力、心理品质、心理动力、自我适应能力和环境适应能力着手。护士职业心理素质的培养途径主要为职业心理素质的教育、职业心理素质的管理。此外，更为重要的是护士能通过学习影响其身心健康的内外因素，掌握自我维护身心健康的策略，进行愉快的生活和工作。

知识点自测

一、名词解释

1. 角色人格　2. 护士角色人格

二、选择题

1. 角色人格概念元素不包括（　　）

A. 有助于个体确立合理的职业观，形成自觉的职业行为

B. 指具有某种社会特定地位的人们，共同具备并能形成相似角色行为的心理特征总和

C. 指人在某种特定、重复的社会经历中，形成较固定、具有共同性的人格特征

D. 角色人格等同于人格

E. 职业角色特征决定了从业者应具备该职业特定的人格倾向和行为模式

2. 护士角色人格的概念元素不包括（　　）

A. 特指从事护士职业的群体，共同具备并能形成相似的角色适应性行为的心理特征总和

B. 护士角色人格具有职业特异性

C. 护士角色人格与个体人格无直接关系

D. 护士角色人格以职业经历为前提

E. 要求从事护士职业的个体必须具有适应护士职业的行为特征

3. 护士角色人格的要素特质主要内容不包括（　　）

A. 忠于职守，富有责任心　　B. 良好的情绪调节与自控能力

C. 不能为人所意识到的心理活动部分　　D. 较出色的人际交往与沟通能力

E. 较适宜的气质与性格类型

4. 以下哪项不是护士职业心理素质的培养内容（　　）

A. 心理能力　　B. 环境维护能力　　C. 心理品格　　D. 心理动力

E. 自我适应能力

三、问答题

1. 简述护士角色人格的特征。

2. 简述影响护士身心健康的因素。

实训项目

讨论“护士如何维护自身的心理健康?”

每5~10人为一组，分组讨论。讨论的内容如下：

1. 如何减轻和消除护士存在的职业心理压力?

2. 怎样提高护士的职业认同感?

3. 护士需掌握的自我心理调节方法有哪些?

各小组分别总结，汇报。

参考文献

[1] 姚树桥，等. 临床心理学. 北京：中国人民大学出版社，2018.
[2] 杨艳杰，曹枫林. 护理心理学. 北京：人民卫生出版社，2017.
[3] 刘哲宁，杨芳宇. 精神科护理学. 北京：人民卫生出版社，2017.
[4] 汪启荣. 护理心理学基础. 北京：人民卫生出版社，2019.
[5] 郝玉芳. 护理心理学. 北京：中国中医药出版社，2019.
[6] 林国君，孙静波. 护理心理学. 北京：中国中医药医学出版社，2018.
[7] 姚树桥，杨艳杰. 医学心理学. 北京：人民卫生出版社，2018.
[8] 赵小玉，周英. 护理心理学（案例版）. 北京：科学出版社，2019.
[9] 黄希庭，郑涌. 心理学导论. 北京：人民教育出版社，2015.
[10] 李正姐，吴学华. 护理心理学. 北京：中国中医药出版社，2018.
[11] 靳斓. 医护礼仪与医患沟通技巧. 北京：中国经济出版社，2018.
[12] 乔瑜，陈立花. 护理心理学. 武汉：华中科技大学出版社，2019.
[13] 洪炜. 心理援助教程. 北京：人民卫生出版社，2018.
[14] 郝伟，陆林. 精神病学. 北京：人民卫生出版社，2018.
[15] 许兰萍. 综合医院心身疾病案例诊治分析. 北京：北京大学医学出版社，2012.
[16] 苏珊·诺伦-霍克西玛. 邹丹，等译. 变态心理学. 北京：人民邮电出版社，2017.
[17] 克林，等. 王建平，等译. 变态心理学. 北京：中国轻工业出版社，2016.
[18] 姚树桥. 心理评估. 北京：人民卫生出版社，2018.
[19] 孙宏伟，杨小丽. 医学心理学案例版. 北京：科学出版社，2019.
[20] 朱金富，林贤浩. 医学心理学. 北京：中国医药科技出版社，2016.
[21] 杨凤池. 咨询心理学. 北京：人民卫生出版社，2018.
[22] 约翰·麦克劳德. 潘洁译. 心理咨询导论. 上海：上海社会科学院出版社，2015.
[23] 王辉. 护理心理学. 北京：化学工业出版社，2015.
[24] 曹新妹，等. 护理心理学（临床案例版）. 武汉：华中科技大学出版社，2015.
[25] 李小妹. 护理学导论. 北京：人民卫生出版社，2017.
[26] 钟志兵. 护理心理学. 北京：中国医药科技出版社，2016.

[27] 史宝欣. 护理心理学. 北京：人民卫生出版社，2018.
[28] 林崇德. 发展心理学. 北京：人民教育出版社，2018.
[29] 穆欣，马小琴. 护理学导论. 北京：中国中医药出版社，2019.
[30] 杭荣华，刘新民. 护理心理学. 合肥. 中国科学技术大学出版社，2018.